¿Dónde te escondes?

MARY HIGGINS CLARK

¿Dónde te escondes?

WITHDRAWN

Traducción de
Montse Roca

PLAZA JANÉS

Título original: *Where Are You Now?*

Primera edición: marzo, 2009

© 2008, Mary Higgins Clark
  Todos los derechos reservados.
  Publicado por acuerdo con la editorial original Simon &
  Schuster, Inc.
© 2009, Random House Mondadori, S. A.
  Travessera de Gràcia, 47-49. 08021 Barcelona
© 2009, Montse Roca Reguant, por la traducción

Printed in Spain – Impreso en España

ISBN: 978-84-01-33700-0
Depósito legal: B.5.052-2009

Compuesto en Anglofort, S. A.

Impreso y encuadernado en Cayfosa (Impresia Ibérica)
Ctra. de Caldes, km 3. Santa Perpètua de Mogoda (Barcelona)

L 337000

En memoria de Patricia Mary Riker, «Pat»,
querida amiga y maravillosa dama,
con cariño

¿Dónde te escondes?
¿Quién yace bajo tu conjuro?

«The Kashmiri Song»,
letra de Laurence Hope,
música de Amy Woodforde-Finden

Agradecimientos

Quizá la pregunta que me hacen más a menudo es: «¿De dónde saca las ideas?». La respuesta es simple. Leo un artículo en un periódico o en una revista, y por algún motivo lo retengo en la mente. Eso fue lo que pasó cuando leí sobre un joven que desapareció hace treinta y cinco años de su piso de estudiante, y todos los años más o menos telefonea a casa, negándose a dar ninguna información de por qué se fue o dónde está.

Hoy su madre es una anciana que sigue esperando volver a verle algún día, antes de morir.

Cuando una situación me intriga me planteo a mí misma tres cuestiones: «Supongamos que», «¿y si?» y «¿por qué?».

Pienso: «Supongamos que un universitario de último curso desapareció hace diez años. ¿Y si telefoneara solo el día de la Madre? ¿Por qué desapareció?».

Y luego todos los «supongamos que» y los «y si» y los «por qué» empiezan a dar vueltas en mi cerebro, y así empieza una nueva novela.

Para mí escribir siempre es una aventura maravillosa. Una aventura solitaria, por supuesto, por propia naturaleza. Afortunadamente, cuento con los sólidos consejos y con el estímulo de mi editor de siempre y amigo, Michael Korda, ayudado este año por la editora senior Amanda Murray. Michael y Amanda, gracias de corazón.

Stephen Marron, sargento retirado, y Richard Murphy, detective retirado, ambos del Departamento de Policía de Nueva York, son mis espléndidos especialistas en sistema policial e investigación criminal. Bravo y gracias, Steve y Rich.

Gipsy da Silva, directora asociada de revisión y corrección de textos, y yo llevamos trabajando juntas más de tres décadas. Gracias a ella, siempre, así como a Lisl Cade, mi publicista, a mi agente Sam Pinkus y a mis lectores «durante el proceso», Agnes Newton, Nadine Petry e Irene Clark.

Mis bendiciones, agradecimiento y amor eterno para el frente doméstico: John Conheeney, «cónyuge extraordinario», y a todos nuestros hijos y nietos. Somos realmente afortunados.

Flores de primavera y montones de buenos deseos para vosotros, queridos lectores. Espero que disfrutéis leyendo esta historia tanto como yo he disfrutado escribiéndola. ¿A la misma hora el próximo año? Podéis apostar.

1

Es justo medianoche, lo cual significa que el día de la Madre acaba de empezar. Me he quedado a pasar la noche con mi madre en el piso de Sutton Place donde crecí. Ella está abajo, en la salita de su habitación, y juntas cumplimos con la costumbre del día. La misma que seguíamos todos los años desde que hace diez mi hermano Charles Mackenzie hijo, «Mack», desapareció del apartamento que compartía con otros dos estudiantes de último curso de la Universidad de Columbia. Nadie le ha vuelto a ver desde entonces. Pero todos los años, el día de la Madre, en algún momento telefonea para tranquilizar a mamá y decirle que está bien. «No te preocupes por mí —le dice—. Cualquier día de estos meteré la llave en la cerradura y entraré en casa.» Luego cuelga.

Nunca sabemos en qué momento de esas veinticuatro horas llegará esa llamada. El año pasado, Mack llamó pocos minutos después de medianoche, y nuestra vigilia terminó casi sin empezar. Hace dos años esperó hasta el último segundo para telefonear; mamá creyó que ese débil contacto con él se había acabado y se angustió muchísimo.

Mack tiene que haberse enterado de que mi padre murió en la tragedia de las Torres Gemelas. Yo estaba segura de que, cualquier cosa que estuviera haciendo, aquel día terrible le obligaría a volver a casa. Pero no fue así. Después, durante su siguiente llamada anual del día de la Madre, Mack se echó a llorar y dijo con voz vacilante: «Siento lo de papá. Lo siento de veras», y cortó la comunicación.

Soy Carolyn. Yo tenía dieciséis años cuando Mack desapareció. Seguí sus pasos y fui a Columbia. Al contrario que él, después fui a la facultad de derecho de Duke, donde Mack había sido admitido antes de desaparecer. Después de pasar el examen del Colegio de Abogados, trabajé como ayudante de un juez del tribunal civil de Centre Street, en el centro de Manhattan. El juez Paul Huot acaba de jubilarse, por lo que en este momento no tengo trabajo. Tengo pensado solicitar un puesto como ayudante del fiscal del distrito en Manhattan, pero más adelante.

Primero debo intentar encontrar a mi hermano. ¿Qué le pasó? ¿Por qué desapareció? No hubo indicios de delito. Nadie usó las tarjetas de crédito de Mack. Su coche estaba en un garaje cerca de su apartamento. Nadie que correspondiera a su descripción fue a parar al depósito de cadáveres, aunque al principio a mi madre y a mi padre les pidieron varias veces que examinaran el cadáver de algún joven no identificado que habían sacado del río o que había muerto en un accidente.

Cuando éramos niños Mack era mi mejor amigo, mi confidente, mi colega. La mitad de mis amigas estaban locas por él. Era el hijo perfecto, el hermano perfecto, guapo, amable, divertido... un estudiante excelente. ¿Qué siento por él ahora? Ya no lo sé. Me acuerdo de lo mucho que le quería, pero ese cariño se ha convertido casi totalmente en rabia y resentimiento. Me gustaría incluso dudar de que esté vivo y creer que alguien nos está gastando una broma cruel, pero mi mente no alberga ninguna duda. Hace años grabamos una de sus llamadas telefónicas e hicimos comparar la muestra de la voz con la de las películas familiares. Eran idénticas.

Todo eso significa que mamá y yo parecíamos flotar a merced del viento, y lo mismo hacía papá antes de morir en aquel catastrófico incendio. En todos estos años, nunca he ido a un restaurante ni a un teatro sin que mis ojos lo rastrearan automáticamente por si quizá, solo por casualidad, me topaba con él.

Cualquier hombre con el cabello rojizo y con un perfil parecido al suyo requería una segunda mirada y, a veces, un examen cercano. Recuerdo que estuve a punto de atropellar a alguien más de una vez por acercarme a una persona que resultó ser un perfecto desconocido.

Todo eso pasaba por mi mente cuando puse al máximo el volumen del teléfono, me fui a la cama e intenté dormir. Supongo que debí de caer en una especie de sopor inquieto, porque el timbre discordante del teléfono me despertó de pronto. En el dial iluminado del reloj vi que eran las tres menos cinco. Encendí bruscamente la luz de la mesilla con una mano y agarré el auricular con la otra. Mamá ya había contestado y oí su voz, vacilante y nerviosa.

—Hola, Mack.

—Hola, mamá. Feliz día de la Madre. Te quiero.

El tono era sonoro y confiado. Parecía que no tenía ningún problema, pensé con amargura.

Como siempre, el sonido de su voz destrozó a mamá, que empezó a llorar.

—Mack, te quiero. Necesito verte —suplicó—. No importa los problemas que tengas, ni las cosas que tengas que solucionar, yo te ayudaré. Mack, por Dios santo, han pasado diez años. No sigas haciéndome esto. Por favor… por favor…

Él nunca hablaba por teléfono más de un minuto. Estoy segura de que sabía que nosotros intentaríamos localizar la llamada, pero, ahora que esta tecnología está disponible, siempre llama desde uno de esos teléfonos móviles con tarjeta de prepago.

Yo tenía pensado lo que le diría y corrí para que me oyera antes de colgar.

—Mack, voy a encontrarte —le dije—. La policía lo intentó y fracasó. Igual que el detective privado. Pero yo no fracasaré. Juro que no. —Mi voz sonó serena y firme, tal como lo había planeado, pero entonces oí llorar a mi madre y aquello me desbordó—. Voy a encontrarte, basura —grité—, y más vale que tengas un motivo realmente bueno para torturarnos de este modo.

Oí un clic y supe que había colgado. Me habría cortado la lengua para retirar el insulto que le había lanzado, pero, naturalmente, era demasiado tarde.

Yo sabía lo que me esperaba: mamá estaría furiosa conmigo por la forma en que había gritado a Mack. Me puse una bata y bajé directamente a la suite que ella había compartido con papá.

Sutton Place es un exclusivo barrio de Manhattan, de casas unifamiliares y edificios de apartamentos, con vistas al East River. Mi padre lo compró después de pasarse las noches estudiando derecho en Fordham y trabajando hasta llegar a ser socio de un bufete de abogados. Nuestra privilegiada infancia fue el resultado de su cerebro y de la ética del trabajo duro que le inculcó su madre, una viuda escocesa-irlandesa. Él nunca permitió que un solo céntimo del dinero que heredó mi madre influyera en nuestro modo de vida.

Llamé a la puerta y empujé para abrirla. Ella estaba de pie junto a la ventana con vistas al East River. No se dio la vuelta, aunque sabía que yo estaba allí. Era una noche clara, y se veían las luces del puente de Queensboro a la izquierda. Incluso a esa hora del amanecer había una marea constante de coches que lo cruzaban en ambos sentidos. Me vino a la mente la extravagante idea de que quizá Mack estaba en uno de esos coches y que ahora, tras hacer su llamada anual, iba de camino a un destino lejano.

A Mack siempre le encantó viajar; lo llevaba en las venas. El padre de mi madre, Liam O'Connell, nació en Dublín, estudió en el Trinity College y llegó a Estados Unidos, listo y bien educado, sin un céntimo. Al cabo de cinco años compraba campos de patatas en Long Island, que al final se convirtieron en los Hamptons, en fincas en el condado de Palm Beach y en inmuebles en la Tercera Avenida, cuando aún era una calle sucia y oscura, a la sombra de la vía elevada del tren que se cernía sobre ella. Fue entonces cuando envió a buscar a mi abuela, una chica inglesa que había conocido en el Trinity, y se casó con ella.

Mi madre, Olivia, de una belleza inglesa genuina, es alta, todavía delgada como un junco a los sesenta y dos años, con el cabello plateado, ojos de un gris azulado y facciones clásicas. Físicamente, Mack era prácticamente un clon suyo.

Yo heredé el pelo castaño rojizo de mi padre, los ojos de color avellana y la mandíbula firme. Cuando mi madre se ponía tacones, era ligeramente más alta que papá, y yo soy de estatura mediana, como él. Cuando crucé la habitación y la abracé, me di cuenta de que le añoraba.

Ella se dio la vuelta y yo capté la rabia que la embargaba.

—Carolyn, ¿cómo has podido hablarle así a Mack? —me dijo con brusquedad, mientras se abrazaba el pecho con los brazos—. ¿No comprendes que debe de tener algún problema horrible que le aleja de nosotros? ¿No eres capaz de entender que debe de sentirse asustado e indefenso y que esta llamada es su forma de suplicarnos comprensión?

Antes de que mi padre muriera, ellos solían tener a menudo emotivas conversaciones como esta. Mamá siempre protegía a Mack, y siempre llegaba un momento en que mi padre estaba dispuesto a dejarlo pasar y dejar de preocuparse por la cuestión.

—Por el amor de Dios, Liv —le espetaba a mamá—. Aparentemente él está bien. Quizá esté liado con alguna mujer y no quiera traerla aquí. Quizá esté intentando ser actor. De niño quería serlo. Quizá fui demasiado duro con él, por obligarle a trabajar en verano. ¿Quién sabe?

Al final siempre se pedían perdón mutuamente. Mamá llorando, y papá angustiado y enfadado consigo mismo por preocuparla.

Yo no iba a cometer un segundo error intentando justificarme. En lugar de eso dije:

—Mamá, escúchame. Hasta ahora no hemos podido encontrarle; por lo tanto, a Mack no le preocupa mi amenaza. Míralo de esta forma. Has tenido noticias suyas. Sabes que está vivo. Parecía francamente alegre. Sé que odias las pastillas para dormir, pero también sé que tu médico te las recetó. Así que tómate una y descansa un poco.

No esperé a que me contestara. Sabía que no ganaría nada si me quedaba un rato más con ella, porque yo también estaba enfadada. Enfadada con ella por meterse conmigo, enfadada con Mack, enfadada por el hecho de que este dúplex de diez habitaciones sea demasiado grande para que mamá viva aquí sola y esté demasiado lleno de recuerdos. Ella no lo venderá porque si se trasladara a otro sitio temería perderse la llamada telefónica anual de Mack; naturalmente, me recuerda que él dijo que un día metería la llave en la cerradura y volvería a casa… A casa. Aquí.

Volví a la cama, pero ya no pude dormir. Empecé a planear cómo buscaría a Mack. Pensé en acudir a Lucas Reeves, el detective privado que contrató papá, pero cambié de opinión. Yo iba a abordar la desaparición de Mack como si hubiera sucedido el día anterior. Cuando papá empezó a preocuparse por él, lo primero que hizo fue llamar a la policía e informar de su desaparición. Yo empezaría por el principio.

Conocía a gente en el palacio de justicia, donde está también la oficina del fiscal. Decidí que mi búsqueda empezaría allí.

Por fin me quedé dormida y empecé a soñar que cruzaba un puente a pie, tras un misterioso personaje. Aunque intenté no perderle de vista, él era demasiado rápido para mí, y al llegar al otro lado no supe en qué dirección ir. Pero entonces oí que me llamaba, con una voz lúgubre y angustiada: «Carolyn, no te acerques, no te acerques».

—No puedo, Mack —dije en voz alta al despertarme—. No puedo.

2

Monseñor Devon Mackenzie comentaba apesadumbrado a sus visitas que su amada iglesia de Saint Francis of Sales estaba tan cerca de la catedral episcopaliana de Saint John the Divine, que era prácticamente invisible.

Doce años atrás, Devon esperaba recibir la noticia de que Saint Francis se cerraba, y sinceramente no habría podido oponerse a la decisión. Al fin y al cabo, aquello se había edificado en el siglo XIX y necesitaba reformas importantes. Después, cuando en la zona se construyeron más edificios de apartamentos y se renovaron los viejos ascensores, vio con satisfacción las caras de nuevos feligreses en la misa dominical.

La creciente congregación hizo posible que en los últimos cinco años se pudieran llevar a cabo algunas de esas reformas. Se limpiaron las vidrieras de colores, se quitó el polvo acumulado durante años en los murales, se lijaron y pulieron los bancos de madera de la iglesia y se colocó una moqueta nueva y confortable en los reclinatorios.

Después, cuando el papa Benedicto XVI decretó que los sacerdotes podían optar por celebrar la misa tridentina, Devon, que dominaba el latín, anunció que a partir de entonces la misa dominical de las once se celebraría en la lengua de la Iglesia antigua.

La reacción le dejó atónito. Ahora aquella misa estaba llena a rebosar, no solo de feligreses maduros, sino de adolescentes y jóvenes que contestaban con devoción «*Deo gratias*» en lugar de «Gracias sean dadas a Dios», y rezaban «*Pater Noster*» en lugar de «Padre nuestro».

Devon tenía sesenta y ocho años, dos menos que el hermano que perdió el 11 de septiembre, y tío y padrino del sobrino que había desaparecido. Cuando durante la misa invitaba a la congregación a elevar en silencio sus propias peticiones, su primera plegaria era siempre por Mack y por que volviera a casa un día.

El día de la Madre esa plegaria era siempre especialmente fervorosa. Hoy, al volver a la rectoría, se encontró con un mensaje de Carolyn en el contestador automático: «Tío Dev, Mack llamó esta madrugada a las tres menos cinco. Aparentemente está bien. Colgó enseguida. Hasta la noche».

Monseñor Devon notó la tensión en la voz de su sobrina. El alivio que sentía por la llamada de su sobrino se mezclaba con una profunda ira. Maldito seas, Mack, pensó. ¿Tienes alguna idea de lo que nos estás haciendo? Mientras se quitaba el alzacuello, Devon cogió el teléfono para devolver la llamada a Carolyn. Pero, sin darle tiempo a marcar, llamaron a la puerta.

Era su amigo de la infancia, Frank Lennon, un ejecutivo informático jubilado, que ejercía de monaguillo los domingos y contabilizaba, actualizaba e ingresaba las colectas del día.

Devon había aprendido hacía tiempo a interpretar las caras de la gente, a saber inmediatamente si aquello que traían era un auténtico problema.

—¿Qué pasa Frank? —preguntó.

—Mack estaba en la misa de las once, Dev —dijo Lennon directamente—. Dejó una nota para ti en el cepillo. Estaba envuelta en un billete de veinte dólares.

Monseñor Devon Mackenzie agarró el trozo de papel, leyó las nueve palabras que había impresas y luego volvió a leerlas, como si no creyera lo que estaba viendo: «TÍO DEVON, DILE A CAROLYN QUE NO DEBE BUSCARME».

3

Hacía nueve años que Aaron Klein recorría anualmente el largo camino desde Manhattan hasta el cementerio de Bridgehampton para acondicionar la lápida de la tumba de su madre, Esther Klein. Ella había sido una divorciada muy vitalista de cincuenta y cuatro años, que murió a manos de un atracador cuando salió a correr, como cada día, por las cercanías de la catedral de Saint John the Divine.

En aquella época Aaron tenía veintiocho años, estaba recién casado y tenía una carrera profesional ascendente en la agencia financiera Wallace & Madison. Ahora tenía dos hijos, Eli y Gabriel, y una niña pequeña, Danielle, que se parecía muchísimo a su difunta abuela. Cuando visitaba el cementerio, Aaron sentía invariablemente rabia y desilusión por el hecho de que el asesino de su madre siguiera siendo un hombre libre, que se paseaba tranquilamente por las calles.

La habían golpeado en la nuca con un objeto contundente. Su teléfono móvil estaba en el suelo a su lado. ¿Presintió el peligro y lo sacó del bolsillo para llamar al 112? Esa era la única posibilidad que tenía sentido.

Ella quizá intentó llamar, pero en los informes policiales quedó claro que Esther no hizo, ni recibió, ninguna llamada en aquel momento.

La policía pensaba que había sido un asalto fortuito. El reloj, la única joya que ella llevaba siempre a esa hora del día, había desaparecido, igual que las llaves de su casa. «¿Por qué se llevó las llaves de su casa quienquiera que la mató si no sabía quién era ella ni dónde vivía?», preguntó Aaron a la policía. Ellos no habían respondido a esa pregunta.

El piso de Esther tenía una entrada propia a pie de calle, justo a la vuelta de la esquina de la entrada principal de un edificio con guardia de seguridad, pero tal como señalaron los inspectores que trabajaban en el caso, allí no se echó en falta nada. Su monedero, que contenía varios billetes de cien dólares, estaba en su bolso. Y las joyas de valor que Aaron sabía que tenía estaban en su joyero, abierto sobre el tocador.

Cuando Aaron se arrodilló y tocó la hierba sobre la tumba de su madre volvía a llover de forma intermitente. Arregló la lápida con las rodillas hundidas en el suelo embarrado y murmuró:

—Mamá, me habría gustado que hubieras vivido para conocer a los niños. Los chicos han terminado ya el primer curso y el parvulario. Danielle es una pequeña actriz. Me la imagino presentándose a decenas de pruebas para una de las obras que tú podrías estar dirigiendo en Columbia.

Sonrió, y pensó cuál habría sido la reacción de su madre: «Aaron, eres un soñador. Haz cuentas. Cuando Danielle llegue a la universidad, yo ya habré cumplido setenta y cinco años».

—Y aún estarías dando clases y dirigiendo, seguirías llena de energía —dijo él en voz alta.

4

El lunes por la mañana me dirigí al despacho del fiscal del distrito del centro de Manhattan, con la nota que Mack había dejado en la cesta de la colecta. Hacía un día precioso, soleado y cálido, con una brisa suave, la clase de tiempo que hubiera sido apropiado para el día de la Madre, en lugar del día frío y húmedo que había estropeado cualquier posibilidad de reunirse al aire libre.

Mamá, el tío Dev y yo habíamos salido a cenar el domingo por la noche. Obviamente, la nota que el tío Dev nos entregó hizo que mamá y yo cayéramos en picado. Inicialmente mamá reaccionó encantada ante la posibilidad de que Mack estuviera tan cerca. Ella siempre ha estado convencida de que él estaba muy lejos, en Colorado o California. Luego empezó a temer que mi amenaza de buscarle le hubiera puesto en una situación peligrosa.

Al principio, sencillamente no supe qué pensar, pero en aquel momento experimentaba la creciente sospecha de que Mack podría estar metido en problemas e intentara mantenernos alejadas de ellos.

El vestíbulo de Hogan Place 1 estaba abarrotado, y las medidas de seguridad eran muy estrictas. Yo llevaba varios documentos identificativos, pero no tenía cita previa con nadie y el guarda no me dejó pasar. Mientras la gente que hacía cola detrás de mí empezaba a impacientarse, yo intenté explicarle que mi hermano había desaparecido, y que quizá por fin teníamos una pista que nos indicara cómo podíamos empezar a buscarle.

—Señorita, tiene usted que telefonear a Personas Desaparecidas y pedir una cita, insistió el guarda—. Ahora, por favor... aquí hay otras personas que necesitan subir y ocupar su puesto de trabajo.

Decepcionada, salí del edificio y saqué mi teléfono móvil. El juez Huot estaba en un tribunal civil; yo nunca había tenido demasiado contacto con los ayudantes del fiscal del distrito, pero conocía a uno, Matt Wilson. Llamé a la oficina del fiscal y me pasaron con su extensión. Matt no estaba en su mesa y tenía el clásico mensaje grabado en el contestador: «Deje su nombre, número de teléfono y un breve mensaje. Yo me pondré en contacto con usted».

—Soy Carolyn Mackenzie —empecé—. Nos hemos visto varias veces. Yo era ayudante del juez Huot. Mi hermano lleva diez años desaparecido. Ayer me dejó una nota en una iglesia de la avenida Amsterdam. Necesito ayuda para intentar localizarle antes de que vuelva a desaparecer. —Al terminar le dije mi número de móvil.

Yo estaba de pie en las escaleras. Había un hombre que estaba a punto de pasar a mi lado, un tipo de unos cincuenta años con las espaldas anchas, el pelo muy corto y canoso, y andares decididos. Me di cuenta de que me había oído porque se paró y se dio la vuelta, lo que me causó cierta alarma. Nos miramos el uno al otro un momento, y luego él dijo bruscamente:

—Soy el detective Barrott. Yo la acompañaré arriba.

Cinco minutos después estaba sentada en una oficina pequeña y destartalada con un escritorio, un par de sillas y montones de archivos.

—Podemos hablar aquí —me dijo—. En la sala de la brigada hay demasiado ruido.

Yo le hablé de Mack mientras él no dejaba de mirarme. Solo me interrumpió para hacerme un par de preguntas:

—¿Solo telefonea el día de la Madre?

—Eso es.

—¿Nunca pide dinero?

—Nunca. —Yo había metido la nota en un envoltorio de plástico para bocadillos y añadí—: No sé si sus huellas dactilares estarán aquí. A no ser, claro, que alguien dejara la nota en la cesta por él. Me parece muy absurdo que corriera el riesgo de que le viera el tío Dev desde el altar.

—Eso depende. Puede haberse teñido el pelo, puede haber engordado ochenta kilos o llevar gafas de sol. Es fácil esconderse entre una multitud, sobre todo si se lleva impermeable.

Él observó el pedazo de papel. A través del plástico apenas se veía el texto.

—¿Tenemos las huellas de su hermano en el archivo?

—No estoy segura. Cuando denunciamos su desaparición, nuestra asistenta ya había limpiado el polvo y había pasado el aspirador por su habitación. Él compartía un piso de estudiantes con dos amigos, y debía de haber al menos una docena más entrando y saliendo todos los días, como en la mayoría de esos sitios. También le habían limpiado y secado el coche después de que lo usara por última vez.

Barrott me devolvió la nota.

—Podemos buscar huellas en este papel, pero ya le digo ahora que no encontraremos nada. Ha pasado por sus manos y las de su madre. También por las de su tío, el sacerdote. Y por las del monaguillo que se lo llevó a su tío. Y supongo que habría al menos otro que ayudara a recoger la colecta.

Yo creí que debía ofrecerle algo más y dije:

—Yo soy la única hermana de Mack. Mi madre, mi padre y yo fuimos a dejar una muestra de ADN al laboratorio, pero nunca hemos tenido noticias suyas, así que supongo que no encontraron a nadie cuyas muestras correspondieran con él, ni siquiera parcialmente.

—Señorita Mackenzie, por lo que dice, su hermano no tenía el más mínimo motivo para desaparecer voluntariamente. Pero si lo hizo, debía haber y hay una razón. Probablemente habrá visto usted en televisión alguno de esos programas sobre crímenes, y debe de haber oído que cuando la gente desaparece, normalmente la razón acaba siendo una acumulación de problemas, motivados bien por amor, bien por dinero. Un pretendiente abandonado, un marido o una esposa celosos, un cónyuge incómodo, un adicto desesperado por una dosis. Debe usted analizar de nuevo todas sus ideas preconcebidas sobre su hermano. Tenía veintiún años. Dice usted que tenía éxito con las chicas. ¿Había alguna chica especial?

—Ninguno de sus amigos nos habló de eso y, desde luego, no apareció nunca nadie.

—Muchos chicos de esa edad corren riesgos innecesarios. Muchos experimentan con las drogas y se convierten en adictos. Suponga que tenía deudas, ¿cómo habrían reaccionado ante eso su padre y su madre?

Me di cuenta de que no tenía ganas de contestar. Luego me recordé a mí misma que, sin duda, esas eran las preguntas que les hicieron a mi padre y a mi madre hace diez años. Me pregunté si ellos se habían mostrado evasivos.

—Mi padre se habría puesto furioso —admití—. Despreciaba a la gente que malgasta el dinero. Mi madre tiene una renta personal procedente de una herencia. Si Mack necesitaba dinero podía haberlo conseguido a través de ella, y ella no se lo habría dicho a papá.

—De acuerdo. Señorita Mackenzie, voy a ser totalmente franco con usted. No creo que estemos ante un hecho delictivo, de modo que no podemos tratar la desaparición de su hermano como un delito. No puede imaginarse la cantidad de gente que desaparece todos los días. Están sometidos a una tensión que no pueden soportar, o lo que es peor, no quieren soportar más. Su hermano telefonea con regularidad...

—Una vez al año —le interrumpí.

—Lo cual sigue siendo regular. Cuando usted le dice que va a localizarle, él responde inmediatamente. Le manda un mensaje diciendo «Déjame en paz». Ya sé que suena duro, pero le aconsejo que intente aceptar que Mack está donde quiere estar, y que el máximo contacto que quiere tener con usted y con su madre es esa llamada del día de la Madre. Haga un favor a los tres: respete sus deseos.

Se puso de pie. Estaba claro que nuestra conversación había terminado. Estaba claro que yo no debía malgastar más el tiempo del departamento de policía. Recogí la nota y, al hacerlo, releí el mensaje: «TÍO DEVON, DILE A CAROLYN QUE NO DEBE BUSCARME».

—Ha sido usted muy sincero, inspector Barrott —dije yo, utilizando la palabra «sincero» en lugar de «amable». No pensaba que hubiera sido amable en absoluto—. Prometo no volver a molestarle nunca más.

5

Gus y Lil Kramer tenían más de sesenta años, y llevaban veinte trabajando como encargados de un edificio de apartamentos de cuatro pisos, en la avenida West End, que el propietario, Derek Olsen, había convertido en residencia de estudiantes. Cuando les contrató Olsen les dijo:

—Miren, los universitarios, sean listos o tontos, son básicamente vagos: dejan las cajas de pizza apiladas en la cocina, acumulan suficientes latas de cerveza como para mantener a flote un barco de guerra, tiran la ropa sucia y las toallas húmedas al suelo... A nosotros no nos importa. Todos se marchan después de licenciarse. Lo que quiero decir —continuó—, es que yo puedo subir el alquiler tanto como quiera, siempre que las zonas comunes tengan un aspecto impecable. Espero que mantengan el vestíbulo y los pasillos como si fueran viviendas de la Quinta Avenida. Quiero que la calefacción y el aire acondicionado funcionen siempre, que cualquier problema de fontanería se arregle inmediatamente, que la acera se barra cada día. Quiero que en cuanto quede un apartamento libre, rápidamente se le dé una mano de pintura. Quiero que todos los padres de los recién llegados que vengan a ver este sitio queden impresionados.

Los Kramer habían seguido fielmente las instrucciones de Olsen durante veinte años. Trabajaban en un edificio que se consideraba una residencia estudiantil de categoría: todos los universitarios que habían pasado por allí, eran lo suficientemente afortunados como para tener unos padres con los bolsillos llenos. Incluso un grupo de padres llegó a un acuerdo aparte con los Kramer para que limpiaran regularmente las habitaciones de sus hijos.

Gus y Lil habían celebrado el día de la Madre comiendo en Tavern on the Green con su hija Winifred y el marido de esta, Perry. Desgraciadamente, la conversación se redujo prácticamente a un monólogo de Winifred, que insistía para que sus padres dejaran su trabajo y se retiraran a la casita que tenían en Pennsylvania. Fue un monólogo que ellos ya habían oído antes y que siempre terminaba con la coletilla:

—Mamá, papá, no soporto pensar en vosotros barriendo, fregando y sacando el polvo detrás de esos chicos.

Hacía tiempo que Lil Kramer había aprendido a replicar:

—Quizá tienes razón, cariño. Lo pensaremos.

Frente a su sorbete de vainilla, Gus Kramer no se mordió la lengua:

—Lo dejaremos cuando estemos preparados para dejarlo, no antes. ¿Qué iba a hacer yo todo el día?

El lunes por la tarde, Lil tejía un suéter para el primer hijo que esperaba una de sus antiguas estudiantes, y pensaba indignada en el irritante aunque bien intencionado consejo de Winifred. ¿Por qué no entiende que a mí me encanta estar con estos chicos? Para nosotros es casi como si fueran nuestros nietos. Ella desde luego no nos ha dado ninguno.

El timbre del teléfono la sobresaltó. Gus había subido el volumen desde que empezó a tener problemas de oído, pero ahora estaba demasiado alto. Con ese ruido se podría resucitar a un muerto, pensó Lil mientras corría a contestar.

Cuando descolgó el auricular, se dio cuenta de que esperaba que no fuera Winifred y su eterno discurso sobre la jubilación. Pero al cabo de un minuto deseó que hubiera sido Winifred.

—Hola, soy Carolyn Mackenzie. ¿Es usted la señora Kramer?

—Sí —Lil notó cómo se le secaba la boca.

—Mi hermano Mack vivía en su edificio cuando desapareció hace diez años.

—Sí, vivía aquí.

—Señora Kramer, el otro día tuvimos noticias de Mack. Él no quiere decirnos dónde está. Comprenderá usted lo que mi madre y yo estamos pasando. Yo voy a intentar encontrarle. Tenemos motivos para creer que está viviendo en esta zona. ¿Podría ir a hablar con usted?

No, pensó Lil. ¡No! Pero se oyó a sí misma contestar del único modo posible.

—Por supuesto que puede. Yo… nosotros… le teníamos mucho cariño a Mack. ¿Cuándo quiere que nos veamos?

—¿Mañana por la mañana?

Demasiado pronto, pensó Lil. Necesito más tiempo.

—Mañana tenemos mucho trabajo.

—¿Entonces el miércoles por la mañana, sobre las once?

—Sí, creo que entonces irá bien.

Gus entró cuando ella colgaba.

—¿Quién era? —preguntó.

—Carolyn Mackenzie. Está dispuesta a investigar por su cuenta la desaparición de su hermano. Va a venir a hablar con nosotros el miércoles por la mañana.

Lil vio que la cara ancha de su marido enrojecía, y que sus ojos detrás de las gafas se empequeñecían. Con un par de zancadas, su cuerpo menudo y robusto se colocó frente a ella.

—La última vez los policías notaron que estabas nerviosa, Lil. No dejes que te pase eso delante de la hermana. ¿Me oyes? ¡Esta vez no dejes que te pase!

6

El lunes por la tarde, el detective Roy Barrott terminó el turno a las cuatro. Había sido un día relativamente tranquilo, y a las tres en punto se dio cuenta de que no había nada que exigiera su atención inmediata. Pero algo le molestaba. Su cerebro empezó a reconstruir el día, buscando el origen de su incomodidad, como cuando movía la lengua por la boca, para localizar una llaga que le dolía.

Al recordar su conversación con Carolyn Mackenzie supo que lo había encontrado. La mirada de disgusto y desdén que había visto en los ojos de ella cuando se fue le provocaba ahora una sensación de vergüenza y bochorno a la vez. Estaba desesperadamente angustiada por su hermano, y tenía la esperanza de que la nota que él había dejado en la cesta de la colecta de la iglesia pudiera ser un primer paso para localizarle.

Yo me la quité de encima, pensó Barrott. Cuando ella se marchó me dijo que no volvería a molestarme. Esa fue la palabra que usó, «molestarme».

En aquel momento, apoyado en la silla de su escritorio de la atiborrada sala de la brigada, Barrott se aisló del ruido de los timbres de los teléfonos que sonaban a su alrededor. Después se encogió de hombros. No me moriré por echarle una ojeada al archivo, decidió. En última instancia, para confirmarme a mí mismo que solo se trata de un tipo que no quiere que le encuentren, un tipo que un día cambiará de opinión y acabará reuniéndose con su madre y su hermana en el programa de la tele *Dr. Phil*, mientras todo el mundo se da un hartón de llorar.

La artritis de la rodilla le dio un pinchazo y se levantó con un gesto de dolor. Bajó al departamento de archivos, firmó la autorización para sacar el expediente Mackenzie, se lo llevó de vuelta a su escritorio y lo abrió. Aparte de un montón de informes oficiales, y declaraciones de la familia y de los amigos de Charles Mackenzie hijo, había un sobre tamaño folio lleno de fotografías. Barrott las sacó y las esparció sobre su mesa.

Hubo una que le llamó la atención inmediatamente. Era una felicitación navideña de la familia Mackenzie reunida junto al árbol de Navidad. A Barrott le recordó la felicitación que Beth y él habían mandado en diciembre: ellos dos con sus hijos, Melissa y Rock, de pie frente al árbol. Todavía la tenía en algún rincón del escritorio.

Los Mackenzie se arreglaron para la foto mucho más que nosotros, pensó Barrott. Padre e hijo iban de esmoquin, y la madre y la hija con vestidos de noche. Pero el efecto general era el mismo. Una familia sonriente y alegre, que deseaba feliz Navidad y próspero Año Nuevo a sus amigos. Debió de ser la última que mandaron antes de que su hijo desapareciera.

Ahora Charles Mackenzie hijo llevaba diez años desaparecido, y Charles Mackenzie padre estaba muerto desde el 11 de septiembre de 2001.

Barrott rebuscó entre unos cuantos documentos personales de su escritorio y sacó su felicitación familiar. Apoyó los codos en la mesa, levantó las dos tarjetas navideñas y las comparó. Soy afortunado, pensó. Rick acaba de terminar el primer curso en Fordham y está en la lista del decano, y Melissa, otra alumna de sobresaliente, ha terminado tercero en Catedral High y esta noche va ir al baile de gala. Beth y yo somos más que afortunados. Hemos sido bendecidos por la gracia de Dios.

Y se le ocurrió una idea. Supongamos que a mí me sucediera algo en el trabajo y que Rick saliera de la residencia estudiantil y desapareciera. ¿Qué pasaría si yo no estuviera allí para buscarle?

Rick no le haría eso a su madre ni a su hermana ni en un millón de años, se dijo a sí mismo. Pero eso, en esencia, es lo mismo que Carolyn Mackenzie quiere que yo piense de su hermano.

Barrott cerró lentamente el archivo de Charles Mackenzie hijo y lo dejó caer en el interior del cajón superior de su escritorio. Lo revisaré por la mañana, decidió; y puede que pase a ver a alguna de las personas que declararon en aquella época. No perjudicará a nadie que haga unas cuantas preguntas para ver si el paso del tiempo les ha refrescado la memoria.

Eran las cuatro en punto. Hora de irse. Barrott quería llegar a casa con tiempo para hacerle unas fotos a Melissa con su vestido de fiesta, y a su acompañante, Jason Kelly. Un chico bastante agradable, se dijo Barrott, pero está tan delgado que cuando se bebe un vaso de zumo de tomate se le debe de ver tan bien como el mercurio de un termómetro. También quiero tener una charla con el chófer que recogerá a los chicos, solo para echarle una ojeada a su permiso de conducir y hacerle saber que más vale que no se le ocurra pasarse el límite de velocidad ni un kilómetro. Se levantó y se puso la chaqueta.

Barrott se dio la vuelta, gritó «hasta la vista» a los tipos de la sala de la brigada y bajó por el pasillo mientras pensaba que uno toma todas las precauciones posibles para proteger a sus hijos. Pero, por mucho que hagas, a veces algo sale mal y tu chico acaba teniendo un accidente o es víctima de un delito.

Por favor, Dios mío, suplicó mientras pulsaba el botón del ascensor, no permitas que eso nos pase a nosotros.

7

Tío Dev le había hablado de la nota que Mack dejó en el cepillo de la colecta a Elliott Wallace, y el lunes por la noche fuimos a cenar con él. Con su imperturbable aspecto habitual, apenas dejaba traslucir una chispa de ansiedad. Elliott es consejero delegado y presidente de Wallace & Madison, la sociedad de inversiones de Wall Street que gestiona las finanzas de mi familia. Había sido uno de los mejores amigos de mi padre, y Mack y yo siempre le habíamos considerado una especie de tío. Elliott se divorció hace años, y creo que está enamorado de mi madre. También creo que la falta de interés por él que mostró mi madre en los años posteriores a la muerte de mi padre es otra consecuencia negativa de la desaparición de Mack.

En cuanto estuvimos instalados en su mesa favorita de Le Cirque, yo entregué a Elliott la nota de Mack y le dije que estaba más decidida que nunca a buscarle.

Yo tenía la esperanza de que Elliott apoyara mi decisión de buscar a Mack, pero me decepcionó.

—Carolyn —me dijo pausadamente, mientras leía y releía la nota—, no creo que seas justa con Mack. Él telefonea todos los años para que sepáis que está bien. Tú misma me has dicho que parece tranquilo, incluso feliz. Responde inmediatamente a tu promesa, o a tu amenaza, de buscarle. De la forma más directa posible, te ordena que le dejes en paz. ¿Por qué no aceptas sus deseos y, algo aún más importante, por qué toleras que tu existencia siga girando en torno a Mack?

Aquel no era el tipo de respuesta que yo habría esperado de Elliott, y me di cuenta del esfuerzo que le costó hacerla. Con la preocupación reflejada en sus ojos y la frente ceñuda, Elliott desvió la mirada de mí hacia mi madre, cuya propia expresión se había vuelto inescrutable. Me alegré de que estuviéramos en una mesa de un rincón, donde nadie pudiera verla. Temí que explotara con Elliott como lo había hecho conmigo, después de la llamada de Mack el día de la Madre, o incluso peor, que empezara a llorar a gritos.

Al ver que ella no le contestaba, Elliott le aconsejó:

—Olivia, dale a Mack el espacio que quiere. Date por satisfecha de que esté vivo, incluso consuélate con el hecho evidente de que está cerca. Puedo decirte con toda seguridad que eso es exactamente lo que te diría Charley, si estuviera aquí.

Mi madre siempre me sorprende. Cogió un tenedor y con la punta dibujó algo sobre el mantel con aire ausente. Habría jurado que era el nombre de Mack.

En cuanto empezó a hablar, me di cuenta de que me había equivocado totalmente al evaluar su reacción a la nota de Mack.

—Elliott, desde que la otra noche Dev nos enseñó ese mensaje de Mack, en cierto modo he estado pensando en ese mismo sentido —dijo. El dolor en su voz era evidente pero allí no había rastro de lágrimas—. Reaccioné contra Carolyn porque ella se enfadó con Mack. En eso no fui justa con ella. Sé que Carolyn siempre se preocupa por mí. Ahora Mack nos ha dado una respuesta, no es la respuesta que yo quería, pero las cosas son así. —Intentó sonreír—. Voy a tratar de considerarle como a un hijo desertor, ausente sin permiso. Puede que viva por esta zona. Tal como tú dices, él respondió rápidamente, y si no desea vernos, Carolyn y yo vamos a respetar sus deseos. —Hizo una pausa, y luego añadió con firmeza—: Eso es.

—Olivia, espero que mantengas esa decisión —dijo Elliott fervientemente.

—Desde luego voy a intentarlo. Como primer paso, este viernes mis amigos los Clarence se van de crucero en su yate a las islas griegas. Llevan tiempo queriendo convencerme de que vaya con ellos y voy a hacerlo —y bajó el tenedor con un gesto de determinación.

Yo me apoyé en la silla y sopesé ese inesperado giro de los acontecimientos. Tenía planeado hablarle a Elliott sobre mi cita del miércoles con el encargado del edificio de Mack. Ahora, por supuesto, no lo haría. Resultaba irónico que mamá finalmente hubiera aceptado la situación de Mack, tal como yo le había suplicado durante años, y que ahora yo no la aceptara. A medida que pasaban las horas, yo estaba más y más convencida de que Mack tenía problemas serios y que los afrontaba solo. Estuve a punto de mencionar esa posibilidad, pero mantuve los labios sellados. Con mamá lejos, yo podría buscar a Mack sin tener que ocultarle lo que estaba haciendo o, peor aún, mentirle.

—¿Cuánto dura el crucero, mamá? —pregunté.

—Tres semanas, como mínimo.

—Me parece muy buena idea —le dije sinceramente.

—A mí también —corroboró Elliott—. Y ahora, ¿qué hay de ti, Carolyn? ¿Sigues interesada en convertirte en ayudante del fiscal del distrito?

—Absolutamente —dije—. Pero esperaré un mes más o menos para solicitarlo. Si tengo la suerte de que me contraten, me pasaré una temporada sin tener tiempo libre.

La velada transcurrió de forma agradable. Mamá, encantadora con su blusa de seda azul pálido y pantalones a juego, estuvo animada y sonriente, mucho más de lo que la había visto en años. Fue como si aceptar la situación de Mack le proporcionara paz.

El ánimo de Elliott mejoró al verla. Cuando yo era niña solía preguntarme si Elliott llevaba camisa y corbata en la cama. Siempre es terriblemente formal, pero cuando mamá despliega su encanto, él simplemente se derrite. Es unos años mayor que ella, por lo que a veces me pregunto si ese pelo castaño oscuro es natural, aunque pienso que quizá lo sea. Elliot va por ahí con la postura erecta de un militar de carrera. Suele tener una expresión reservada, incluso distante, hasta que sonríe o se ríe, y entonces se le ilumina totalmente la cara y por un momento alcanzas a ver que tras esa arraigada formalidad se esconde una persona más espontánea.

Elliott bromea sobre sí mismo:

—Mi padre se llamaba Franklin Delano Wallace, por su primo lejano, el presidente Franklin Delano Roosevelt, que siempre fue un héroe para él. ¿Por qué creéis que yo me llamo Elliott? Ese es el nombre que el presidente escogió para uno de sus hijos. Y pese a todo lo que hizo por el hombre de la calle, debéis recordar que Roosevelt era primero y antes que nada un aristócrata. Me temo que mi padre no solo era un aristócrata, sino un auténtico esnob. Así que cuando yo sea demasiado estirado, echadle la culpa al estirado que me educó.

Cuando terminamos los cafés yo ya había decidido que de ninguna manera le insinuaría a Elliott que iba a dedicarme activamente a buscar a Mack. Me ofrecí a quedarme en el piso de mamá mientras ella estuviera fuera, cosa que la complació. No le convence el estudio de Greenwich Village que alquilé el septiembre pasado, cuando empecé las prácticas con el juez. Naturalmente ella no sabía que la razón por la que me quedaría en Sutton Place era para estar disponible, por si Mack se enteraba de que yo seguía buscándole e intentaba localizarme allí.

Al salir del restaurante paré un taxi. Elliott y mamá prefirieron volver paseando hasta Sutton Place. Cuando el taxi se alejó, vi con sentimientos encontrados cómo Elliott cogía a mamá del brazo y sus hombros se rozaban mientras bajaban la calle juntos.

8

El doctor David Andrews, un cirujano retirado de setenta y siete años, no entendía por qué se sintió tan intranquilo al dejar a su hija en el tren de vuelta a Manhattan, donde ella estudiaba tercer curso en la Universidad de Nueva York.

Leesey y su hermano mayor, Gregg, habían subido hasta Greenwich para pasar todos juntos el día de la Madre, el segundo que pasaban sin Helen, y era un día duro para ellos. Los tres habían visitado su tumba en el cementerio St. Mary, y luego salieron para cenar temprano en el club.

Leesey tenía pensado volver a la ciudad en coche con Gregg, pero en el último minuto decidió quedarse a pasar la noche y volver por la mañana.

—Tengo la primera clase a las once —había dicho—, y me apetece quedarme contigo, papá.

El domingo por la tarde estuvieron viendo algunos álbumes de fotos y hablando de Helen.

—La extraño tanto... —susurró Leesey.

—Yo también, cariño —le confesó él.

Pero el lunes por la mañana cuando la dejó en la estación Leesey había recuperado su vitalidad habitual, y por eso David Andrews no podía entender esa inquietante preocupación que le distrajo durante su partido de golf, tanto el lunes como el martes.

El martes por la tarde puso las noticias de las seis y media, y se estaba adormeciendo delante del televisor cuando sonó el teléfono. Era Kate Carlisle, la mejor amiga de Leesey, que compartía con ella un apartamento en Greenwich Village. La pregunta, y la voz angustiada con la que la hizo, hicieron que él se levantara de un salto del sillón.

—Doctor Andrews, ¿Leesey está ahí?

—No Kate, no está. ¿Por qué debería estar aquí? —preguntó él.

Mientras hablaba echó un vistazo a la habitación. Aunque había vendido la casa grande tras la muerte de Helen, y ella no había estado nunca en ese piso, cuando sonó el teléfono la buscó instintivamente con la mirada y buscó su mano extendida pidiéndole el auricular.

Al no obtener respuesta, preguntó bruscamente:

—Kate, ¿por qué estás buscando a Leesey?

—No sé, solo confiaba... —la voz de Kate se quebró.

—Kate, dime qué ha pasado.

—Anoche fue con un grupo de amigos nuestros al Woodshed, un sitio nuevo que habíamos dicho que probaríamos.

—¿Dónde está?

—Está entre el Village y el SoHo. Cuando los demás se fueron, Leesey se quedó. Había una banda realmente buena, y ya sabe usted que a ella le encanta bailar.

—¿A qué hora se marcharon los demás?

—Alrededor de las dos, doctor Andrews.

—¿Leesey había bebido?

—No mucho. Estaba bien cuando los demás se fueron, pero esta mañana cuando me he levantado no estaba, y nadie la ha visto en todo el día. He intentado localizarla en su móvil, pero no contesta. He estado llamando a todo el mundo que creo que puede haberla visto, pero nada.

—¿Has llamado a ese sitio donde estuvo anoche?

—Hablé con el barman de allí. Me dijo que Leesey se quedó hasta que cerraron a las tres y que luego se fue sola. Jura que ella no estaba borracha en absoluto, ni mucho menos. Sencillamente se quedó hasta el final.

Andrews cerró los ojos, pensando desesperadamente qué pasos debía dar. Dios mío, permite que esté bien, rezó. Leesey fue un bebé inesperado que nació cuando Helen tenía cuarenta y cinco años, y ya hacía tiempo que habían perdido la esperanza de tener un segundo hijo.

Alzó con impaciencia las piernas del escabel en que las tenía apoyadas, lo apartó, se puso de pie, se retiró la densa mata de pelo blanco de la frente, y luego tragó para activar las glándulas salivares de su boca, repentinamente seca.

La hora punta del tráfico interurbano ya ha terminado, pensó. No podía tardar más de una hora en bajar hasta Greenwich Village.

De Greenwich, Connecticut, a Greenwich Village, anunció Leesey alegremente tres años atrás, cuando decidió aceptar una temprana admisión en la Universidad de Nueva York.

—Kate, salgo ahora mismo para allá —dijo Andrews—. Yo llamaré al hermano de Leesey. Nos encontraremos en tu apartamento. ¿Cuánto hay desde ese bar hasta tu casa?

—Poco más de un kilómetro.

—¿Crees que Leesey cogió un taxi?

—Hacía buen tiempo. Probablemente volvió paseando.

Sola por esas calles oscuras, a última hora de la noche, pensó Andrews. Y dijo intentando que no le fallara la voz:

—Estaré allí dentro de una hora. Sigue llamando a cualquiera que se te ocurra que pueda tener idea de dónde está.

El doctor Gregg Andrews se estaba duchando cuando sonó el teléfono, y decidió dejar que saltara el contestador. Tenía el día libre y había quedado con alguien que había conocido la noche anterior en un cóctel de presentación de la novela de un amigo. Gregg era cirujano cardíaco en el Hospital Presbiteriano de Nueva York, como lo fue su padre hasta que se jubiló. Se secó con la toalla, fue hasta su dormitorio y pensó que aquella tarde de mayo había empezado a refrescar. Escogió del armario una camisa azul ligera, de manga larga y cuello abierto, unos pantalones color canela y una chaqueta azul marino.

Leesey me dice que siempre tengo un aspecto muy estirado, recordó, pensando con una sonrisa en su hermana, doce años menor que él. Siempre dice que debería escoger colores fríos y mezclarlos. También dice que debería ponerme lentillas y olvidarme del corte de pelo militar.

—Gregg, eres mono de verdad; no guapo, sino mono —le había dicho con franqueza—. Me refiero a que a las mujeres les gustan los hombres con aspecto de tener un cerebro en la cabeza. Y siempre se enamoran de los médicos. Es una especie de complejo de «papá», creo. Pero no hace ningún daño parecer un poco enrollado.

En el teléfono parpadeaba la luz del contestador. En aquel momento dudó en molestarse en escucharlo, pero luego apretó el botón:

—Gregg, soy papá. La compañera de piso de Leesey acaba de llamarme. Leesey ha desaparecido. Salió anoche sola de un bar, y nadie ha vuelto a verla desde entonces. Voy de camino a su apartamento. Nos encontraremos allí.

Gregg Andrews se quedó helado, paró el aparato y marcó el número de teléfono del coche de su padre.

—Papá, acabo de oír tu mensaje —dijo cuando su padre contestó—. Nos encontraremos en el apartamento de Leesey. De camino llamaré a Larry Ahearn. Tú limítate a no correr demasiado.

Gregg agarró su teléfono móvil y salió a toda prisa de su apartamento, cogió el ascensor que bajaba de un piso superior, atravesó corriendo el vestíbulo y, sin hacer caso del portero, se lanzó a la calle para parar un taxi. Como solía pasar a esa hora, no había ninguno con la luz verde a la vista. Miró arriba y abajo de la calle, frenéticamente, confiando ver una de las limusinas pirata que solía haber disponibles en Park Avenue.

Localizó una aparcada en mitad de la manzana y corrió a cogerla. Le dijo al conductor la dirección de Leesey, y luego abrió su móvil para llamar a su compañero de habitación de Georgetown, que en la actualidad era capitán de detectives en la oficina del fiscal del distrito de Manhattan.

Después de dos timbrazos, oyó la voz de Larry Ahearn diciéndole al interlocutor que dejara un mensaje.

Gregg movió la cabeza en un gesto de frustración, y dijo:

—Larry, soy Gregg. Llámame al móvil. Leesey ha desaparecido.

Larry comprueba sus llamadas constantemente, se dijo Gregg, mientras el coche se encaminaba al centro de la ciudad con una lentitud agónica. Cuando pasaban por la calle Cincuenta y dos, recordó que en quince minutos la joven que había conocido anoche estaría esperándole en el bar del Four Seasons.

Estaba a punto de dejarle un mensaje cuando Ahearn le devolvió la llamada.

—Cuéntame lo de Leesey —ordenó.

—Anoche ella fue a un bar o discoteca, o como se llamen ese tipo de locales del Village y el SoHo. Se marchó sola cuando cerraron y no llegó a casa.

—¿Cómo se llama el bar?

—Todavía no lo sé. No se me ocurrió preguntárselo a mi padre. Él viene de camino.

—¿Quién lo sabe?

—Kate, la compañera de piso de Leesey. Ella es quien acaba de llamar a mi padre. He quedado con él en el apartamento que Leesey compartía con ella.

—Dame el número de teléfono de Kate. Volveré a llamarte.

El despacho privado de Larry Ahearn estaba al lado de la sala de la brigada. Se alegró de que nadie pudiera ver la expresión de su cara en aquel momento. Leesey tenía seis años cuando él visitó la casa de los Andrews en Greenwich, el otoño de su primer curso en Georgetown. La había visto pasar de ser una niña preciosa a una joven realmente hermosa, de esa clase que atraería a cualquier tipo, no necesariamente un agresor.

Se fue del bar sola cuando cerraron. Dios mío, esa chica loca.

Simplemente no lo entienden.

Larry Ahearn sabía que no tardaría en tener que decirles a Gregg y al padre de Leesey que, en los últimos diez años, tres mujeres jóvenes habían desaparecido en esa misma zona del SoHo-Village después de pasar la velada en uno de esos locales.

9

El miércoles por la mañana Lil Kramer se fue inquietando más a medida que se acercaban las once. Desde la llamada de Carolyn Mackenzie del lunes, Gus no había parado de advertirle que dijera únicamente lo que sabía sobre la desaparición de Mack diez años atrás.

—¡Lo cual no es absolutamente nada! Solo di eso que dices siempre, que era un joven encantador y punto. Nada de esas miradas nerviosas que me lanzas para que te ayude.

El apartamento estaba siempre inmaculado, pero hoy el sol brillaba de un modo especial y mostraba, como una lente de aumento, las zonas ajadas de los brazos del sofá y un desconchado en el canto de la mesita de café de cristal.

Yo nunca quise esta mesa de cristal, pensó Lil, encantada de encontrar un objeto al que culpar de su inquietud. Es demasiado grande. No va bien con estos muebles pasados de moda. Cuando Winifred redecoró su propio apartamento, insistió en que me la quedara y tirara mi preciosa mesa con el sobre de piel, que fue un regalo de bodas de la tía Jessie. Esta cosa de cristal es demasiado grande y siempre me doy golpes en las rodillas con ella, y no combina con las mesitas auxiliares como la otra.

Su mente saltó a otra fuente de problemas. Solo espero que Altman no esté aquí cuando venga la chica Mackenzie.

Howard Altman, agente de la propiedad inmobiliaria y administrador de los nueve pequeños apartamentos del señor Olsen, había llegado hacía una hora para una de sus visitas fuera de programa. Gus le llamaba «Gestapo Olsen». El trabajo de Altman incluía asegurarse de que los encargados lo tenían muy cuidado. Él nunca ha tenido la más mínima queja de nosotros, pensó Lil. Lo que me asusta es que cada vez que entra en este apartamento, siempre dice que es un despilfarro tener a dos personas viviendo en un piso grande que hace esquina y tiene cinco habitaciones. Si se cree que yo me mudaré alguna vez a una celda de una habitación, ya puede sentarse a esperar, se dijo a sí misma indignada, mientras arreglaba las hojas de la planta artificial del alféizar de la ventana. Entonces, en cuanto oyó voces en el vestíbulo y se dio cuenta de que Gus venía con Altman, se puso tensa.

Aunque fuera hacía calor, Howard Altman llevaba camisa, corbata y americana, como siempre. Lil no podía verle sin pensar en la despectiva forma que Winifred tenía de describirle: «Es un quiero y no puedo, mamá. Se cree que porque se acicala para inspeccionar edificios de apartamentos la gente piensa que es muy importante. Era un encargado igual que tú y papá, hasta que empezó a besarle los pies al viejo Olsen. No permitas que te moleste».

Pero me molesta, pensó Lil. Me molesta su forma de echar un vistazo en cuando entra por la puerta. Sé que cualquier día intentará que cambiemos de apartamento para poder decirle al señor Olsen que se le ha ocurrido un nuevo sistema de hacerle ganar dinero. Me molesta, porque a medida que el señor Olsen se hace viejo, prácticamente está cediendo la gestión de todos los edificios a Altman.

La puerta se abrió y entraron Gus y Altman.

—Bueno, hola Lil —dijo Howard Altman cordialmente, mientras cruzaba la sala con grandes zancadas y extendía la mano para saludarla.

Llevaba unas modernas gafas de sol, una americana ligera color canela y pantalones marrones, camisa blanca y una corbata a rayas canela y verde. Tenía el pelo castaño, demasiado corto en opinión de Lil, y aún era demasiado pronto para que estuviera tan moreno. Winifred estaba convencida de que se pasaba la mitad del tiempo libre en un solárium. Pero a pesar de todo eso, admitió Lil a regañadientes, era un hombre atractivo, de rasgos proporcionados, ojos castaños, complexión de atleta y una sonrisa cálida. Podría engañarme, si no supiera lo mezquino que puede llegar a ser, pensó. Altman le estrechó la mano con energía. Según él, aún no ha cumplido los cuarenta. Yo digo que tiene cuarenta y cinco cumplidos, pensó Lil mientras le dedicaba una sonrisa forzada.

—No sé por qué me molesto siquiera en pasar por aquí —dijo Howard jovialmente—. Si os tuviéramos a vosotros dos en todos los apartamentos, podríamos ganar una fortuna.

—Bueno, nosotros intentamos mantenerlo todo en buen estado —dijo Gus con aquella voz aduladora que ponía tan nerviosa a Lil.

—Hacéis más que intentarlo. Lo conseguís.

—Has sido muy amable viniendo —dijo Lil, y le echó una mirada al reloj de la repisa. Eran las once menos cinco.

—No podía venir sin sacar la cabeza para saludar. Ya me voy.

Sonó el interfono de la entrada y Lil supo que era Carolyn Mackenzie. Gus y ella intercambiaron una mirada, y él fue hasta el auricular de la pared.

—Sí, por supuesto, entre. La estábamos esperando…

No digas su nombre, rogó Lil. No digas su nombre. Cuando Howard la vea al salir, probablemente pensará que viene a preguntar por un apartamento.

—... señorita Mackenzie —terminó Gus—. Apartamento 1B. Al entrar al vestíbulo, a la derecha.

Lil vio cómo la sonrisa de despedida desaparecía de la cara de Howard Altman.

—Mackenzie, ¿no era ese el apellido del chico que desapareció justo antes de que yo entrara a trabajar para el señor Olsen?

No había otra respuesta más que «Sí, Howard».

—El señor Olsen me contó lo molesta que fue toda aquella publicidad. En su opinión empañó realmente la imagen de este edificio. ¿Por qué viene a veros?

Mientras Gus iba hacia la puerta, dijo con sinceridad:

—Quiere hablar sobre su hermano.

—Me gustaría conocerla —dijo Howard Altman en voz baja—. Si no os importa, me quedaré.

10

No estoy segura de lo que esperaba realmente cuando entré en aquel edificio de West End Avenue. Recuerdo que Mack me enseñó su apartamento cuando se trasladó desde la residencia de Columbia. Él empezaba segundo curso, así que yo acababa de cumplir quince años.

Como Mack vivía en la ciudad, no había necesidad de que mis padres se desplazaran hasta allí para verle. En lugar de eso, él se pasaba por casa con regularidad o nos encontrábamos en un restaurante. Sé que, después de que desapareciera, mi madre y mi padre fueron a hablar con sus compañeros de piso y otras personas del edificio, pero nunca me dejaron acompañarles. Aquel primer verano me obligaron a volver al campamento, aunque lo único que yo deseaba era ayudar a encontrar a mi hermano.

Tal como fueron las cosas, le había venido bien que los Kramer no pudieran verla hasta este día. El anterior, su madre quiso que pasara todo el día con ella para hacer las compras de última hora para su crucero. Después, en las noticias de las once, hablaron de una estudiante de la Universidad de Nueva York que desapareció el día anterior de madrugada, al salir de una discoteca del SoHo. Emitieron una imagen del padre y el hermano de la chica saliendo de su apartamento del Village, y cuando se dio cuenta de que era la puerta del edificio contiguo al suyo tuvo un sobresalto. Lo sintió por ellos.

Ni con todo el oro del mundo se podría convencer a mamá de que vivir en el Village es exactamente tan seguro como vivir en Sutton Place. Para ella, el apartamento de Sutton Place es un refugio, un hogar que ella y su padre compraron llenos de felicidad, cuando ella estaba embarazada de Carolyn. Al principio era un gran piso de una planta con seis habitaciones, pero a medida que su padre tenía más éxito, compró el piso superior, convirtió ambos en un dúplex y dobló su tamaño.

Para mí es como una prisión, donde hasta ahora ha permanecido mi madre, escuchando, siempre escuchando, por si oía a Mack dar la vuelta a la llave de la puerta y gritar: «Estoy en casa». Para mí, creer que él podía volver se ha convertido en una obsesión, en una tristeza que nunca desaparecerá. Me siento terriblemente egoísta. Yo quería a Mack, era mi hermano mayor, mi compañero. Pero no quiero que mi vida permanezca suspendida más tiempo. La decisión de aplazar la solicitud de un puesto en la oficina del fiscal tampoco tiene nada que ver con el hecho de que si me contratan no tendré tiempo libre durante una temporada. Tiene que ver con intentar encontrar a Mack, con el compromiso de que, si fracaso, finalmente seguiré adelante con mi vida. Pasaré en Sutton Place la mayor parte de las tres semanas que mamá estará fuera, pero no es para sentirme segura; es por si Mack averigua de algún modo que he empezado a hablar con los que tuvieron relación con él en algún momento e intenta llamarme.

El edificio donde Mack había vivido era antiguo, con esa fachada de piedra gris que se estilaba tanto en Nueva York a principios del siglo xx. Pero la acera y las escaleras estaban limpias y la manilla de la puerta de entrada, reluciente. Esa puerta estaba abierta y daba a un pequeño recibidor, donde o bien pulsabas el número de cualquier apartamento para que te abrieran, o bien abrías la puerta con la llave y entrabas al vestíbulo.

Yo había hablado con la señora Krame y, realmente no sé por qué, de algún modo esperaba oír su voz en el interfono. En lugar de eso, me respondió un hombre que me dirigió a su apartamento en la planta baja.

Cuando entré la puerta del 1B ya estaba abierta, y allí me esperaba un hombre que se presentó como Gus Kramer, el encargado. Aquella mañana, mientras revisaba el expediente, me acordé de lo que mi padre había dicho sobre él: «Ese tipo está más preocupado de que le culpen por la desaparición de Mack que de que a Mack le haya pasado algo. Y su mujer es peor. Tuvo el valor de decir que el señor Olsen se enfadaría. ¡Como si nosotros tuviéramos que preocuparnos por el propietario de ese edificio reformado!».

Fue gracioso que, cuando me vestía para esta cita, cambié de opinión sobre lo que iba a ponerme. Ya había escogido un traje pantalón ligero, como los que llevaba al tribunal cuando trabajaba para el juez, pero por algún motivo me pareció demasiado profesional. Yo quería que los Kramer se sintieran cómodos conmigo. En la medida de lo posible quería que me vieran como la hermana pequeña de Mack, que les gustara, que quisieran ayudarme. Por eso decidí ponerme un suéter de algodón de manga larga, unos tejanos y unas sandalias. Como amuleto de la suerte, me puse la cadena que Mack me regaló cuando cumplí dieciséis años. Tiene dos colgantes de oro: uno son unos patines de hielo, y el otro una pelota de fútbol, mis dos deportes favoritos.

Gus Kramer se presentó y me invitó a pasar, y entonces fue como si diera un salto atrás en el tiempo. A pesar de todo su éxito, papá nunca consiguió que mi abuela se moviera de su piso de Jackson Heights, en Queens. Este tenía los mismos muebles de terciopelo, la misma alfombra persa hecha a máquina, y había mesas con tableros de piel como en el suyo. La única cosa que parecía fuera de lugar era una mesa de café de vidrio.

Mi primera impresión fue que Gus y Lil Kramer eran la clase de personas que, después de pasar tantos años juntos, acaban pareciéndose. El tono gris metálico del cabello de ella era idéntico al de él. Ambos eran de complexión robusta, un poco más bajos que la media. Los dos tenían los ojos del mismo azul claro y los dos me obsequiaron con una sonrisa reticente, con una expresión de cautela en la cara que no ofrecía duda.

De hecho, el que se arrogó el papel de anfitrión fue la tercera persona que había en la habitación.

—Señorita Mackenzie, encantado de conocerla. Soy Howard Altman, administrador de los inmuebles Olsen. Yo no estaba aquí en la época de la desaparición de su hermano, pero sé lo preocupado que estuvo y ha estado el señor Olsen por todo aquello. ¿Por qué no nos sentamos todos y nos dice cómo podemos ayudarla?

Noté el resentimiento que les produjo a los Kramer que Altman tomara el mando, pero para mí resultó más fácil decirle lo que tenía planeado. Me senté en el borde de la silla más cercana y me dirigí a él.

—Como usted evidentemente ya sabe, mi hermano, Mack, desapareció hace diez años. Desde entonces, simplemente no ha habido rastro de él. Pero nos telefonea siempre el día de la Madre, tal como hizo hace unos días. Mientras él hablaba con mi madre, yo me puse al teléfono y juré que le encontraría. Más tarde, aquel mismo día, él fue a Saint Francis, una iglesia de este barrio cuyo párroco es mi tío, y dejó una nota para decirme que me alejara de él. Tengo mucho miedo de que Mack esté metido en algún tipo de problema y le dé vergüenza pedir ayuda.

—¡Una nota! —La exclamación de Lil me hizo callar. Me quedé atónita al ver cómo enrojecían sus mejillas y hacía un gesto inconsciente de extender la mano para coger la de su marido—. ¿Quiere decir que fue a Saint Francis y dejó una nota para usted? —preguntó.

—Sí, durante la misa de once. ¿Por qué le sorprende, señora Kramer? Yo sé que en estos años se han publicado varios artículos sobre la desaparición de mi hermano y sobre el hecho de que se pone en contacto con nosotros.

Gus Kramer contestó por su esposa.

—Señorita Mackenzie, mi mujer siempre ha sentido muchísimo lo de su hermano. Él era uno de los chicos más agradables y educados que hemos tenido aquí nunca.

—Eso me contó el señor Olsen —me dijo Altman, y luego sonrió—. Señorita Mackenzie, deje que le explique. El señor Olsen es muy consciente de las tentaciones en las que caen los jóvenes en estos tiempos, incluso jóvenes dotados intelectualmente. Él siempre estaba aquí para dar la bienvenida a los estudiantes nuevos. Hace años que no se dedica a esto, pero me contó que le impresionaron sus padres y su hermano. Y debo decirle que los Kramer siempre vigilan de cerca los excesos con la bebida, o peor, el consumo de drogas. Si su hermano tuvo que enfrentarse a algún tipo de problema, no surgió ni tuvo lugar bajo este techo.

Eso lo dijo un hombre que no conocía a Mack, que solamente había oído hablar de él. El mensaje era alto y claro: No busque aquí los problemas de su hermano, señorita.

—Yo no pretendo insinuar que el hecho de que Mack viviera aquí provocara de algún modo su desaparición. Pero ustedes comprenderán que es lógico que empiece a buscarle en el último sitio donde se le vio. El hermano que yo conocía nunca habría provocado voluntariamente el dolor y la ansiedad con la que mi madre, mi padre y yo hemos estado viviendo durante diez años. —Noté que en mis ojos brillaban unas lágrimas que siempre estaban a punto de salir a la superficie y me corregí a mí misma—. Me refiero a la ansiedad constante que sufrimos mi madre y yo. Me parece que ustedes ya saben que mi padre fue una víctima del 11 de septiembre.

—Su hermano nunca dio la impresión de ser la clase de hombre que desaparece sin más, sin un motivo importante —confirmó Gus Kramer.

Su tono era sincero, pero no se me pasó por alto la mirada que le lanzó a su mujer, ni el hecho de que ella se mordiera los labios, nerviosa.

—¿Ha considerado alguna vez la posibilidad de que su hermano pueda haber sufrido una hemorragia cerebral o cualquier otro accidente físico que pueda haberle provocado un ataque de amnesia o quizá una amnesia parcial? —preguntó Howard Altman.

—Estoy considerándolo todo —le dije. Cogí mi bolso y saqué una libreta y un bolígrafo—. Señor y señora Kramer, sé que han pasado diez años, pero ¿podría pedirles que me cuenten simplemente lo que recuerdan, cualquier cosa que Mack hiciera o dijera que pueda tener alguna importancia? Lo que quiero decir es que a veces pensamos en algo que no se nos ocurrió en el momento. Quizá, como ha dicho el señor Altman, Mack tuvo algún tipo de ataque de amnesia. ¿Parecía preocupado o angustiado en algún sentido, o que no se encontrara bien físicamente?

Mientras hacía esas preguntas pensé que, después de que la policía abandonara la búsqueda de Mack, mi padre contrató al detective privado Lucas Reeves para que siguiera buscándole. Durante los últimos días yo había revisado cada palabra de sus archivos. Todo lo que los Kramer le dijeron estaba en mis notas.

Yo escuché a la señora Kramer mientras ella me contaba, primero dubitativa y luego entusiasmada, que Mack era la clase de joven que siempre le abría la puerta para dejarla pasar, que dejaba la ropa sucia en la cesta y que siempre recogía sus cosas.

—Nunca me pareció preocupado —dijo.

Ella le vio por última vez cuando limpió el apartamento que él compartía con otros dos estudiantes de último curso.

—Los otros dos chicos no estaban. Él estaba trabajando en el ordenador de su dormitorio y me dijo que el aspirador no le molestaba. Siempre era así. Fácil. Agradable. Educado.

—¿A qué hora fue eso? —le pregunté.

Ella frunció los labios.

—Alrededor de las diez de la mañana, creo.

—Esa hora sería —confirmó Gus Kramer rápidamente.

—¿Y usted ya no volvió a verle?

—Le vi salir del edificio hacia las tres. Yo salía del dentista y volvía a casa. Estaba metiendo la llave en la cerradura de nuestro apartamento cuando Gus me oyó y me abrió la puerta. Ambos vimos a Mack bajar las escaleras. Nos saludó al cruzar el vestíbulo.

Vi cómo miraba a su marido buscando su aprobación.

—¿Cómo iba vestido Mack, señora Kramer?

—Igual que por la mañana. Una camiseta, tejanos y zapatillas deportivas y...

—Lil, te estás confundiendo otra vez. Cuando se fue Mack llevaba una americana, pantalones y una camisa deportiva de cuello abierto —interrumpió el señor Kramer bruscamente.

—Eso es lo que quería decir —dijo ella rápidamente—. Es que yo sigo viéndole con camiseta y tejanos, porque es lo que llevaba por la mañana cuando estuvimos charlando un poco —su cara se descompuso y gritó—: Gus y yo no tenemos nada que ver con su desaparición. ¿Por qué nos tortura usted?

Al verla pensé en lo que Lucas Reeves, el detective privado, había escrito en su informe: que a los Kramer les angustiaba la posibilidad de perder su trabajo por culpa de la desaparición de Mack. En aquel momento, casi diez años después, yo no compartí ese razonamiento.

Estaban nerviosos porque tenían algo que ocultar. En aquel momento intentaban cuadrar sus relatos. Diez años atrás, la señora Kramer le había dicho a Reeves que Mack acababa de salir del edificio cuando ella le vio, y que su marido estaba en el vestíbulo.

En aquel momento habría apostado mi vida a que ninguno de ellos vio a Mack salir del edificio en ningún momento. ¿O es que no llegó a salir? Aquella pregunta asaltó mi mente y la deseché de inmediato.

—Sé que ha pasado mucho tiempo —les dije—. Pero ¿podría ver el apartamento donde vivía mi hermano?

Noté que mi petición les asustaba. Esa vez ambos miraron a Howard Altman en busca de consejo.

—Por supuesto, el apartamento ha estado alquilado —dijo—,

pero como estamos a final de trimestre muchos de los estudiantes ya se han ido. ¿En qué situación está el 4D, Lil?

—Los dos chicos que compartían el dormitorio grande se han marchado. Walter Cannon tiene la antigua habitación de Mack, pero se va hoy.

—¿Entonces quizá podrías telefonearle y preguntar si la señorita Mackenzie puede pasar a verlo? —indicó Altman.

Al cabo de un momento subíamos las escaleras hacia el cuarto piso.

—A los estudiantes no les importan las escaleras —me dijo Altman—. Yo debo decir que estoy encantado de no tener que subirlas y bajarlas todos los días.

Walter Cannon era un estudiante de veintidós años de casi dos metros, que rechazó con un gesto mis disculpas por la interrupción.

—Pero me alegro de que no vinieran hace una hora —dijo—. Tenía todas mis cosas esparcidas por ahí.

Nos contó que estaba a punto de volver a New Hampshire para pasar las vacaciones de verano en casa, y que en otoño empezaba en la facultad de derecho.

Está en el mismo punto temporal en el que estaba Mack cuando desapareció, pensé con tristeza.

El apartamento coincidía con el vago recuerdo que yo tenía. Había un pequeño recibidor, atiborrado en aquel momento con el equipaje que se llevaría Cannon, una cocina frente a la puerta de entrada, un pasillo a la derecha con una salita, un dormitorio y un baño al final. A la izquierda del recibidor, otro baño, y más allá, el dormitorio donde Mack había vivido. Sin escuchar los comentarios de Altman sobre lo bien cuidados que estaban los apartamentos, entré en lo que había sido la habitación de Mack.

Las paredes y los techos eran de color hueso. Sobre la cama había una colcha de algodón ligera. Las ventanas estaban enmarcadas con unas cortinas a juego. Había una cómoda, una mesa y un sillón que completaban el mobiliario. Una alfombra de color gris azulado cubría el suelo de pared a pared.

—A este apartamento, como a todos los demás en cuanto quedan libres, se le dará una mano de pintura inmediatamente —decía Altman—. Se lavarán la alfombra, la colcha y las cortinas. Gus Kramer comprobará que la cocina y los baños estén impecables. Estamos muy orgullosos de nuestros pisos.

Mack vivió aquí durante dos años, pensé. Le imaginé sintiendo lo mismo que siento yo por mi apartamento. Este era su propio espacio. Podía levantarse pronto o tarde, leer o no leer, contestar al teléfono o no contestarlo. La puerta del armario estaba abierta y, naturalmente, en ese momento estaba vacío.

Pensé en que los Kramer habían declarado que cuando Mack salió aquella tarde llevaba una chaqueta, una camisa de cuello abierto y pantalones largos.

¿Qué tiempo hacía ese día?, me pregunté. ¿Era una de esas tardes frescas de mayo como la del domingo pasado? O, si hacía mucho calor y Mack salió a las tres en punto, ¿significaba algo que llevara chaqueta? ¿Una cita? ¿Un viaje en coche hasta la casa de una chica en Connecticut o en Long Island?

Es curioso, pero diez años después sentí su presencia en aquella habitación. Mack fue siempre muy despreocupado. Papá era un hombre competitivo, que valoraba rápidamente una situación e inmediatamente la analizaba y la juzgaba con exactitud. Sé que yo también soy así. Mack era más como mamá. Nunca presionaba a la gente. Nunca se enfrentaba si alguna vez se daba cuenta de que le utilizaban o le trataban con mezquindad, simplemente se retiraba de aquella situación, igual que ella. Y me parece que eso es lo que mamá está haciendo ahora; considera la nota de Mack en la cesta de la colecta como una bofetada.

Me acerqué a la ventana, intentando ver lo que él había visto. Sabía cómo le gustaba a Mack mirar por las ventanas del piso de Sutton Place y contemplar el panorama del East River con sus barcos y barcazas, las luces de los puentes y el tráfico aéreo que iba y venía del aeropuerto de La Guardia. Y estaba segura de que a través de estas ventanas con vistas a la avenida West End él con-

templó a menudo las aceras siempre llenas de gente y la carava-
na de vehículos con los parachoques pegados en la calle.

Mi mente reprodujo aquel sueño que tuve sobre él, después
de su llamada la madrugada del día de la Madre. Yo caminaba
nuevamente por un oscuro sendero, desesperada por encontrar
a Mack.

Y, una vez más, él me advertía que no siguiera adelante.

11

El doctor David Andrews dijo con voz cansada:

—Inspector Barrott, Leesey salió de ese bar ayer a las tres en punto de la madrugada. Ahora es la una de la tarde del miércoles. Lleva ya treinta y cuatro horas desaparecida. ¿No debería usted comprobar otra vez en los hospitales? Dios sabe que si hay alguien que sepa lo ocupados que están en las salas de urgencia, ese soy yo.

El padre de Leesey estaba sentado a la mesita de la cocina del piso estudiantil de su hija, con las manos unidas y la cabeza gacha. Desconsolado, falto de sueño y desesperado, había desoído las súplicas de su hijo para que volviera con él a su apartamento a esperar noticias. Después de pasar allí la noche, Gregg se fue a casa a ducharse y cambiarse, antes de pasar por el hospital para ver a sus pacientes recién operados.

Roy Barrott estaba sentado delante del padre de Leesey. La misma noche que mi hija fue al baile del instituto, su hija fue a ese antro y luego desapareció, pensó Roy con un súbito sentimiento de culpa por su buena suerte.

—Doctor Andrews —dijo—, debe seguir pensando en la posibilidad de que Leesey esté perfectamente bien. Ella es adulta, y tiene derecho a la privacidad.

Barrott vio cómo se endurecía la expresión de la cara de Andrews y se convertía en ira y desprecio. Lo que estoy diciendo parece insinuar que es una chica fácil, pensó, y se apresuró a añadir:

—Por favor, no piense que yo creo que ese sea el caso de Leesey. Estamos ocupándonos de su desaparición como un asunto grave.

El jefe de Barrott, el capitán Larry Ahearn, había dejado perfectamente clara la urgencia de este caso.

—Entonces ¿qué están haciendo para encontrarla?

La cara de David Andrews destilaba ira. Su voz era sorda y vacilante.

Está a punto de tener un ataque, pensó Barrott.

—Hemos revisado las cámaras de seguridad del Woodshed, y ella se fue sola. Las únicas personas que quedaban en el bar eran los músicos del grupo, el barman y el guardia de seguridad. Todos juran que nadie salió hasta veinte minutos después de que Leesey se marchara, por lo menos; por lo que presumiblemente ninguno de ellos la siguió. Hasta el momento todas las investigaciones indican que son tipos legales. En este momento nuestra gente está examinando todas las imágenes de la cinta de seguridad de la discoteca del lunes por la noche, para ver si podemos identificar a algunos alborotadores potenciales.

—Quizá la esperó alguien que había estado allí antes.

David Andrews sabía que su voz era monocorde. ¿Intenta tranquilizarme el inspector?, se preguntó. Entonces, aquel mismo pensamiento horrible cruzó su mente por milésima vez: ¡Sé que a Leesey le ha pasado algo terrible!

Apartó su silla de la mesa de un empujón y se levantó.

—Voy a ofrecer una recompensa de veinticinco mil dólares a cualquiera que nos ayude a encontrarla —dijo—. Voy a poner carteles con su fotografía y una descripción de la ropa que llevaba. Usted acaba de conocer a Kate, la compañera de piso de mi hija. Ella se pondrá en contacto con los amigos de Leesey para que peinen todas las calles entre la discoteca y este edificio. Alguien tiene que haber visto algo.

Roy Barrott también se levantó y pensó que, como padre, eso es exactamente lo que él haría si estuviera en su piel.

—Es muy buena idea, doctor Andrews. Denos la foto de Leesey que lleva en la cartera, y su peso, altura y color de pelo. Nosotros nos ocuparemos de que hagan los carteles. Sería de gran ayuda poder colgarlos esta noche, cuando la discoteca esté llena de clientes. Le prometo que habrá policías de paisano entre la gente en el Woodshed y los demás antros de la zona. Si tenemos suerte quizá encontremos a una persona que vio a alguien que se fijaba mucho en Leesey. Pero yo le aconsejaría, señor, que vaya al apartamento de su hijo y descanse un poco. Haré que un agente le acompañe hasta allí.

Solo estoy molestando, pensó David Andrews abatido. Pero él tiene razón: tengo que dormir. Sin decir nada, asintió.

La puerta del dormitorio estaba abierta. Kate Carlisle había pasado la noche en vela y en aquel momento se despertó de una breve siesta y les vio marcharse. La mano de Barrott sujetaba firmemente al doctor bajo el brazo.

—Doctor Andrews, ¿se encuentra bien? —preguntó inquieta.

—El doctor Andrews se va al apartamento de su hijo —le explicó Barrott—. Yo ahora vuelvo. Kate, ¿tienes por casualidad una fotografía más reciente de Leesey? La que hemos visto llevaba más de un año en la cartera del doctor Andrews.

—Sí. Tengo una buena. La hice la semana pasada. Angelina Jolie y Brad Pitt paseaban por el SoHo con sus hijos, rodeados de paparazzi. Yo le dije a Leesey que fingiera ser una estrella de cine, y le hice un par de fotos con la cámara de mi teléfono móvil. Hay una buenísima. Ella pensaba enmarcarla para usted, doctor Andrews.

Se le quebró la voz. Azorada, Kate volvió corriendo al dormitorio, abrió el cajón de la mesilla de noche, sacó una copia de allí y volvió a toda prisa con ellos.

Leesey había adoptado una pose de modelo para la fotografía: sonreía a la cámara, con la melena al viento, aquel cuerpo esbelto y casi flexible, y las manos metidas hasta el fondo de los bolsillos de su chaqueta tejana.

Los ojos de Barrott fueron de la atractiva muchacha, en el

centro de la imagen, a los transeúntes que se veían al fondo. Ninguna de las caras se distinguía claramente. ¿Es posible que uno de ellos se hubiera fijado en Leesey? ¿Había un agresor merodeando?, se preguntó. Pediré que amplíen esta, pensó cuando Kate le entregó la foto.

—En esta se ve a Leesey muy claramente —dijo—. También quiero que me des una copia de la otra foto que le hiciste. Por lo que sé, la noche que fue a la discoteca llevaba una chaqueta tejana. En esta foto lleva una chaqueta tejana.

—Llevaba la misma chaqueta —dijo Kate.

—Se la compró hace dos años, justo antes de que muriera su madre —dijo David Andrews—. Se la ponía con una falda. Su madre se puso a reír y le dijo que la falda tenía hilos colgando. Leesey le dijo que estaba de moda. Su madre contestó que si eso estaba de moda, era el momento de volver al miriñaque.

Parezco sensiblero, se dijo David Andrews. Estoy impidiendo que este inspector vaya en busca de Leesey. Debería quitarme de en medio.

—Kate, es una foto de Leesey muy buena. Con ella, cualquiera que la vea puede identificarla. Muchas gracias.

Sin esperar a que ella contestara, Andrews se dirigió a la puerta agradeciendo aquella mano firme bajo su brazo. Bajó en silencio los tres tramos de escaleras. Cruzó la acera, y cuando le ayudaron a entrar en el coche patrulla apenas vio el flash de la cámara y que alguien le hacía preguntas a gritos. Se acordó de preguntarle al inspector Barrott qué otra cosa haría para intentar encontrar a Leesey. Barrott cerró la puerta del coche y luego se inclinó hacia la ventanilla:

—Doctor Andrews, ya hemos interrogado a la gente de este edificio. Sabemos por la cámara de seguridad que Leesey no entró por esta puerta, pero estas casas parecen todas iguales. Pudo equivocarse y entrar en otra. Vamos a ir puerta por puerta, hasta peinar todo el vecindario. Tener su fotografía nos ayudará.

—¿Por qué demonios habría entrado en la puerta equivocada? No había bebido demasiado, usted mismo me lo dijo. El barman y toda esa otra gente del Woodshed juran que estaba bien cuando se marchó de allí —le recordó con brusquedad David Andrews.

Barrott tenía la réplica en la punta de la lengua. A menos que se pueda probar lo contrario, el noventa y nueve por ciento de los bármanes jurarían que un cliente desaparecido salió sobrio del bar. En lugar de eso, dijo:

—Doctor, rastrearemos el terreno al milímetro. Se lo prometo.

En cuanto Barrott le dio la espalda al coche patrulla, el único periodista que había le puso el micrófono delante de la cara.

—Mire —le dijo Barrott con impaciencia—, el capitán Ahearn va a dar hoy una rueda de prensa a las cinco en punto. Él está autorizado a hacer declaraciones. Yo no.

Entró otra vez en el vestíbulo del edificio y esperó hasta que el periodista y el cámara subieran a la camioneta y se marcharan; luego salió y fue hasta el edificio contiguo. Como en muchos de esa manzana, la puerta exterior estaba abierta y se podía acceder al interior bien con la llave, bien si abría un inquilino.

Barrott barrió con la mirada la lista de inquilinos de arriba abajo, y cuando vio el nombre de Carolyn Mackenzie abrió unos ojos como platos. ¿El mundo es un pañuelo?, se preguntó. Puede.

Roy Barrott se quedó totalmente inmóvil y luego pasó el dedo índice sobre el nombre de Carolyn Mackenzie.

El infalible instinto que le había convertido en un detective extraordinario le decía que de algún modo, en algún sentido, había una conexión entre los dos casos.

12

Cuando dejé a los Kramer volví a Sutton Place. En el día y medio transcurrido desde que tomó la decisión de ir al crucero, mamá había revivido, como si intentara recuperar el tiempo perdido después de haber estado en el limbo. Me dijo que pensaba revisar los armarios y regalar la ropa que sacara, y que esa misma noche se encontraría con Elliott y otros amigos para cenar.

Me pregunté por qué se molestaba en vaciar los armarios justo antes de irse de vacaciones, pero enseguida supe la razón. Durante un almuerzo rápido, que consistió en un bocadillo y una taza de té en la salita del desayuno, me dijo que había puesto el piso en manos de una agencia y que en cuanto volviera se buscaría algo más pequeño.

—Sé que tú nunca volverás a instalarte aquí —me dijo—. Voy a contratar un desvío de llamadas por si Mack vuelve a telefonear el próximo día de la Madre. Pero tampoco pasa nada si me pierdo esa llamada. No puedo quedarme aquí sin hacer nada, simplemente esperando.

Yo me la quedé mirando, atónita. Cuando me dijo que iba a vaciar los armarios creía que se refería a los suyos. Pero en ese momento supe sin preguntarlo que los armarios que iba a vaciar eran los de la habitación de Mack.

—¿Qué vas a hacer con las cosas de Mack? —le pregunté, intentando aparentar naturalidad.

—Le diré a Dev que envíe a alguien a recogerlas y las lleve a algún sitio donde les saquen partido.

Mamá me miró buscando mi aprobación y, al ver que mi expresión no le convencía, agregó:

—Carolyn, tú eres la que me dices que me traslade. El hecho es que incluso si Mack entrara por esa puerta hoy, y si su ropa aún le fuera bien, seguramente estaría pasada de moda.

—No me malinterpretes —le dije—. Pienso que es una buena idea, pero también pienso que dos días antes de subir a un avión y marcharte a Grecia es la última cosa en el mundo por la que deberías preocuparte. Mira, mamá, hazte un favor. Deja que me ocupe yo de la ropa de Mack y de solucionar esto.

Mientras lo decía, se me ocurrió la posibilidad de que diez años atrás nadie hubiera revisado cuidadosamente los bolsillos de los pantalones y las chaquetas que Mack había dejado en este piso. Lucas Reeves había señalado en su informe del caso que no se halló nada importante en la ropa que Mack dejó en su apartamento de estudiante.

Mamá aceptó sin dudarlo demasiado, incluso con alivio.

—No sé lo que haría sin ti, Carolyn —me dijo—. Tú has sido mi cayado y mi apoyo en todo esto. Pero te conozco. Solo hace dos semanas que dejaste de trabajar, y ya te noto inquieta. ¿Qué vas a hacer cuando me vaya?

Sin darse cuenta, ella me había proporcionado una respuesta que en parte era sincera.

—Está claro que no tardarán en encontrar a alguien que quiera quedarse con este piso —le dije—. Yo nunca he pensado quedarme en el estudio indefinidamente, y también me buscaré un sito más grande. Déjame escoger los muebles que tú no te lleves, ¿vale?

—Claro. Díselo a Elliott. Un apartamento decente de una habitación es un gasto que seguro que aprobará.

Elliott era el albacea del dinero que me había dejado mi abuelo.

Mamá bebió el último sorbo de té y se levantó.

—Más vale que me dé prisa. Si llego tarde a la peluquería, Helen colará a alguien. Con lo que cobra podría tener un poco más de paciencia.

Me dio un fugaz beso en la mejilla y luego añadió:

—Si encuentras un apartamento que te guste, asegúrate de que tenga portero. Nunca me ha gustado que vivas en un sitio donde nadie vigila la entrada. He visto las noticias. No hay rastro de esa chica que desapareció y que vivía al lado de tu casa. Que Dios ayude a su familia.

Me fue muy bien que mamá tuviera hora en el salón de belleza. Ahora que me había propuesto encontrar a Mack, tenía la sensación de que no debía perder un minuto para empezar a buscarle. En un sentido físico, él estuvo muy cerca de nosotros el domingo pasado cuando dejó aquella nota. La conversación con los Kramer me había inquietado profundamente. Los recuerdos se desvanecen, pero ellos se habían contradicho mutuamente cuando les pregunté qué llevaba puesto exactamente Mack y dónde le habían visto por última vez. Además, Lil Kramer se quedó estupefacta cuando le conté que él había estado en misa. ¿Por qué? ¿Veían a Mack como una amenaza? ¿Qué es lo que sabían que les daba tanto miedo?

Yo había sacado el informe del detective Reeves del archivo del escritorio de papá. Ahora quería conseguir la dirección de los antiguos compañeros de piso de Mack, Bruce Galbraith y Nicholas DeMarco. Al principio, Nick había mantenido el contacto con papá de forma regular. Naturalmente, a medida que pasó el tiempo supimos de él con menor frecuencia. La última vez que le vi fue cuando asistió a la misa en memoria de papá, pero mis recuerdos de aquel día son muy difusos.

El estudio de papá no es muy grande, pero, como él solía decir, bastaba para sus necesidades. Su gran escritorio presidía la habitación forrada de madera. Para horror de mamá, en el suelo tenía una alfombra descolorida de dos por tres metros, que había estado en la salita de su madre. Cada vez que ella insistía en tirarla, él decía: «Me recuerda mis orígenes, Liv». Por las mañanas su sitio favorito era una butaca desgastada de cuero con un escabel. Siempre se levantaba muy temprano, se hacía café y antes de ducharse y vestirse para ir al despacho se instalaba en esa butaca con los periódicos matutinos.

La pared que había frente a la ventana estaba cubierta de estanterías de libros. Desperdigadas, había fotografías enmarcadas de nosotros cuatro, de los días felices cuando estábamos juntos. Papá tenía una presencia que destacaba incluso en las fotografías domésticas: una mandíbula firme, suavizada por una sonrisa amplia, y una mirada aguda e inteligente. Él había hecho todo lo posible para localizar a Mack, y si estuviera vivo lo seguiría intentando. Estoy convencida.

Abrí el cajón superior de su escritorio y saqué su agenda de teléfonos. Anoté el número de Bruce Galbraith en un pedazo de papel. Me acordé de que había empezado a trabajar en el negocio inmobiliario que su familia tenía en Manhattan. Apunté los teléfonos de su casa y de la empresa.

Nick DeMarco, cuyos padres inmigrantes eran propietarios de un pequeño quiosco de comidas en Queens, consiguió una beca para estudiar en Columbia. Recordé que, después de obtener un máster en gestión de empresas de Harvard, se dedicó al negocio de la restauración, en el que según tengo entendido ha tenido mucho éxito. Su teléfono y su dirección, tanto personal como profesional, eran de Manhattan.

Me senté en el escritorio de papá y levanté el auricular. Decidí llamar primero a Bruce. Tenía mis motivos. Cuando yo tenía dieciséis años me enamoré perdidamente de Nick. Mack y él eran muy buenos amigos, y Mack le traía a menudo a cenar. Yo vivía pendiente de esas cenas. Pero entonces, una noche Mack y él vinieron con una chica. Barbara Hanover era estudiante de último curso en Columbia y vivía en el mismo edificio que ellos; inmediatamente tuve claro que Nick estaba loco por ella.

Aunque yo estaba totalmente enamorada, pensaba que aquella noche me había comportado con dignidad, pero mi hermano leía en mí como en un libro abierto. Antes de que Nick, Barbara y Mack se marcharan, mi hermano me llevó aparte y me dijo:

«Carolyn, sé que te mueres por Nick. Olvídale. Cada semana está con una chica distinta. Dedícate a los chicos de tu edad».

Intenté negarlo y le miré ofendida, pero solo conseguí hacer sonreír a Mack. «Lo superarás», me dijo como despedida aquella noche. Eso pasó unos seis meses antes de que desapareciera, y aquella fue la última vez que me quedé en casa cuando venía Nick. Me sentía incómoda y no quería estar allí. El hecho de que para Mack fuera evidente que yo estaba enamorada de Nick me hizo pensar que también lo era para todo el mundo. Agradecí a mis padres que ninguno de los dos lo mencionara nunca.

En Galbraith Real Estate me pasaron con la secretaria de Bruce, quien me dijo que él estaba de viaje de negocios hasta el lunes siguiente. ¿Deseaba dejar un mensaje? Le di a la secretaria mi nombre y mi teléfono, dudé, y luego añadí:

—Es sobre Mack. Acabamos de tener noticias suyas otra vez.

Luego llamé a Nick. Tiene el despacho en Park Avenue 400. Eso está a unos quince minutos a pie desde Sutton Place, me dije mientras marcaba. Cuando pregunté por él, su secretaria me contestó secamente que, si era de la prensa, el abogado del señor DeMarco haría las declaraciones pertinentes.

—No soy de la prensa —dije—. Nick era amigo de mi hermano en Columbia. Lo siento, no sabía que tenía problemas legales.

Puede que mi tono de voz comprensivo y el hecho de que llamara a Nick por su nombre de pila rompieran la reserva de la secretaria.

—El señor DeMarco es el propietario del Woodshed, el local donde vieron por última vez a la joven que desapareció la otra noche —me explicó—. Si me deja su teléfono, le diré que le devuelva la llamada.

13

Aaron Klein llevaba catorce años en Wallace & Madison. Había empezado a trabajar allí inmediatamente después de hacer un máster en dirección de empresas. En aquella época, Joshua Madison era presidente y director general de dicha compañía de gestión de patrimonio, pero cuando murió súbitamente dos años después, su socio, Elliott Wallace, pasó a ocupar sus cargos.

A Aaron le caía bien el brusco Josh Madison, y al principio se había sentido intimidado por Wallace, cuyas maneras formales eran justo lo opuesto a la espontánea personalidad de su antecesor. Después, a medida que Aaron fue ascendiendo en el escalafón y trabajando con clientes más y más importantes, Elliott empezó a invitarle a almorzar en el comedor de ejecutivos de su oficina de Wall Street, un claro indicio de que iba a acceder a un puesto directivo.

Diez años atrás su relación dio un paso de gigante, cuando Elliott bajó la guardia y le confió a Aaron el dolor y la angustia que sufría por la desaparición de Charles Mackenzie hijo. Elliott llevaba años gestionando el dinero de los Mackenzie, y tras la muerte de Charles, el 11 de septiembre, hablaba de Olivia Mackenzie y de sus hijos en un tono muy protector. A raíz de todo lo que Elliott le había dicho sobre el joven desaparecido, Aaron supo que consideraba a Mack como a un hijo. El hecho de que la madre de Aaron, Esther, hubiera dado clases de interpretación a Mack en Columbia, estrechó el vínculo entre ellos.

Luego, un año después, cuando asesinaron a la madre de Aaron en lo que se consideró un atraco fortuito, ese vínculo se estrechó aún más. Ahora, todo el mundo en la compañía asumía que Aaron era el escogido para suceder a Elliott Wallace.

El lunes y el martes Aaron había ido a visitar a unos clientes. El miércoles por la mañana a última hora recibió una llamada de su jefe:

—Aaron, ¿tienes planes para almorzar?

—Nada que no pueda cambiar —dijo Aaron enseguida.

—Entonces, por favor, reúnete conmigo en el comedor a las doce y media.

¿Qué pasará?, se dijo Aaron al colgar el auricular. Elliott no es de los que citan a última hora para almorzar. A las doce y cuarto se levantó de su mesa, fue a su baño privado, se pasó un peine por el escaso cabello y se ajustó la corbata. Espejito, espejito que estás en la pared, pensó sardónico, ¿quién es el más calvo de todos? Tengo treinta y siete años, estoy en forma y no soy feo, pero al paso que voy tendré suerte si a los cincuenta me quedan media docena de pelos en la cabeza. Suspiró y guardó el peine.

Jenny dice que, en parte, esa es la razón de que me haya ido tan bien, se dijo. Según ella, aparento diez años más de los que tengo. Gracias, cariño.

Por muy amigos que fueran en ese momento, Aaron era consciente de que para el aristócrata Elliott Wallace tenía que ser decepcionante el hecho de que él, el elegido para sucederle, fuera nieto de inmigrantes. En eso pensaba mientras se dirigía al comedor. El chaval de Staten Island se acerca al privilegiado descendiente de uno de los primeros moradores de la ciudad, pensó. No importa que el nieto de inmigrantes esté entre los diez mejores alumnos de su promoción en Yale, ni que esté doctorado por Wharton; sigue sin ser lo mismo que tener ancestros con clase. Me pregunto si volveré a oír la historia del «primo Franklin».

Aaron reconocía que odiaba y le aburría aquella anécdota

que Elliott contaba tan a menudo, aquello de que Franklin Delano Roosevelt había invitado a una mujer republicana para que actuara como anfitriona de un acto en Hyde Park, porque su esposa, Eleanor, estaba de viaje. Cuando el presidente de los demócratas se lo recriminó, FDR replicó atónito: «Pero naturalmente que le pedí que fuera mi anfitriona. Ella es la única mujer en Hyde Park de mi misma clase social».

—Esa era la anécdota favorita de mi padre sobre su primo Franklin —decía Elliott riendo entre dientes.

Cuando llegó a la mesa y el camarero le retiró la silla, Aaron se dio cuenta inmediatamente de que las anécdotas sobre sus reverenciados parientes eran lo último que Elliott tenía hoy en mente. Parecía pensativo y preocupado; angustiado, de hecho.

—Me alegro de verte, Aaron. Pidamos rápido. Tengo un par de reuniones. Supongo que tomarás lo de siempre.

—¿Ensalada de crudités sin salsa y té helado, señor Klein? —preguntó sonriendo el camarero.

—Ha acertado.

A Aaron no le importaba que su jefe pensara que almorzar solo ensalada era un signo de autodisciplina. La verdad es que a su esposa, Jenny, le encantaba cocinar, e incluso sus comidas más informales superaban con mucho el parco menú del comedor de ejecutivos.

Elliott pidió y, en cuanto el camarero estuvo suficientemente lejos como para no oírles, fue directamente al grano:

—El domingo tuvimos noticias de Mack —dijo.

—¿La típica llamada del día de la Madre? —preguntó Aaron—. Me preguntaba si este año se ceñiría a lo previsto y telefonearía.

—Hizo eso y algo más.

Aaron escuchó el relato sobre la comunicación escrita de Mack, sin apartar la mirada de la cara de Elliott.

—Yo le he aconsejado a Olivia que respete los deseos de Mack —dijo Elliott—. Pero, por raro que parezca, aparentemente ella ha llegado a esa conclusión por sí sola. Se refirió a Mack como un «ausente sin permiso». Olivia va a hacer un crucero por las islas griegas con unos amigos mutuos. Yo también estoy invitado y puede que vaya los últimos diez días.

—Deberías hacerlo —dijo Aaron enseguida—. Casi nunca te permites unas buenas vacaciones.

—Y voy a cumplir sesenta y cinco años. En muchas empresas me estarían animando a retirarme. Esa es la ventaja de ser el propietario, que aún falta mucho para que me vaya.

Elliot se detuvo como si se estuviera preparando, y luego dijo:

—Pero no te he llamado para hablar de mis planes de vacaciones.

Aaron se sorprendió al ver que los ojos de Wallace expresaban preocupación.

—Aaron, tú has pasado por la experiencia de perder a tu madre en un crimen arbitrario. Si los papeles se intercambiaran, y fuera tu madre la que se hubiera ido y después mantuviera contactos esporádicos, ¿respetarías sus deseos o sentirías que debes seguir intentando localizarla? Estoy totalmente perdido y muy preocupado. ¿Le di a Olivia el consejo correcto, o debería haberle dicho que insistiera y redoblara sus esfuerzos para encontrar a Mack?

Supongamos que mamá hubiera desaparecido hace diez años, se preguntó Aaron a sí mismo. Supongamos que telefoneara una vez al año y que entonces, cuando yo le dijera que necesito encontrarla, ella me enviara una nota diciéndome que la dejara en paz, ¿qué haría yo?

No le costó hallar la respuesta.

—Si mi madre me hiciera lo que Mack le ha hecho a su familia y a ti, yo diría: «Si eso es lo que quieres, mamá, que así sea. Yo tengo otras cosas que hacer».

Elliot Wallace sonrió.

—¿Otras cosas que hacer? Es una forma extraña de expresarlo. Pero gracias, Aaron. Necesitaba asegurarme de que no estoy fallándole a Mack o a Olivia... —Hizo una pausa, y luego se corrigió a sí mismo—: Quiero decir a su madre y a su hermana, naturalmente.

—Tú no les estás fallando —dijo enfáticamente Aaron Klein.

Aquella noche, mientras saboreaba un vaso de vino antes de cenar con su esposa, Aaron dijo:

—Jenny, hoy me he dado cuenta de que incluso los tipos estirados son como colegiales cuando se enamoran. Elliott no puede mencionar a Olivia Mackenzie sin que los ojos le hagan chiribitas.

14

Nicholas DeMarco, propietario de la discoteca de moda Woodshed, así como de un restaurante de lujo en Palm Beach, fue informado de la desaparición de la estudiante de la Universidad de Nueva York, Leesey Andrews, a última hora de la tarde del martes, mientras jugaba al golf en Carolina del Sur.

El miércoles por la mañana volvió a casa en avión, y alrededor de las tres de la tarde de ese mismo día seguía a una secretaria a lo largo del pasillo del noveno piso de Hogan Place 1, hasta la sección donde trabajaban los detectives asignados al fiscal del distrito de Manhattan. Tenía una cita con el capitán Larry Ahearn, el oficial al mando de la brigada.

Alto y con la figura propia de un atleta disciplinado, Nick andaba con pasos largos y un gesto de preocupación en la frente. Sin darse cuenta, se pasó una mano por su corto cabello que, a pesar de sus esfuerzos, se rizaba cuando estaba húmedo.

Debí haber pasado por casa con tiempo para cambiarme, se reprochó a sí mismo. Llevaba una camisa deportiva de cuadros blancos y azules, sin corbata, que le hacía parecer demasiado informal, a pesar de la chaqueta celeste y los pantalones azul marino.

—Esta es la sala de los detectives —le explicó la secretaria cuando entraron en una amplia habitación donde había filas de escritorios dispuestos al azar. Solo media docena de ellos estaban ocupados, pero los montones de papeles y el timbre de los teléfonos testimoniaban que en todos se trabajaba intensamente.

Cuando DeMarco cruzó la habitación, abriéndose camino entre las mesas detrás de la secretaria, los cinco hombres y la mujer presentes levantaron la mirada. DeMarco se dio perfecta cuenta de que era objeto de un duro escrutinio. Apuesto diez contra uno a que todos saben quién soy y por qué estoy aquí, y que no les gusto. Me ven como el propietario de uno de esos locales sórdidos donde se emborrachan los menores de edad, pensó.

La secretaria llamó a la puerta de un despacho privado en la parte la izquierda de la sala y abrió sin esperar respuesta.

El capitán Larry Ahearn estaba solo. Se incorporó de detrás del escritorio y tendió la mano a DeMarco.

—Gracias por venir tan rápidamente. Por favor, siéntese —dijo con prontitud, y se dirigió a la secretaria—: Dígale al detective Taylor que se reúna con nosotros.

DeMarco cogió la silla más cercana al escritorio de Ahearn.

—Siento no haber estado disponible anoche. Fui temprano ayer por la mañana a Carolina del Sur para ver a unos amigos.

—Según me ha dicho su secretaria, salió usted del aeropuerto de Teterboro, en su avión privado.

—Eso es. Y he regresado esta mañana. No pude salir antes por el clima. Ha habido fuertes tormentas en Charleston.

—¿Cuándo le informó su personal de que la joven Leesey Andrews, que salió de su discoteca la madrugada del martes a la hora de cerrar, había desaparecido?

—Me llamaron al móvil ayer noche hacia las nueve. Había estado cenando en un restaurante con unos amigos y no lo llevaba encima. Francamente, como propietario de un negocio, me resulta bastante insufrible la gente que hace o recibe llamadas al móvil en los restaurantes. Cuando volví al hotel hacia las once revisé mis mensajes. ¿Se ha sabido algo de la señorita Andrews? ¿Ha telefoneado a su familia?

—No —se limitó a decir Ahearn, y luego miró detrás de De-Marco—. Entra Bob.

Nicholas DeMarco no había oído que la puerta se abría. Se levantó y se dio la vuelta, cuando un hombre apuesto y canoso, que aparentaba cincuenta y muchos años, cruzaba la habitación a paso ligero. Sonrió levemente y le tendió la mano.

—Detective Taylor —dijo este, y luego apartó una silla, le dio la vuelta y se colocó frente a Nick, a la derecha de la mesa del capitán.

—Señor DeMarco —empezó Ahearn—, nos preocupa mucho que Leesey Andrews pueda ser víctima de un delito. Sus empleados nos han dicho que el lunes por la noche alrededor de las diez usted estaba en el Woodshed, y que estuvo hablando con ella.

—Es verdad —dijo Nick inmediatamente—. Me iba a Carolina del Sur y por eso estuve trabajando hasta tarde en mi despacho de Park Avenue 400. Luego pasé por mi piso, me puse ropa informal y bajé al Woodshed.

—¿Va usted a menudo a su discoteca?

—Diría que me paso por allí a menudo. No me ocupo, ni quiero ocuparme de la gestión. Tom Ferrazzano lleva el Woodshed, como jefe de sala y encargado. Y he de añadir que hace un trabajo excelente. Desde que abrimos hace diez meses, nunca hemos tenido ni un solo incidente, ni por servir alcohol a un menor de edad, ni por servirle demasiado a un adulto, sea él o ella. Examinamos concienzudamente a nuestros empleados antes de contratarlos, igual que a los grupos que actúan en el local.

—El Woodshed tiene buena reputación —admitió el detective Taylor—. Pero sus propios empleados dicen que usted estuvo hablando un buen rato con Leesey Andrews.

—La vi bailar —dijo Nick inmediatamente—. Es una chica preciosa y una excelente bailarina. Al verla uno diría que es una profesional. Pero también parece muy joven. Yo sabía que habían comprobado su documentación, pero hubiera jurado que era

75

menor. Por eso le dije a uno de los camareros que la acompañara a mi mesa para comprobarlo personalmente. Acababa de cumplir veintiún años.

—Ella se sentó con usted en su mesa —dijo Taylor con rotundidad—. Usted la invitó a una copa.

—Se tomó una copa de pinot grigio conmigo, y luego volvió con sus amigos.

—¿De qué hablaron mientras ella bebía esa copa, señor DeMarco? —preguntó el capitán Ahearn.

—Fue la típica conversación sobre generalidades. Me dijo que el año próximo se graduaría en la Universidad de Nueva York y que aún no sabía qué quería hacer. Dijo que su padre y hermano eran médicos, pero que esa profesión no era para ella, que cuanto más lo pensaba más se inclinaba por una licenciatura en trabajo social, pero que no estaba segura. Iba a tomarse un año sabático después de graduarse y luego decidiría el siguiente paso.

—¿No le pareció mucha información de tipo personal para dársela a un extraño, señor DeMarco?

Nicholas DeMarco se encogió de hombros.

—Sinceramente, no. Luego me dio las gracias por la copa y volvió con sus amigos. Diría que no estuvo ni quince minutos en mi mesa.

—¿Qué hizo usted después? —preguntó Ahearn.

—Terminé de cenar y me fui a casa.

—¿Dónde vive usted?

—Mi piso está en Park Avenue con la calle Setenta y siete. Pero recientemente he comprado un edificio en TriBeCa y me he quedado con un estudio que ocupa toda una planta. Dormí allí el lunes por la noche.

Nick había dudado en dar esa información a la policía, pero decidió que lo más sensato era ponerla encima de la mesa inmediatamente.

—¿Tiene usted un estudio en TriBeCa? Ninguno de sus empleados nos lo dijo.

—No hago partícipes a mis empleados de mis inversiones personales.

—¿Su edificio de TriBeCa tiene portero?

Él negó con la cabeza.

—Como le he dicho, mi estudio ocupa toda una planta. El edificio tiene cinco pisos. Yo soy propietario de uno y he comprado los contratos de los demás inquilinos. Los otros pisos están vacíos ahora.

—¿A qué distancia está de su bar?

—A unas siete manzanas. —Nicholas DeMarco dudó y luego añadió—: Estoy seguro de que usted ya tiene casi toda esta información. Me fui del Woodshed poco antes de las once. Fui paseando hasta el estudio de TriBeCa y me acosté inmediatamente. Mi despertador sonó a las cinco de la madrugada. Me duché, me vestí y fui en coche hasta el aeropuerto Teterboro. Despegué a las seis cuarenta y cinco, y aterricé en el aeropuerto de Charleston. A las doce del mediodía estaba dando el primer golpe en el campo de golf.

—¿No invitó usted a la señorita Andrews a tomar una última copa en el estudio?

—No, no lo hice. —Nicholas DeMarco miró primero a un detective y luego al otro—. Por lo que oí en las noticias cuando volvía en coche del aeropuerto, sé que el padre de Leesey ha ofrecido una recompensa de veinticinco mil dólares por cualquier información que ayude a localizarla. Yo tengo la intención de igualar esa suma. Por encima de todo, deseo que encuentren a Leesey Andrews sana y salva. Principalmente porque sería espantoso que le hubiera pasado algo...

—¿Principalmente? —dijo Ahearn, sorprendido por un momento—. ¿Por qué otra razón quiere usted que la encuentren?

—Mi segunda motivación egoísta es que se ha invertido una fortuna para comprar la propiedad donde está situado el Woodshed, para renovar el local, el mobiliario y el personal. Yo quería montar un local seguro y divertido para que la gente joven, y no tan joven, lo pasara bien. Si la desaparición de Leesey está relacionada con alguien que conoció en mi discoteca, los medios de comunicación nos acosarán y en seis meses nos veremos obligados a cerrar las puertas. Yo quiero que ustedes investiguen a nuestros empleados, a nuestros clientes y a mí. Pero le aseguro que está usted perdiendo el tiempo si cree que yo tuve algo que ver con la desaparición de esa chica.

—Señor DeMarco, usted es una de las muchas personas que estamos interrogando e interrogaremos —dijo con calma Ahearn—. ¿Cumplimentó usted un plan de vuelo en Teterboro?

—Naturalmente. Si comprueba usted la documentación, el horario del vuelo de ayer por la mañana se cumplió a la perfección. El de hoy, debido a la aproximación de las tormentas, se retrasó un poco.

—Una última pregunta, señor DeMarco. ¿Cómo fue y volvió del aeropuerto?

—En mi coche; conduje yo.

—¿Qué tipo de coche tiene?

—Normalmente llevo un Mercedes descapotable, salvo si llevo mucho equipaje por algún motivo. De hecho tenía los palos de golf en mi monovolumen y por eso lo usé para ir y venir del aeropuerto, ayer y hoy.

A Nicholas DeMarco no le hizo falta captar la mirada que intercambiaron los dos detectives, para saber que se había convertido en un posible sospechoso de la desaparición de Leesey Andrews. Puedo entender el porqué, pensó. Estuve hablando con ella pocas horas antes de que desapareciera. Nadie puede verificar que no nos encontráramos más tarde en el apartamento. A la mañana siguiente me fui temprano en un avión privado. No puedo culparles por sospechar de mí; es su trabajo.

Con una leve sonrisa, les tendió la mano a ambos y les dijo que inmediatamente haría pública su oferta de igualar la recompensa de veinticinco mil dólares por cualquier información que permitiera localizar a Leesey.

—Y yo puedo asegurarle que nosotros trabajaremos veinticuatro horas, siete días a la semana, para encontrarla y, si le ha sucedido algo, para encontrar al culpable —dijo Ahearn, en un tono de voz que Nicholas DeMarco interpretó correctamente como una advertencia.

15

Cuando salía del apartamento de Sutton Place, sonó mi teléfono móvil. Quien llamó se identificó como detective Barrott, y aunque se me aceleró el pulso, le contesté de un modo deliberadamente tranquilo. El lunes se me había quitado de encima, y ahora ¿qué motivo podría tener para llamarme?

—Señorita Mackenzie, como quizá sepa ya, Leesey Andrews, la joven que desapareció anoche, vive en un edificio de Thompson Street contiguo al suyo. Yo estoy aquí ahora, entrevistando a los vecinos del bloque. He visto su nombre en los buzones de su edificio. Le agradecería mucho la oportunidad de volver a hablar con usted. ¿Sería posible que concertáramos una cita en breve?

Mantuve el teléfono contra la oreja, y le hice señas al portero para que me parara un taxi. Había uno cerca, del que bajaba un pasajero. Mientras esperaba que la anciana saliera del coche, le dije a Barrott que iba de camino a mi domicilio y que podía llegar allí en unos veinte minutos, dependiendo del tráfico.

—La esperaré —dijo simplemente, sin darme la oportunidad de contestar si me iba bien o no.

Hay días que un trayecto de taxi entre Sutton Place y Thompson Street dura quince minutos. Otras veces el tráfico se limita a avanzar lentamente. Hoy era uno de esos días lentos. No es que yo tuviera prisa por ver al detective Barrott; es que una vez que voy a algún sitio, me impaciento por llegar. Es otra característica que heredé de mi padre.

Eso me hizo pensar en la angustia que sintió mi padre cuando desapareció Mack, y en la angustia que el padre de Leesey Andrews debía de estar sintiendo ahora. En las noticias de las once de anoche, el doctor Andrews había mostrado la fotografía de su hija y, reprimiendo las lágrimas, suplicó que le ayudaran a encontrarla. Pensé que podía imaginarme lo que estaba pasando, y luego me pregunté si eso era realmente así. Por mal que lo hubiéramos pasado nosotros, al fin y al cabo, aparentemente, Mack desapareció de su vida a media tarde. Leesey Andrews, sola y de noche, sin duda era más vulnerable y desde luego no podría enfrentarse a un agresor corpulento.

Todo aquello se arremolinaba en mi cerebro mientras el taxi se abría camino lentamente hacia Thompson Street.

Barrott estaba sentado en los escalones de piedra rojiza, y mientras pagaba al taxista pensé que daba una imagen impropia. Aquella tarde volvía a hacer calor, y él se había desabrochado la chaqueta y aflojado la corbata. Al verme, se puso en pie rápidamente y, con un movimiento ágil, se ajustó la corbata y volvió a abrocharse la chaqueta.

Ambos nos saludamos con cortés desconfianza, y yo le invité a entrar. Al dar la vuelta a la llave de la puerta de entrada, vi que había un par de camionetas con logotipos de televisión aparcadas frente al edificio contiguo, el edificio donde Leesey Andrews vivía, o había vivido.

Mi estudio está en la parte de atrás del edificio y es el único de la planta baja. Lo alquilé por un año el septiembre anterior, cuando empecé a trabajar para el juez Huot. Durante estos últimos nueve meses se ha convertido para mí en un tranquilo refugio de Sutton Place, donde el sentimiento de pérdida por mi padre y la angustia por Mack nunca desaparecen totalmente.

Mamá se quedó horrorizada por el tamaño de aquel sitio. «Carolyn, son menos de treinta metros cuadrados, no podrás ni darte la vuelta», dijo. Pero a mí me fascinó este espacio con aspecto de útero. Es como un caparazón luminoso, y creo que ha sido en gran parte responsable de ayudarme a pasar de un estado de tristeza interior y ansiedad crónicas al renacer del deseo, incluso de la necesidad de superarlo y seguir viviendo. Gracias al buen gusto de mamá, yo me crié en una casa con una decoración exquisita, aunque comprar los muebles de mi estudio en las rebajas de las tiendas me proporciona cierto placer.

Mi amplio dormitorio de Sutton Place tiene una salita adosada. En Thompson Street tengo un sofá cama, del que hay que decir que tiene un colchón muy cómodo. Cuando el detective Barrott entró conmigo en el apartamento, noté cómo supervisaba aquel espacio con mesitas negras barnizadas y modernas lámparas de color rojo chillón, una mesita de café y dos butacas sin brazos, tapizadas con el mismo blanco roto del sofá. Observó atentamente las paredes blancas y la alfombra a cuadros blancos, rojos y negros.

La cocina es una pieza estrecha adosada a la salita. Los muebles de comedor se reducen a un velador de mármol y dos sillas de rejilla metálica, que están bajo la ventana. Pero la ventana es amplia, entra muchísima luz, y las plantas y los geranios del alféizar dan un toque de naturaleza al interior.

Barrott tomó buena nota de todo, rechazó educadamente mi oferta de agua o café y se sentó frente a mí en una de las dos sillas. Empezó con una disculpa que me sorprendió.

—Señorita Mackenzie —dijo—, estoy casi seguro de que piensa que no hice caso de sus preocupaciones cuando vino a verme el lunes por la mañana.

Mi silencio le dio la razón.

—Ayer empecé a revisar el expediente de su hermano. Admito que no avancé mucho. Nos llamaron por el caso Leesey Andrews, que naturalmente era prioritario, pero luego me di cuenta de que aquello también me daba otra oportunidad de hablar con usted. Como le dije, estamos interrogando a los vecinos. ¿Conocía usted a Leesey Andrews?

La pregunta me sorprendió. Quizá no debía ser así, pero pensé que si yo la hubiera conocido, incluso mínimamente, se lo habría dicho inmediatamente cuando me telefoneó y me pidió que me reuniera con él.

—No, no la conozco.

—¿Vio su fotografía en televisión?

—Sí, la vi anoche.

—¿Y no tuvo la sensación de haberla visto alguna vez por ahí? —insistió él, como si creyera que yo me mostraba evasiva.

—No, pero, claro, viviendo al lado, puedo haberme cruzado con ella en la calle. En ese edificio hay muchas estudiantes jóvenes.

Yo sabía que parecía enfadada y lo estaba. ¿Es posible que Barrott estuviera sugiriendo que yo podía estar vinculada de algún modo con la desaparición de la chica porque mi hermano había desaparecido?

Barrott apretó los labios.

—Señorita Mackenzie, espero que se dé cuenta de que le estoy haciendo las mismas preguntas que yo, y otros detectives, le están haciendo a todo el vecindario. Dado que usted y yo nos conocemos, y dado que usted mejor que nadie comprende la agonía que están sufriendo el padre y el hermano de Leesey, confío que pueda ayudarnos de algún modo. Usted es una mujer joven y muy atractiva, y como abogada está acostumbrada a ser muy observadora. —Se inclinó ligeramente hacia delante con las manos entrelazadas—. ¿Pasea usted alguna vez de noche sola por esta zona, por ejemplo cuando vuelve de una cena o del cine, o sale alguna vez de madrugada?

—Sí. —Me di cuenta de que había suavizado el tono de voz—. Casi todas las mañanas salgo a correr sobre las seis, y si salgo con amigos de noche, a menudo vuelvo a casa andando, sola.

—¿Ha tenido alguna vez la sensación de que la observan, o de que alguien la sigue?

—No, no he tenido esa sensación. Por otro lado, diría que raramente salgo pasadas las doce de la noche, y a esa hora el Village suele estar aún bastante animado.

—Entiendo. Pero le agradecería que nos hiciera el favor de estar alerta. A los criminales, a los pirómanos por ejemplo, a veces les gusta contemplar el nerviosismo que han provocado. Otra cosa. Hay otra forma en la que usted quizá pueda ayudarnos. Su vecina del segundo piso, la señora Carver, la aprecia a usted mucho ¿verdad?

—Yo la aprecio mucho. Tiene una artritis terrible y cuando hace mal tiempo le da pánico salir. Ha sufrido un par de caídas graves. Yo paso a verla y, si lo necesita, le subo la compra. —Me apoyé en la silla, preguntándome adónde iría a parar con eso.

Barrott asintió.

—Ella me lo contó. De hecho, la puso por las nubes. Pero usted ya sabe lo que pasa con algunas personas mayores, les da miedo meterse en problemas si hablan con la policía. Mi propia tía era así. No hubiera admitido nunca que había visto a un vecino abollar el coche de otro. «No es asunto mío», habría dicho. —Barrott se detuvo pensativo—. Noté que a la señora Carver le ponía nerviosa hablar conmigo —continuó—. Pero me contó que le gusta sentarse junto a la ventana. Afirma que no reconoce a Leesey por la fotografía, pero tengo la impresión de que sí. Puede que simplemente haya visto a Leesey paseando y que no quiera tener nada que ver con la investigación, pero puede que si se toma una taza de té con ella, quizá a usted se lo cuente.

—Lo haré —dije de buena gana, y pensé que podía que la señora Carver fuera vieja, pero no se le escapaba una y le encantaba sentarse junto a la ventana. Desde luego conoce todos los trapos sucios de los vecinos que viven tres pisos más arriba. Me di cuenta de lo irónico que era que yo investigara para Barrott ahora, cuando mi intención había sido que él investigara para mí.

Barrott se levantó.

—Gracias por dejarme entrar, señorita Mackenzie. Como debe imaginar, estamos trabajando contrarreloj en este caso, pero cuando esté resuelto, volveré a revisar el archivo de su hermano y veré si podemos encontrar nuevas vías de investigación.

Barrott me había dado su tarjeta el lunes, pero probablemente sospechaba que yo la había roto, cosa que era cierta. Le acepté una nueva y él me dijo que seguiríamos en contacto. Le acompañé hasta la puerta, la cerré, y de pronto me invadió el desánimo. Algo en la actitud del detective Barrott me hizo sospechar que no había sido sincero. Para él yo no era simplemente alguien que resultaba ser vecina de una joven desaparecida. Barrott buscaba razones para seguir en contacto conmigo. Pero ¿por qué?

Simplemente, no lo sabía.

16

Lil Kramer estaba nerviosa desde que Carolyn Mackenzie la telefoneó el lunes para preguntarle si podían verse. Pero el miércoles, en cuanto Carolyn se fue, se metió en el dormitorio, se tumbó, cerró los ojos y se echó a llorar; y las lágrimas rodaban por sus mejillas, silenciosamente.

Lil oyó a Gus despedirse de Howard. Luego, él entró al dormitorio y se quedó observándola, vigilante. Ante la exigente impaciencia de su marido por saber qué le pasaba, ella abrió los ojos de golpe.

—¿Qué me pasa? ¡Yo te diré lo que me pasa! Gus, yo estaba en la iglesia de Saint Francis of Sales durante la misa en latín del domingo. Llevaba pensando en ir desde que el año pasado empezaron a celebrarla otra vez. No olvides que mi padre era católico y me llevaba a la iglesia de vez en cuando, antes, cuando todas las misas eran en latín.

—No me habías contado que estuviste allí el domingo —espetó Gus.

—¿Y por qué habría de contártelo? Según tú las religiones no sirven para nada, y no quería oírte despotricar diciendo que todos los sacerdotes son unos estafadores.

La expresión de Gus cambió.

—Vale, vale. Tú estabas allí. Espero que rezaras por mí. ¿Y qué?

—Había mucha gente. No te lo creerías. Había gente de pie en los pasillos. Ya has oído lo que acaba de decirnos Carolyn. ¡Mack estaba allí! Ya sé que no me creerás, pero durante la misa tuve la sensación de que veía a alguien conocido, solo fue un momento. Pero ya sabes que si no llevo las gafas soy más ciega que un topo, y me las olvidé al cambiar de bolso.

—Repito, ¿y qué?

—Gus, ¿no entiendes lo que estoy diciendo? ¡Mack estaba allí! ¡Supón que decide volver! Ya sabes —terminó con un susurro—, ya sabes.

Gus se había enfadado inmediatamente, tal como Lil esperaba.

—¡Maldita sea, Lil! Ese tío debió tener sus propias razones para montar esa comedia de la desaparición. Estoy harto de ver cómo te preocupas por él. Basta ya. Déjalo. Le dijiste a su hermana lo justo para que se conformara. Ahora mantén la boca cerrada. Mírame. —Gus se inclinó sobre la cama y le levantó la barbilla bruscamente, de modo que ella no pudiera apartar la mirada—. Sin gafas eres medio ciega. Estás sacando conclusiones por culpa de esa nota que supuestamente Mack dejó en la cesta de la colecta. Tú no le viste allí. Así que olvídate de todo esto.

Lil no creía que tuviera el valor de preguntarle a su marido por qué estaba tan seguro. Pero, en cambio, le preguntó con un tenso susurro:

—¿Cómo puedes estar tan seguro de que Mack no estaba allí?

—Tú limítate a hacerme caso —dijo Gus con la cara oscurecida por la ira.

Era la misma ira que ella había visto diez años atrás, cuando le contó a Gus lo que había encontrado en la habitación de Mack, mientras la limpiaba. Fue esa ira la que hizo que durante todos estos años ella se preguntara angustiada si Gus había sido el responsable de la desaparición de Mack.

En un tosco gesto de cariño, Gus pasó su mano callosa por la frente de Lil, y le dijo suspirando profundamente:

—Sabes, Lil, estoy empezando a pensar que después de todo puede ser una buena idea que nos retiremos a Pennsylvania. Como esa hermana de Mack empiece a dejarse caer por aquí, tarde o temprano te pondrás nerviosa y hablarás demasiado.

Lil, que adoraba vivir en Nueva York y le daba pavor cambiarlo por una pasiva vida de jubilada, dijo quejosa:

—Quiero irme ahora mismo, Gus. Tengo mucho miedo por nosotros.

17

Bruce Galbraith siempre despachaba con su secretaria al final de un día de trabajo. Al contrario que la mayoría de la gente que conocía, él no llevaba encima una BlackBerry, y desconectaba el teléfono móvil a menudo. «Demasiadas distracciones para mi gusto —explicaba—. Es como ver a un malabarista con demasiadas bolas en el aire.»

Con treinta y dos años, estatura media, cabello rojizo y gafas sin montura, Galbraith se burlaba de sí mismo diciendo que ni siquiera una cámara de seguridad se fijaría en él. Por otro lado, no era tan modesto como para no reconocer su propia valía. Era un negociador magnífico y sus colegas consideraban que tenía una habilidad casi física para prever las oscilaciones del mercado inmobiliario.

El resultado era que Bruce Galbraith había multiplicado el valor del negocio inmobiliario de su familia, hasta el punto de que cuando su padre cumplió sesenta años le había cedido las riendas. Durante su cena de despedida, su padre le había dicho:

—Bruce, te paso el testigo. Eres un buen hijo y mucho mejor hombre de negocios de lo que yo haya sido nunca, y he sido bueno. Ahora, tú seguirás ganando dinero para nosotros y yo perseguiré mi objetivo de convertirme en un golfista de primera.

El miércoles, Bruce hizo su cotidiana llamada vespertina a su secretaria desde Arizona. Ella le dijo que una tal Carolyn Mackenzie había telefoneado, que le dejó el recado de que Mack había vuelto ha establecer contacto y que si Bruce podía, por favor que la llamase.

¿Carolyn Mackenzie? ¿La hermana de Mack? Galbraith no deseaba oír esos nombres.

Bruce acababa de volver a su suite del hotel que poseía en Scottsdale. Moviendo la cabeza, fue hasta el minibar y cogió una cerveza. Aunque solo eran las cuatro de la tarde, se justificó pensando que se había pasado casi todo el día al aire libre, soportando el calor, y se la merecía.

Se instaló en un amplio sofá frente a los ventanales con vistas al desierto. En cualquier otra circunstancia, aquel era su paisaje favorito, pero en ese momento solo veía el apartamento de estudiante que había compartido con Mack Mackenzie y Nick DeMarco, y revivía lo que había sucedido allí.

No quiero ver a la hermana de Mack, se dijo. Todo aquello pasó hace diez años, y ya entonces los padres de Mack sabían que yo nunca fui íntimo amigo suyo. No me invitó a cenar a su casa de Sutton Place ni una sola vez, aunque siempre llevaba a Nick. A Mack ni siquiera se le pasó por la cabeza que a mí también pudiera gustarme. Para él, yo no era más que un tipo gris que compartía el apartamento con él.

Nick, el rompecorazones; Mack, a quien todo el mundo consideraba el chico más agradable del mundo. Tan agradable que, cuando eligieron a los diez mejores licenciados de nuestro curso, me pidió disculpas por haberme superado por una décima. Nunca olvidaré la mirada en la cara de papá cuando le dije que no lo había conseguido. Cuatro generaciones en Columbia, y yo fui el primero que no estuvo entre los diez mejores. Y Barbara, Dios. Con lo loco que yo estaba por ella en aquella época, pensó. Yo la adoraba... Ella ni siquiera me miraba.

Bruce echó la cabeza hacia atrás y se terminó la cerveza. Tengo que llamar a Carolyn, decidió. Pero le diré lo que les dije a sus padres. Mack y yo vivíamos juntos, pero nunca salíamos juntos. Ni siquiera le vi el día que desapareció. Yo salí antes de que Nick y él se despertaran. Así que, hermanita, déjame en paz.

Se puso de pie. Olvídalo, se dijo a sí mismo con impaciencia. Simplemente, olvídalo. La cita que le venía a la cabeza siempre que pensaba en Mack acudió de nuevo a su mente. Sabía que la cita no era totalmente exacta, pero a él le servía: «Pero eso sucedió en otra tierra, y además el rey ha muerto».

Volvió al teléfono, lo descolgó y marcó. Cuando su esposa contestó, él notó cómo se le iluminaba la cara al oír su voz.

—Hola Barb. ¿Cómo estás, cariño? Y los niños ¿cómo están?

18

Después de almorzar con Aaron Klein, Elliott Wallace volvió a su despacho y se puso a pensar en Charles Mackenzie y en la amistad que se forjó entre ambos en Vietnam. Charley había estado en el Centro de Oficiales de la reserva y cuando se conocieron era segundo teniente. Elliott le había contado a Charley que nació en Inglaterra de padres norteamericanos, y que había pasado casi toda su infancia en Londres. A los diecinueve años se trasladó de nuevo a Nueva York con su madre. Luego se alistó en el ejército y cuatro años después él también fue nombrado oficial. Luchó codo con codo con Charley en alguna de las batallas más feroces de la guerra.

Nos caímos bien desde el primer día, pensó Elliott. Charley era la persona más competitiva que yo había conocido y probablemente la más ambiciosa. Pensaba ingresar en la facultad de derecho en cuanto le licenciaran. Juró que sería un abogado de éxito y millonario. De hecho, a él le gustaba haber crecido en una familia que no tenía un céntimo. Solía burlarse de mis orígenes: «Y el mayordomo ¿cómo se llamaba, Ell? —me preguntaba—. ¿Bertie, Chauncey o Jeeves?».

Elliot sonrió al recordarlo y se apoyó en su butaca de piel. Yo le conté a Charley que el mayordomo se llamaba William y que se fue antes de que yo cumpliera trece años. Le conté que mi padre, Dios le tenga en su gloria, era el ser más culto y el peor hombre de negocios de la historia del mundo civilizado. Esa fue la razón por la que mi madre finalmente tiró la toalla y me trajo de Inglaterra a casa.

Charley no me creyó cuando se lo dije en aquel momento, pero yo le juré que, a mi modo, era tan ambicioso como él. Él quería llegar a ser rico porque nunca había conocido ese mundo. Yo era uno de esos ricos venidos a menos que quería recuperarlo todo. Mientras Charley estaba en la facultad de derecho, yo fui a la universidad y conseguí un máster en dirección de empresas.

Aunque los dos triunfamos económicamente, nuestra vida personal fue muy distinta. Charley conoció a Olivia y ambos tuvieron un matrimonio maravilloso. ¡Dios, qué marginado me sentía cuando veía cómo se miraban el uno al otro! Fueron felices durante veintitrés años, hasta que Mack desapareció; después de aquello no hubo ni un día que no estuviera marcado por la angustia que les produjo. Y luego, el 11 de septiembre y Charley nos dejó. Mi matrimonio con Norma fue una injusticia para ella. ¿Qué fue lo que dijo la princesa Diana en una entrevista, que en su matrimonio con el príncipe de Gales hubo tres personas? Sí, eso fue lo que pasó entre Norma y yo, solo que con menos glamour.

Elliott hizo una mueca al recordarlo, cogió su pluma y empezó a garabatear en un cuaderno. Norma no lo sabía, por supuesto, pero lo que yo sentía por Olivia siempre se interpuso entre nosotros. Y ahora que mi matrimonio es un recuerdo lejano, después de todos estos años, quizá Olivia y yo podamos planear un futuro juntos. Ella reconoce que no puede seguir viviendo su vida en función de Mack, y yo me doy cuenta de que sus sentimientos hacia mí han cambiado. A sus ojos me he convertido en algo más que en el mejor amigo de Charley y el consejero financiero de la familia. Lo noté cuando le di un beso de buenas noches. Lo noté cuando me confió que Carolyn necesitaba ser libre para dejar de preocuparse por ella, y sobre todo lo noto porque se está planteando vender el piso de Sutton Place.

Elliott se levantó, se acercó a una zona de la estantería de caoba que contenía una nevera y abrió la puerta. Mientras sacaba una botella de agua, se preguntó si sería demasiado pronto para sugerirle a Olivia que un ático en la Quinta Avenida, una manzana más abajo del Museo Metropolitano, podría ser un sitio maravilloso para vivir.

Sonó el teléfono, y después resonó en el intercomunicador la voz cortante de su secretaria particular:

—Una llamada de la señora Mackenzie, señor.

Elliott volvió corriendo a su mesa y descolgó el auricular.

—Elliott, soy Liv. Iba a salir a cenar con June Crabtree, pero en el último minuto lo ha cancelado. Sé que Carolyn va a salir con su amiga Jackie. ¿Por casualidad te gustaría salir a cenar con una señora?

—Me encantaría. ¿Qué te parece si tomamos algo en mi casa a las siete y luego vamos a Le Cirque?

—Perfecto. Hasta luego, pues.

Cuando colgó el auricular, Elliott se dio cuenta de que tenía una ligera película de sudor en la frente. Esto es lo único que he deseado en mi vida, pensó. Nada debe estropeárnoslo, pero tengo mucho miedo de que pueda pasar algo. Luego se relajó, y al recordar cómo habría reaccionado su padre ante esa negativa forma de pensar se echó a reír.

Como decía el querido primo Franklin, se dijo Elliott, de lo único que hay que tener miedo es del propio miedo.

19

El miércoles, desde última hora de la tarde y hasta bien entrada la noche, estudiantes de la Universidad de Nueva York con gesto sombrío se dispersaron por Greenwich Village y el SoHo para colocar carteles en escaparates, postes de teléfonos y árboles, con la esperanza de que alguien reconociera a Lisa «Leesey» Andrews y pudiera proporcionar información que permitiera localizarla.

Los carteles incluían una fotografía de Leesey sonriendo, que su compañera de piso había hecho justo unos días antes, datos de su peso y altura, la dirección del Woodshed y la hora en que se fue de allí; la dirección de su casa, adonde presumiblemente se habría dirigido, y la recompensa de cincuenta mil dólares que ofrecían su padre y Nicholas DeMarco.

—Normalmente no damos tanta información, pero estamos utilizando todos nuestros recursos —le dijo el capitán Larry Ahearn al hermano de Leesey a las nueve de la noche del miércoles—. Pero Gregg, voy a ser franco contigo. La verdad es que si a Leesey la raptaron, cada hora que pasa tenemos menos posibilidades de encontrarla sana y salva.

—Lo sé. —Antes de acudir al cuartel general, Gregg Andrews le había administrado a su padre un fuerte sedante y le había obligado a acostarse en la habitación de invitados de su apartamento—. Larry, me siento terriblemente inútil. ¿Qué puedo hacer? —dijo, y se desplomó en una silla.

El capitán Ahearn se inclinó sobre su escritorio y se acercó a Gregg con expresión solemne:

—Puedes ser el sostén de tu padre y ocuparte de tus pacientes del hospital. Déjanos el resto a nosotros, Gregg.

Gregg hizo lo posible por aparentar tranquilidad.

—Lo intentaré. —Se puso de pie lentamente, como si cada movimiento supusiera un esfuerzo. Fue hasta la puerta de la oficina de Ahearn y luego se dio la vuelta—. Larry, has dicho «Si a Leesey la raptaron». Por favor, no pierdas el tiempo pensando que ella nos ha causado esta agonía voluntariamente.

Gregg abrió la puerta y se encontró cara a cara con Roy Barrott, que estaba a punto de llamar a la oficina de su jefe. Barrott había oído la frase de Andrews y se dio cuenta de que coincidía con lo que Carolyn Mackenzie había dicho sobre su hermano en esa misma oficina dos días antes. Apartó esa comparación de su mente, saludó a Andrews, y luego entró en la oficina de Ahearn.

—Las cintas están listas —dijo de forma concisa—. ¿Quieres verlas ahora, Larry?

—Sí. —Ahearn vio que la silueta de Gregg se alejaba y preguntó—: ¿Crees que serviría de algo que su hermano las viera con nosotros?

Barrott se dio la vuelta para ver hacia dónde miraba Ahearn.

—Quizá sí. Le alcanzaré antes de que llegue al ascensor.

Barrott pilló a Gregg cuando le daba al botón, le preguntó si podía bajar con ellos a la sala de proyección del vestíbulo y le dijo:

—Doctor Andrews, las cintas que grabaron el lunes por la noche las cámaras de seguridad del Woodshed se han revisado, fotograma a fotograma, para intentar seleccionar una en la que se viera particularmente bien a Leesey en la pista de baile, o a alguien entre las últimas personas que salieron de la discoteca.

Gregg asintió sin decir nada. Luego siguió a Barrott y a Ahearn a la sala de visionado y cogió una silla. Barrott ya había examinado la grabación dos veces y, en cuanto la puso en marcha, informó a Gregg y al capitán Ahearn del contenido de la cinta.

—Aparentemente no muestra nada que parezca importante, excepto a los amigos con los que ella estuvo toda la noche. Todos coinciden en que Leesey no se separó de ellos en ningún momento, salvo los quince minutos que pasó sentada en la mesa de DeMarco y cuando estuvo en la pista de baile. El resto del grupo se marchó a las dos de la madrugada y Leesey únicamente se sentó junto a una mesa cuando la banda empezó a recoger. En ese momento ya había mucha menos gente en el local, así que tenemos un par de imágenes claras de ella hasta que se marchó sola.

—¿Puede volver a la imagen donde está sentada a la mesa? —preguntó Gregg. Al ver a su hermana en la cinta le había invadido una oleada de tristeza.

—Por supuesto. —Barrott rebobinó la cinta en el vídeo—. ¿Ve algo que se nos ha escapado, doctor? —le preguntó, intentando emplear un tono neutro.

—La expresión de Leesey. Cuando estaba bailando, sonreía. Mírela ahora. Parece pensativa, triste —hizo una pausa—. Nuestra madre murió hace dos años y a Leesey le costó mucho asumir el dolor.

—Gregg, ¿crees que su estado mental pudo haberle provocado una amnesia temporal o un ataque de ansiedad que la hiciera huir? —La pregunta de Ahearn era incisiva y exigía una respuesta directa—. ¿Es posible eso?

Gregg Andrews levantó las manos y se apretó las sienes, como intentando estimular los mecanismos de su pensamiento.

—No lo sé —dijo finalmente. Luego dudó y continuó—: Pero si tuviera que apostar mi vida, y la vida de Leesey en ello, diría que lo que pasó no fue eso.

Barrott hizo avanzar la cinta.

—De acuerdo. Durante la última hora, cada vez que el vídeo la capta, Leesey nunca lleva una copa en la mano, lo cual confirma lo que el portero y el barman nos dijeron: que solo bebió un par de copas de vino en toda la noche y que no estaba borracha cuando se marchó. —Apagó el vídeo y dijo indignado—: Nada.

Gregg Andrews se levantó y anunció con voz tensa:

—Ahora me voy a casa. Por la mañana tengo consulta y necesito dormir un poco.

Barrott esperó hasta que Andrews no pudiera oírles, luego se levantó y estiró las piernas.

—A mí tampoco me importaría dormir un poco, pero me voy al Woodshed.

—¿Crees que DeMarco pasará por allí esta noche? —preguntó Ahearn.

—Me parece que sí. Está al tanto de que nuestra gente va a estar pululando por el local. Y es lo suficientemente listo para saber que esta será una gran noche para él. Habrá muchos clientes curiosos que querrán entrar y, naturalmente, sabiendo que los medios de comunicación merodearán por allí, los famosos de segunda fila llegarán en masa. Confía en mí. Las moscas acudirán al panel.

—Claro que irán. —Ahearn se levantó—. No sé si lo has comprobado desde que has vuelto, pero el rastro del móvil de Leesey indica que quien lo tiene ha estado moviéndose por Manhattan todo el día. DeMarco volvió de Carolina del Sur esta mañana a última hora, de modo que si él es responsable tiene a alguien en Nueva York que trabaja para él.

—Sería agradable pensar que esa chica ha salido de las profundidades y que es ella quien está recorriendo Manhattan —comentó Barrott mientras cogía su chaqueta—. Pero no creo que las cosas vayan a terminar así. Yo pienso que el que se la llevó ya la ha tirado en alguna parte, y es suficientemente listo para saber que si el teléfono está en marcha podemos delimitar esa zona y empezar la búsqueda por allí.

—Y lo suficientemente listo para saber que moviendo su teléfono móvil por ahí deja abierta la posibilidad de que creamos que ella sigue viva. —Ahearn parecía pensativo—. Hemos investigado a DeMarco tan a fondo que sabemos hasta cuándo cambió los dientes de leche. En su pasado no hay nada que indique que intentaría algo así.

—¿Tus chicos encontraron algo en los expedientes de las otras tres chicas que desaparecieron?

—Nada que no hayamos investigado a fondo. Estamos comprobando los recibos de las tarjetas de crédito desde el lunes por la noche para ver si podemos relacionar a algún cliente del Woodshed con los nombres de la gente que estuvo en los bares durante los otros casos.

—Sí, de acuerdo. Hasta luego, Larry.

Ahearn estudió la cara de Barrott.

—Tú tienes alguien en mente aparte de DeMarco, ¿verdad, Roy?

—No estoy seguro. Déjame pensarlo —dijo Barrott vagamente.

Pero Ahearn se dio cuenta de que Barrott estaba concentrado en algo.

20

Jackie Reynolds es mi mejor amiga desde preescolar, cuando a los seis años empezamos nuestros estudios en la Academia del Sagrado Corazón. Es una de las personas más inteligentes que conozco, aparte de una gran atleta. Jackie puede golpear una pelota de golf con tanta fuerza que admiraría a Tiger Woods. Después de licenciarnos en Columbia, en septiembre ambas fuimos a Duke. Yo estudié derecho y ella hizo el doctorado en psicología.

Jackie tiene ese inconfundible aspecto de la atleta nata: alta, con un cuerpo sólido y una larga cabellera castaña que casi siempre lleva recogida con una goma. Su rasgo más destacado son unos extraordinarios ojos marrones. Transmiten calidez y simpatía, que inclinan a la gente a abrirse a ella. Yo siempre le digo que debería hacer descuento a sus pacientes: «Tú no tienes que esforzarte para que se abran, Jackie. En cuanto entras por la puerta lo sueltan todo».

Hablamos a menudo por teléfono y salimos un par de veces al mes. Antes lo hacíamos más a menudo, pero ahora Jackie va bastante en serio con un chico con el que sale desde el año pasado. Ted Sawyer es teniente del departamento de bomberos, verdaderamente una persona de primera categoría. Quiere llegar a ser jefe del departamento de bomberos de Nueva York y después presentarse a alcalde, y yo apostaría hasta mi último céntimo a que conseguirá ambas cosas.

A Jackie siempre le ha preocupado que a mí me interese tan poco salir con hombres. Ella atribuye con acierto mi falta de interés al hecho de que yo he estado destrozada emocionalmente. Si esta noche sale el tema intentaré tranquilizarla y le diré que me estoy dedicando con ahínco a superar mi pasividad.

Nos encontramos en Il Mulino, nuestro restaurante de pasta preferido del Village. Frente a unos *linguini* con salsa de almejas y una copa de pinot grigio, le hablé de la llamada telefónica de Mack y de la nota que dejó en la cesta de la colecta.

—«Tío Devon, dile a Carolyn que no debe buscarme» —repitió Jackie—. Lo siento, Carolyn, pero en mi opinión si Mack escribió esa nota, podría indicar que está metido en algún lío —dijo con serenidad—. Yo creo que si no estuviera presionado y simplemente quisiera que le dejaran en paz, habría escrito: «Por favor, no me busquéis», o simplemente: «Carolyn, déjame en paz».

—Eso es exactamente lo que me da miedo. Cuanto más leo la nota y más pienso en ella, más capto la desesperación.

Le conté a Jackie que fui a ver al detective Barrott.

—Prácticamente me echó —le dije—. La nota no le interesó. Me transmitió la idea de que si Mack quería que le dejaran en paz, yo debía respetar sus deseos. Así que empecé mi propia investigación y fui a ver a los encargados del edificio donde vivía Mack.

Ella escuchó mi descripción de la entrevista y solo me interrumpió para preguntar por la señora Kramer.

—¿Dices que parecía nerviosa cuando hablaste con ella?

—Estaba nerviosa, y continuamente miraba a su marido en busca de su aprobación, como si quisiera asegurarse de que estaba dando las respuestas adecuadas. Luego ambos cambiaron la parte central de su historia sobre la última vez que vieron a Mack y lo que llevaba puesto.

—Todo el mundo sabe que la memoria falla, sobre todo después de diez años —dijo Jackie despacio—. Si yo fuera tú, intentaría ver a la señora Kramer cuando su marido no estuviera delante.

Tomé nota mental y luego le conté mi segunda conversación con el detective Barrott. Jackie no se había dado cuenta de que mi estudio está al lado del edificio donde vivía Leesey Andrews. Le conté que me encontré allí con el detective Barrott y que me parecía que había algo detrás de su interés por mantenerse en contacto conmigo.

La expresión de los ojos de Jackie cambió, y capté la profunda preocupación que reflejaban.

—Apuesto que al detective Barrott le gustaría haberte aceptado esa nota —dijo con vehemencia—. Apuesto a que no tardará mucho en aparecer y pedírtela.

—¿Adónde quieres ir a parar? —pregunté.

—Carolyn, ¿ya no te acuerdas de que justo antes de que Mack desapareciera la prensa habló de otros casos de desapariciones? ¿Que un grupo de chicos de Columbia, incluido Mack, estuvieron en un bar del SoHo donde también estaba la primera chica que desapareció? Aquello fue apenas unas semanas antes de que el propio Mack desapareciera.

—No había pensado en eso —admití—. Pero ¿qué importancia puede tener ahora?

—Pues que tú le has proporcionado un posible sospechoso a la oficina del fiscal del distrito. Mack no quiere que le encuentres, lo cual, tal como acabo de decir, puede significar que quizá tenga algún tipo de problema. O puede significar que él es el problema. Él telefoneó a tu madre el domingo, y a última hora de la mañana dejó una nota en el cepillo de la colecta. Supón que Mack decidió averiguar dónde vives, quizá para repetirte que te mantuvieras al margen. La dirección de tu apartamento aparece en el listín de teléfonos. Supón que fuera allí el martes muy temprano y viera a Leesey Andrews andando por la calle, de camino a casa. Apuesto a que tu detective Barrott está haciendo ese tipo de conjeturas.

—Jackie, ¿estás loca? —empecé a decir, pero las palabras se quedaron atrapadas en mi garganta. Me daba pánico que su descripción del proceso mental de Barrott fuera correcta. Desde su punto de vista, por mi culpa, mi hermano desaparecido podía haberse convertido en sospechoso de la desaparición de Leesey Andrews, y quizá de la joven que desapareció hace diez años, pocas semanas antes que él.

Entonces, con mayor angustia, recordé que no fue una, sino tres las jóvenes que habían desaparecido durante esos diez años, antes de que Leesey Andrews no volviera a casa.

¿Era posible que, en sus fantasías, el detective Barrott empezara a creer que si Mack está vivo pueda haberse convertido en un asesino en serie?

21

A veces, lo mejor del momento en el que él arrebataba una vida era el olor a miedo que captaba su olfato. Ellas sabían que iban a morir y entonces balbuceaban unas palabras.

Una de ellas preguntó: «¿Por qué?».

Otra murmuró una oración: «Señor, recíbe... me...».

Una tercera intentó escapar y luego le gritó una obscenidad.

La más joven le suplicó: «No, por favor, no lo haga».

Él se moría por volver al Woodshed esa noche, para enterarse de lo que comentaba todo el mundo por allí. Era divertido ver trabajar a los detectives de paisano. Él los reconocía a kilómetros. Siempre miraban con los párpados entornados, intentando disimular el hecho de que sus agudos ojillos escudriñaban toda la sala.

Una hora antes, en Brooklyn, había telefoneado al número que aparecía en el cartel desde uno de sus móviles de tarjeta que no estaban registrados. Fingió un tono de voz nervioso y dijo: «Acabo de salir del restaurante Peter Luger. Vi a esa chica, Leesey Andrews, cenando aquí con un tipo». Luego apagó tanto ese móvil como el de Leesey, y se metió corriendo en el metro.

Se imaginaba a los policías acudiendo en tropel, irrumpiendo en el local, molestando a los clientes, interrogando a los camareros.

A esas alturas probablemente ya habían decidido que no era más que otra llamada de un chiflado. Me pregunto cuántos chalados han llamado para decir que han visto a Leesey, se dijo. Aunque solo una persona la vio. ¡Yo!

Aunque la familia no creía que fuera la llamada de un excéntrico. La familia nunca está convencida hasta que ven un cadáver. No cuenten con ello, familia. Si no me creen, hablen con los familiares de las otras chicas.

Puso la televisión para ver el noticiario de las once. Tal como esperaba, emitieron las noticias de última hora frente al Woodshed. Había una multitud haciendo cola e intentando entrar en el local. El reportero decía: «La policía ha descartado el aviso que recibió diciendo que se había visto a Leesey Andrews cenando en un restaurante de Brooklyn».

Le decepcionó que la policía no emitiera la información referente al rastro del teléfono móvil de Leesey en Brooklyn. Luego, se dijo, me llevaré su móvil a una visita rápida a Thompson Street. Les volveré realmente locos pensar que pueda estar retenida tan cerca de su casa.

Estuvo a punto de echarse a reír a carcajadas.

22

Hasta el viernes por la tarde no tuve noticias de Nick DeMarco. El azar quiso que mi móvil sonara cuando yo estaba frente a la puerta abierta del apartamento de Sutton Place, despidiéndome de mi madre.

Elliott acababa de llegar para acompañarla al aeropuerto de Teterboro, donde ella se encontraría con los Clarence y volaría en su jet privado hasta la isla de Corfú, donde tenían el yate amarrado.

El chófer de Elliott había bajado el equipaje al vestíbulo y estaba pulsando el botón del ascensor. Aunque al cabo de treinta segundos todos se habrían ido, yo contesté al teléfono de forma automática. Antes de decir «Hola Nick» debería haberme mordido la lengua. Tanto mamá como Elliott se pusieron inmediatamente alerta, y dedujeron que sin duda se trataba de Nick DeMarco. La conferencia de prensa del miércoles a última hora de la tarde, en la que había manifestado su profundo pesar porque Leesey Andrews pudiera haberse topado con un criminal en su discoteca, se había emitido una y otra vez durante cuarenta y ocho horas.

—Carolyn, siento no haberte podido devolver la llamada antes —dijo Nick—. Comprenderás que estos últimos días han sido bastante convulsos. ¿Tú cómo estás de tiempo? ¿Estás libre para que nos veamos esta noche o mañana en algún momento?

Yo me di la vuelta discretamente y fui hacia el salón.

—Esta noche me va bien —le dije rápidamente, porque sabía que Elliott y mamá me estaban mirando. Me recordaron el juego de las estatuas al que solía jugar cuando tenía unos diez años. Una mandaba e iba cogiendo a cada una de las demás de la mano; la hacía dar vueltas y, cuando la soltaba, tenía que quedarse congelada en la misma postura en que estaba al soltarse. Quien aguantara más sin mover ni un músculo era la ganadora.

Mamá se quedó rígida con la mano en el pomo de la puerta, y Elliott en el vestíbulo, con el bolso de mamá, quieto como una estatua. Quería decirle a Nick que le llamaría, pero tenía miedo de desperdiciar la oportunidad de confirmar la cita.

—¿Dónde vas a estar?

—En el piso de Sutton Place —le dije.

—Te recogeré allí. A las siete, ¿de acuerdo?

—Bien. —Ambos colgamos.

Mamá fruncía el ceño, preocupada.

—¿Ese era Nick DeMarco? ¿Por qué demonios te llama, Carolyn?

—Yo le llamé el miércoles.

—¿Por qué? —preguntó Elliott con tono de perplejidad—. No has tenido ningún contacto con él desde el funeral de tu padre, ¿verdad?

Yo mezclé un par de verdades y las convertí en una mentira.

—Hace unos años estuve muy enamorada de Nick. Puede que aún sienta algo. Cuando le vi en la televisión pensé que no estaría mal llamarle y expresarle mi preocupación porque Leesey Andrews hubiera desaparecido al salir de su discoteca. Resultado: ¡Él me ha llamado!

Capté cierta expresión de alivio en mamá.

—A mí Nick siempre me gustó cuando venía a cenar con Mack. Y sé que ha tenido mucho éxito.

—Parece que en estos últimos diez años le ha ido realmente muy bien —reconoció Elliott—. Por lo que recuerdo, sus padres tenían una especie de restaurante. Aunque he de decir que no le envidio la publicidad que está teniendo ahora. —Luego rozó el brazo de mi madre—. Olivia, deberíamos irnos. Si seguimos aquí, nos encontraremos con el tráfico de hora punta y el túnel Lincon será una pesadilla.

Mi madre es famosa por salir en el último minuto y dar por sentado que todos los semáforos estarán en verde para facilitarle el camino. Y en aquel momento yo comparé la amable recomendación de Elliott con la reacción de mi padre si hubiera estado allí.

«Liv, por Dios santo, nos han invitado a ir a Grecia, gratis. ¡No lo desaprovechemos!», habría sido su forma de meterle prisa.

Con una lluvia final de consejos y besos de despedida, mamá entró en el ascensor con Elliott y dijo las últimas palabras con voz queda mientras se cerraban las puertas:

—Llámame si necesitas algo, Carolyn.

Admito que la cita con Nick me ponía nerviosa, si es que puede llamársele cita. Me maquillé un poco, me cepillé el pelo, que decidí dejar suelto, y luego, en el último minuto, me puse un traje de chaqueta nuevo de Escada que mi madre había insistido en comprarme. Tanto la chaqueta como los pantalones eran de un tono verde pálido, que yo sabía que combinaba con los reflejos rojizos de mi pelo castaño.

¿Por qué molestarse? Porque después de diez años, seguía avergonzada de que Mack me dijera claramente que era obvio que estaba loca por Nick. No me arreglo tanto por él, me dije a mí misma, me doy el gusto de no parecer una adolescente desaliñada, rendida ante su ídolo. Pero cuando el conserje me llamó desde el vestíbulo para decirme que el señor DeMarco había llegado, debo admitir que durante una milésima de segundo me sentí como la chica de dieciséis años que había sido tan tonta como para ir con el corazón en la mano.

Entonces, al abrirle la puerta, descubrí de inmediato que aquel aspecto de joven despreocupado del Nick que yo recordaba había desaparecido.

Cuando le vi en la televisión noté que el perfil de su mandíbula se había endurecido y que a los treinta y dos años ya asomaba alguna cana en su cabello oscuro. Pero cara a cara había más. En sus ojos marrones siempre hubo una mirada coqueta y burlona y ahora expresaban gravedad. Aun así, su sonrisa al cogerme la mano fue como yo la recordaba, y parecía sinceramente encantado de verme. Me dio un educado beso en la mejilla y se ahorró el clásico comentario de «Cómo ha crecido la pequeña Carolyn». En lugar de eso dijo:

—¡Carolyn Mackenzie, doctora en derecho! Oí en alguna parte que aprobaste el examen de abogacía y que trabajabas de ayudante de un juez. Pensé en llamarte y felicitarte, pero al final no lo hice. Lo siento.

—El camino al infierno está lleno de buenas intenciones —dije despreocupadamente—. O al menos eso nos decía la hermana Patricia en quinto curso.

—Y el hermano Murphy nos decía en séptimo: «Nunca dejes para mañana lo que puedas hacer hoy».

Yo me eché a reír.

—Los dos tenían razón —dije—. Pero está claro que tú no escuchabas.

Nos sonreímos. Ese era el tipo de bromas que solíamos hacernos durante aquellas cenas. Cogí mi bolso y anuncié:

—Estoy lista.

—Bien. Tengo el coche abajo. —Nick echó una ojeada a su alrededor. Desde donde estaba podía ver una esquina del salón—. Tengo buenos recuerdos de los ratos que pasé aquí. Cuando iba de vez en cuando a casa a pasar el fin de semana, mi madre quería saber con todo detalle lo que habíamos comido y yo tenía que describirle el color del mantel y de las servilletas y qué tipo de flores ponía tu madre como centro de mesa.

—Te aseguro que eso no lo hacíamos todas las noches —le dije mientras sacaba la llave de mi bolso—. A mi madre le gustaba esmerarse cuando Mack y tú veníais a casa.

—A Mack le encantaba alardear de esta casa con sus amigos

—comentó Nick—. Pero yo se lo devolví, ¿sabes? Le llevé a nuestro local en Astoria para que comiera la mejor pasta y pizza del universo.

¿Había cierto matiz en la voz de Nick DeMarco que indicaba que esa comparación aún le dolía? Quizá no, pero no estaba segura. Cuando bajamos en el ascensor él se fijó en que Manuel, el ascensorista, llevaba una insignia universitaria y le preguntó por ella. Manuel le contó orgulloso que acababa de graduarse en el John Jay College y que iba a ingresar en la academia de policía.

—Me muero de ganas de ser poli —le dijo.

Naturalmente, desde que empecé en la facultad de derecho de Duke yo ya no vivía en casa, pero aun así Manuel y yo bromeábamos a menudo. Él llevaba tres años trabajando en nuestro edificio, pero en cuestión de segundos Nick supo más sobre él de lo que yo supe nunca. Me di cuenta de que Nick tenía el don de que la gente se abriera con él enseguida; quizá fuera esa la razón de que hubiera tenido tanto éxito con los restaurantes.

El Mercedes Benz negro de Nick estaba aparcado delante del edificio. Me sorprendió ver a un chófer que bajó de un salto a abrirnos la puerta de atrás. No sé por qué, pero nunca hubiera imaginado que Nick tuviese chófer. Era un hombre grande y robusto de unos cincuenta o sesenta años, con aspecto de boxeador profesional retirado. Tenía una nariz ancha, en la que parecía que no quedara cartílago, y una cicatriz que le cruzaba la barbilla.

Nick nos presentó:

—Benny trabajó para mi padre durante veinte años. Después, cuando se retiró hace cinco, yo le heredé. Y tuve una suerte inmensa. Benny, ella es Carolyn Mackenzie.

Pese a su discreta sonrisa y su amable «Encantado de conocerla, señorita Mackenzie», tuve la sensación de que Benny me examinaba muy concienzudamente. Era evidente que sabía adónde íbamos, porque arrancó sin esperar a recibir instrucciones.

En cuanto nos pusimos en marcha, Nick me dijo:

—Carolyn, doy por sentado y espero que estés libre para cenar.

Y yo daba por sentado y esperaba que tú quisieras ir a cenar, pensé.

—Eso estaría bien —le dije.

—Hay un local en Nyack, a pocos kilómetros del puente Tappan Zee. La comida es excelente y es tranquilo. En este momento, tengo bastantes ganas de estar lejos de la prensa —y apoyó la cabeza en el asiento de cuero.

Mientras subíamos por FDR Drive, me contó que el día anterior por la tarde le habían pedido que fuera a la oficina del fiscal del distrito para contestar a más preguntas sobre la conversación que tuvo con Leesey Andrews la noche de su desaparición.

—Es mala suerte que esa noche me quedara en el estudio —dijo con franqueza—. Solo tienen mi palabra de que no la invité a pasarse por allí de camino a casa y me parece que, como no tienen a nadie más en quien centrarse, yo estoy en su punto de mira.

Tú no eres el único, pensé, pero decidí no compartir con él mi convicción de que, gracias a mí, el detective Barrott consideraba sospechoso a Mack. Me di cuenta de que Nick no había mencionado el nombre de Mack en el coche, y me pregunté la razón. A partir del mensaje que le di a su secretaria, diciendo que quería verle porque había vuelto a tener noticias suyas, Nick sabía perfectamente que íbamos a hablar sobre mi hermano. Me pregunté si quizá no quería que su chófer oyera esa conversación. Yo sospechaba que Benny tenía un oído muy fino.

La Provence, el restaurante que Nick había elegido, era tal como me había prometido. Había sido una casa particular y conservaba esa atmósfera. Las mesas estaban muy separadas. Había unos centros de mesa hechos con una vela rodeada de capullos de flores, distintos en cada mesa. Había pinturas que supuse eran paisajes de Francia colgados de las paredes revestidas de madera. Por el cálido recibimiento que el maître le dispensó a

Nick, quedó claro que era un cliente habitual. Le seguimos hasta una mesa en un rincón, junto a una ventana con vistas al Hudson. Era una noche clara y la vista del puente Tappan Zee sobre el río era espléndida.

Pensé en el sueño que tuve, cuando intentaba seguir a Mack mientras él cruzaba un puente. Luego dejé de pensar en eso.

Frente a una copa de vino, le hablé a Nick de la llamada anual de Mack el día de la Madre, y después de la nota que dejó en la cesta de la colecta.

—El hecho de que escribiera para decirme que deje de buscarle me hace pensar que tiene que tener algún problema muy grave —dije—. Simplemente tengo miedo de que Mack necesite ayuda.

—Yo no estoy seguro de eso, Carolyn —dijo Nick serenamente—. Yo fui testigo de la confianza que os tenía a ti y a tus padres. Él sabe que si necesitara cualquier cosa de orden económico, tu madre la solucionaría en el acto. Y si está enfermo, me parece que querría estar cerca de ti y de tu madre. Yo nunca vi que Mack tomara drogas, pero no sé, quizá empezó en aquel momento y sabía que destrozaría a tu padre si se enteraba. No creas que durante todos estos años yo no he intentado saber qué pudo hacerle desaparecer.

Supongo que eso era lo que yo esperaba oír, pero aun así me sentí como si cada vez que intentaba abrir una puerta se me cerrara de golpe en la cara. Al ver que no contestaba, Nick esperó un momento y luego me dijo:

—Carolyn, tú misma dijiste que cuando llamó el día de la Madre Mack parecía bastante animado. ¿Por qué no consideras su mensaje no como una llamada de auxilio, sino como una petición firme, o incluso como una exigencia? Está claro que también puede verse de ese modo. ¡Dile a Carolyn que no debe buscarme!

Él tenía razón. Yo sabía que la tenía. Pero en un sentido mucho más amplio se equivocaba. Me lo decía mi instinto más profundo.

—Déjalo pasar, Carolyn —dijo Nick. Su voz adoptó un tono amable—. Si Mack decide reaparecer, yo pienso darle un par de patadas por la forma como os ha tratado a ti y a tu madre. Ahora háblame de ti. Supongo que las prácticas con el juez se acabarán pronto. Funciona así, ¿no?

—Ya te lo contaré —dije—. Pero antes solo una cosa más sobre Mack. El miércoles por la mañana fui a ver a los Kramer.

—¿Los Kramer? ¿Quieres decir los encargados del edificio donde vivíamos Mack y yo?

—Sí. Y Nick, me creas o no, la señora Kramer estaba nerviosa. No paró de mirar a su marido para asegurarse de que todo lo que me decía era lo correcto. Te lo juro, tenía miedo de cometer algún tipo de error. ¿Tú qué pensabas de ellos cuando vivías allí?

—Para serte sincero, no se trata de lo que pensaba de ellos, sino más bien que yo no pensaba en ellos. La señora Kramer nos limpiaba el apartamento y nos lavaba la ropa una vez a la semana, gracias a la generosidad de tu madre. De otro modo probablemente aquello hubiera sido una pocilga. Limpiaba bien, pero era una verdadera metomentodo. Sé que Bruce Galbraith estaba muy enfadado con ella. Un día entró y la encontró leyendo el correo que tenía sobre la mesa. Yo pensé que si leía el suyo, probablemente leía el mío también.

—¿Se lo dijiste a ella?

Nick sonrió.

—No. Hice una bobada. Escribí una carta a máquina, la firmé con su nombre y la mezclé con mis cartas para que la encontrara. Decía algo como: «Cariño, me gusta tanto lavarte la ropa y hacerte la cama. Cuando te miro me siento como una jovencita. ¿Me llevarás a bailar alguna vez? Con todo mi amor, Lilly Kramer».

—¡No! —exclamé.

Durante un breve segundo, reapareció en los ojos de Nick la expresión juvenil que yo recordaba.

—Luego lo pensé mejor y la tiré antes de que ella la viera. A veces desearía no haberlo hecho.

—¿Crees que pudo tener problemas con Mack por leerle el correo?

—Él no comentó nada, pero tengo la sensación de que también estaba enfadado con ella. Pero nunca dijo por qué, y luego se fue.

—¿Quieres decir que eso pasó justo antes de que desapareciera?

La expresión de Nick cambió.

—Carolyn, ¿no irás a pensar que los Kramer tuvieron algo que ver con la desaparición de Mack?

—Nick, en cuanto te he hablado de ellos has mencionado algunas cosas que obviamente no salieron a la luz durante la investigación: que Bruce Galbraith la pilló curioseando y que Mack podía estar enfadado con ella. Dime qué opinas de Gus Kramer.

—Era un buen encargado. Con mal carácter. Oí cómo le gritaba a la señora Kramer un par de veces.

—¿Mal carácter? —pregunté levantando las cejas, y después dije—: No tienes que contestarme, pero piensa en ello. Supón que Mack y él hubieran tenido algún tipo de enfrentamiento.

Entonces vino el camarero a traernos los platos y Nick no contestó a mi pregunta. Después de aquello nos limitamos a hablar sobre los últimos diez años. Yo le dije que estaba pensando solicitar trabajo en la oficina del fiscal del distrito.

—¿Lo estás pensando? —Ahora era Nick quien alzaba las cejas—. Como decía el hermano Murphy, «Nunca dejes para mañana lo que puedas hacer hoy». ¿Algún motivo especial para esperar?

Yo le dije vagamente que iba a dedicarme a buscar un apartamento. Después de cenar, Nick abrió discretamente su Black-Berry y revisó sus mensajes. Yo le pregunté si había algo nuevo sobre Leesey Andrews.

—Buena idea. —Apretó un botón, repasó el resumen de noticias y luego cerró la BlackBerry—. Disminuyen las esperanzas de encontrarla viva —dijo con voz grave—. No me sorprendería que me pidieran que fuera a la oficina del fiscal mañana otra vez.

Y puede que Barrott me llame, pensé yo. Terminamos los cafés y Nick hizo un gesto al camarero para pedirle la cuenta.

Poco después, al dejarme en la puerta de Sutton Place, Nick volvió a sacar otra vez el tema de Mack.

—Sé lo que piensas, Carolyn. Vas a seguir intentando encontrar a Mack, ¿verdad?

—Sí.

—¿Con quién más vas a hablar?

—Tengo una cita con Bruce Galbraith.

—De él no conseguirás ni comprensión ni mucha ayuda —dijo sarcásticamente.

—¿Por qué no?

—¿Te acuerdas de Barbara Hanover, la chica que vino con Mack y conmigo a cenar a tu casa?

Y de qué manera, pensé yo.

—Sí, la recuerdo. —Y en ese momento no pude evitar añadir—: También recuerdo que tú estabas loco por ella.

Nick se encogió de hombros.

—Diez años atrás yo estaba loco por alguien distinto cada semana. De todos modos, no habría conseguido nada. Me parece que quien le importaba era Mack.

—¿Mack?

¿Pude haber estado tan concentrada en Nick que no me diera cuenta?

—¿No lo notaste? Barbara intentaba entrar en la facultad de medicina. Su madre tenía una enfermedad terrible y se habían gastado todo el dinero que reservaban para los estudios de Barbara. Por eso ella se casó con Bruce Galbraith. Se marcharon juntos aquel verano ¿te acuerdas?

—Esa es otra cosa que tampoco surgió durante la investigación —dije yo en voz baja—. ¿Bruce tenía celos de Mack?

Nick encogió los hombros.

—Nunca sabías lo que pensaba Bruce. Pero eso ¿qué cambiaría? Tú hablaste con Mack hace menos de una semana. No estarás pensando que Bruce le obligó a esconderse, ¿o sí?

Yo me sentí como una idiota.

—Claro que no —dije—. Realmente no sé nada de Bruce. Nunca vino a casa con Mack y contigo.

—Es un solitario. Aquel último año en Columbia, incluso las noches que salía con nuestro grupo al Village o al SoHo, siempre parecía ensimismado. Nosotros le llamábamos «el Forastero Solitario».

Yo estudié la cara de Nick, ansiosa por saber más detalles.

—Después de que Mack desapareciera, cuando empezó la investigación, ¿la policía interrogó a Bruce? Lo único que encontré sobre él en el expediente fue su declaración sobre la última vez que vio a Mack en el apartamento.

—No creo que le interrogaran. ¿Por qué iban a hacerlo? Mack y él nunca salían juntos.

—Una amiga me ha recordado hace poco que, más o menos una semana antes de que desapareciera, Mack y otros chicos de Columbia fueron a una discoteca la misma noche que desapareció la primera chica. ¿Recuerdas si Bruce estaba allí?

Nick pareció reflexionar.

—Sí, estaba allí. Me acuerdo porque la discoteca había abierto hacía poco y decidimos ir a ver cómo era. Pero me parece que él se marchó temprano. Desde luego nunca fue el alma de las fiestas. Pero se hace tarde, Carolyn. Lo he pasado muy bien. Gracias por venir.

Me dio un discreto beso en la mejilla y me abrió la puerta de la entrada. No hablamos de volver a vernos. Yo crucé el vestíbulo hasta el ascensor y luego miré hacia atrás.

Nick ya estaba en el coche y Benny estaba de pie en la acera, con un móvil pegado a la oreja y una expresión indescifrable. Por algún motivo había algo siniestro en la forma de sonreír de Benny cuando apagó el teléfono, entró otra vez en el coche y arrancó.

23

Todos los sábados por la mañana Howard Altman y su jefe, Derek Olsen, quedaban para tomarse un buen desayuno. Se encontraban a las diez en punto en el Lamplighter Diner, cerca de uno de los edificios de apartamentos que Olsen poseía en la avenida Amsterdam.

Durante la década que llevaba trabajando para Olsen, un anciano cada vez más irascible, Altman se había convertido en un buen amigo suyo y fomentaba cuidadosamente esa relación. Últimamente Olsen, un viudo de ochenta y tres años, admitía abiertamente que estaba cada día más disgustado con su sobrino y único pariente.

—¿Crees que a Steve le importa un rábano si estoy vivo o muerto? —preguntó Olsen de forma retórica, mientras rebañaba con una tostada los restos de yema de huevo del plato—. Debería telefonearme más a menudo.

—Estoy seguro de que a Steve le importa más que un rábano —dijo Howard en broma—. A mí desde luego me importa más que un rábano, pero sigo sin poder convencerle de que no pida dos huevos fritos y una salchicha cuando salimos los sábados.

Olsen suavizó la mirada.

—Tú eres un buen amigo, Howie. El día que viniste a trabajar para mí fue mi día de suerte. Eres un tipo apuesto. Vistes bien. Te manejas bien. Yo puedo irme a jugar al bridge y al golf con mis amigos sabiendo que tú estás ahí, trabajando en mi beneficio. ¿Y cómo van los edificios? ¿Está todo en orden?

—Yo diría que sí. En el 825 tuvimos un par de chicos que se retrasaron con el alquiler, pero fui a verles y les recordé que en su lista de organizaciones caritativas preferidas no aparecían sus nombres.

Olsen rió entre dientes.

—Yo lo hubiera dicho de forma un poco más cruel. Vigílales. —Y golpeó la taza de café contra el plato para indicarle a la camarera que quería más café—. ¿Algo más?

—Una cosa que realmente me sorprendió. Gus Kramer me telefoneó con quince días de antelación para avisarme de que se iba.

—¿Qué? —El gesto de cordialidad desapareció de la cara de Derek Olsen—. No quiero que se vaya —dijo rotundamente—. Es el mejor encargado que he tenido, y Lil es como una gallina clueca con los estudiantes, y a los padres también les gusta. Se fían de ella. ¿Por qué quieren irse?

—Gus dice que les ha llegado el momento de jubilarse.

—No les había llegado el mes pasado cuando me pasé por allí. Howie, he de decirte una cosa. Hay veces que presionas para reducir costes cuando no es necesario. Tú crees que me haces un favor intentando echarles de un piso grande para poder alquilarlo por más dinero. Todo eso ya lo sé, pero por lo que les pago, me sale baratísimo dejar que tengan más espacio. Hay veces en que te excedes. Esta es una de esas veces. Sé amable con ellos. Auméntales el sueldo, ¡pero asegúrate de que se quedan! Y ahora que hablamos del tema, cuando trates con ellos y con los demás encargados, ten presente una cosa. Tú me representas a mí, pero no eres yo. ¿Está claro? ¿Muy claro?

—Por supuesto. —En las cuerdas vocales de Howard Altman empezó a formarse el nombre «Derek», pero en lugar de eso dijo humildemente—: Muy claro, señor Olsen.

—Me encanta oír eso. ¿Algo más?

Howard tenía pensado contarle a su jefe que Carolyn Mackenzie estuvo en el apartamento de los Kramer el miércoles haciendo preguntas sobre su hermano desaparecido, pero se dio cuenta de que eso sería un error. Seguro que, con el humor que gastaba Olsen, opinaría que Howie debería habérselo dicho inmediatamente y que nunca entendía lo que era importante. Además, en esos últimos diez años, siempre que Olsen hablaba de la desaparición de Mackenzie se ponía como una fiera; se le enrojecía la cara de pronto y empezaba a gritar.

—El chico se larga en mayo —despotricaba—. Yo tenía todos los apartamentos alquilados para septiembre. Anularon la mitad. El último sitio donde se vio a Mackenzie fue en mi edificio, así que sus padres pensaron que podía haber algún chalado merodeando en la escalera...

Howard se dio cuenta de que su jefe le observaba atentamente.

—Howie, parece como si tuvieras algo más en la cabeza. ¿O no?

—Nada en absoluto, señor Olsen —dijo Howard con rotundidad.

—Bien. ¿Has leído lo de esa chica que desapareció? ¿Cómo se llama, Leesey Andrews?

—Sí. Lo he leído. Es muy triste. Esta mañana he visto las noticias antes de salir. Me parece que dudan de encontrarla viva.

—Estas chicas jóvenes no deberían ir a discotecas. En mi época se quedaban en casa, con sus madres.

Howard cogió la cuenta que la camarera había dejado frente a Olsen. Era un ritual que cumplían todas las semanas. El noventa por ciento de las veces Olsen le dejaba cogerla. Cuando estaba enfadado, no.

Olsen agarró la cuenta.

—No quiero que los Kramer se vayan, Howie, ¿entendido? ¿Te acuerdas que el año pasado echaste a patadas al encargado de la calle Noventa y ocho? Su sustituto es una mierda. Si los Kramer se van, quizá tengas que buscarte otro trabajo. Me he enterado de que mi sobrino vuelve a estar en paro. No es tonto; de hecho es endemoniadamente listo. Quizá si él tuviera tu sueldo y tu cómodo apartamento estaría un poco más pendiente de mí.

—Le he oído, señor Olsen. —Howard Altman estaba furioso con su patrón, pero mucho más consigo mismo. Había jugado mal sus cartas. Cuando Carolyn Mackenzie apareció el otro día, los Kramer se pusieron nerviosos como colegiales. ¿Por qué? Él debió haber sido lo suficientemente listo para averiguar lo que les preocupaba. Se juró a sí mismo que lo aclararía antes de que fuera demasiado tarde. Quiero mi trabajo, pensó. Lo necesito.

¡Ni los Kramer ni Carolyn Mackenzie harán que lo pierda!

24

«Se desvanece la esperanza de encontrar viva a Leesey Andrews», leyó el doctor David Andrews en el resumen de noticias de última hora que apareció en la parte baja de la pantalla de su televisor. Estaba sentado en la butaca de piel del estudio, en el piso de su hijo en Park Avenue. No podía dormir y entró allí en algún momento antes de que amaneciera. Poco después de oír que Gregg se iba a hacer su ronda de visitas en el hospital, se dio cuenta de que estaba cuidadosamente tapado con una manta, y supo que debió de haberse adormilado un rato.

En aquel momento, al cabo de tres horas, seguía allí. Se adormecía y miraba la televisión alternativamente. Debería ducharme y vestirme, pensó, pero estaba demasiado cansado para moverse. El reloj de la repisa marcaba las diez menos cuarto. Todavía voy en pijama, pensó, es ridículo. Levantó la vista hacia la pantalla de la televisión y se preguntó qué era eso que acababa de ver. Lo habré leído, porque he quitado el volumen.

Buscó a tientas el mando a distancia, que recordaba haber dejado sobre el cojín, para poder subir el volumen inmediatamente por si decían algo sobre Leesey.

Es domingo, pensó. Ya hace más de cinco días. ¿Qué siento en este preciso momento? Nada. Miedo no. Ni dolor, ni esa furia asesina contra quien se la haya llevado. Ahora mismo, en este momento, solo me siento entumecido.

Esto no durará.

La esperanza se desvanece. ¿Es eso lo que acabo de leer en el texto informativo de la pantalla? ¿O lo he imaginado? ¿Por qué me suena a algo conocido?

En su mente apareció la imagen de su madre, cuando tocaba el piano en las fiestas familiares y todos cantaban juntos. Les gustaban las viejas canciones de vodevil, pensó. Había una que empezaba diciendo «Cariño, me estoy haciendo viejo».

Leesey no se hará vieja. Sintió una oleada de dolor y cerró los ojos. El entumecimiento emocional había desaparecido.

«Cariño, me estoy haciendo viejo... Vetas de plata entre el oro... Brillan hoy sobre mis cejas... La vida se desvanece rápidamente...»

«La esperanza se desvanece...»

Fueron esas palabras las que le hicieron pensar en esa canción.

—Papá, ¿estás bien?

David Andrews levantó los ojos y vio la cara de preocupación de su hijo.

—No te he oído entrar, Gregg. —Se frotó los ojos—. ¿Sabías que la vida se desvanece rápidamente? La vida de Leesey. —Se detuvo, volvió a intentarlo—. No, me equivoco. Es la esperanza de encontrarla viva lo que se desvanece.

Gregg Andrews cruzó la habitación, se sentó al lado de su padre y le pasó el brazo alrededor de los hombros.

—Mi esperanza no se desvanece, papá.

—¿No? Entonces es que crees en los milagros. ¿Por qué no? Yo también creía en ellos.

—Sigue creyendo en ellos, papá.

—¿Te acuerdas de cuando parecía que tu madre se recuperaba tan bien? Repentinamente la cosa cambió y la perdimos de la noche a la mañana. Fue entonces cuando dejé de creer en los milagros.

David sacudió la cabeza intentando despejarse, y luego dio una palmada en la pierna de su hijo:

—Más vale que te cuides, por mí. Eres todo lo que tengo. —Se puso de pie—. Tengo la sensación de hablar en sueños. Yo estaré bien, Gregg. Voy a ducharme y a vestirme, y me voy a casa. Aquí no sirvo absolutamente para nada. Con las horas que te pasas en el hospital, cuando estás aquí necesitas tranquilidad. Y yo podré cuidarme mejor a mí mismo en casa, creo. Mientras esperamos a ver qué pasa, intentaré volver a una especie de rutina.

Gregg Andrews miró a su padre con el ojo clínico de un médico y se fijó en sus profundas ojeras, en la expresión sombría de sus ojos y en cómo su cuerpo parecía haber adelgazado muchísimo en esos cuatro días. No ha comido nada desde que supo lo de Leesey, pensó Gregg. En cierto sentido, quería oponerse a que su padre se fuera, y en otro pensaba que estaría mejor en Greenwich, donde trabajaba tres días a la semana como voluntario en el dispensario de urgencias y donde estaba rodeado de amigos íntimos.

—Lo entiendo, papá —dijo—. Y puede que tú creas que ya no tienes esperanzas, pero yo no te creo.

—Créeme —dijo simplemente su padre.

Al cabo de cuarenta minutos, después de ducharse y vestirse, David estaba listo para irse. Los dos hombres se abrazaron en la puerta del piso.

—Papá, sabes que hay docenas de personas que desean estar contigo. Ve al club a cenar con alguien esta noche —insistió Gregg.

—Si no voy esta noche, iré pronto.

Después de que su padre se marchara, el piso le pareció vacío. Hemos estado intentando guardar las apariencias en beneficio del otro, pensó Gregg. Más vale que siga mi propio consejo y me mantenga ocupado. Iré a correr un buen rato por Central Park. Luego intentaré dormir una siesta. Esa noche tenía pensado ir y venir del apartamento de Leesey al Woodshed a las tres de la madrugada, a la misma hora en la que ella hizo ese recorrido. Puede que me encuentre a alguien y hable con él, alguien que se le haya pasado por alto a la policía, pensó. El detective Barrott le había dicho que todas las noches tenía detectives de paisano dedicados a eso, pero Gregg estaba en un estado de agitación tal que necesitaba colaborar en la búsqueda.

No podía hacerlo cuando papá estaba aquí, pensó. Él habría insistido en venir conmigo.

El día había amanecido nublado, pero cuando Gregg salió a las once el sol se abría paso entre las nubes y aquello le animó un poco. En una hermosa mañana de primavera como esa, le parecía imposible que Leesey, su divertida y preciosa hermanita, les hubiera dejado. Pero si no estaba muerta, ¿dónde estaba? Haz que sea una crisis emocional o un ataque de amnesia, rezó Gregg, mientras recorría con grandes zancadas las tres manzanas hasta el parque. Una vez allí, decidió ir hacia al norte y volver rodeando el varadero de Central Park.

Primero el pie derecho, luego el pie izquierdo, derecho, izquierdo. Deja que... la encontremos. Deja que... la encontremos. Suplicó al mismo ritmo con el que corría.

Una hora después, cansado, pero hasta cierto punto menos tenso, Gregg volvía andando a su apartamento cuando sonó su móvil. Con sentimientos contradictorios de miedo y esperanza sacó el teléfono del bolsillo, lo abrió y vio que era una llamada de su padre.

Las palabras «Hola papá» murieron en sus labios al oír su desesperación. Le oyó sollozar de forma incontrolada. Oh, Dios, pensó, han encontrado su cadáver.

—Leesey —consiguió decir David Andrews—. Gregg, es Leesey. ¡Ha telefoneado!

—¿Ha hecho qué?

—Me ha dejado un mensaje en el contestador no hace ni diez minutos. Yo acababa de entrar. Es increíble. Acabo de perderme su llamada.

Gregg Andrews escuchó otra vez los sollozos de su padre.

—Papá, ¿qué decía? ¿Dónde está?

De pronto los sollozos se interrumpieron.

—Decía... que... me quiere, pero que tiene que estar sola. Me pidió que la perdonara. Decía... decía... que volverá a llamar el día de la Madre.

25

Pasé la mañana del sábado en la habitación de Mack en el piso de Sutton Place. No diré que no hubiera tenido un toque Sunset Boulevard, pero sé que a esas alturas yo ya no sentía que él estuviera allí presente. Pocos días después de que Mack desapareciera, papá registró su escritorio esperando encontrar alguna pista de adónde podía haber ido, pero lo único que encontró fue la clásica parafernalia universitaria: anotaciones para los exámenes, postales, papeles y sobres de carta impersonales. En un archivador había una copia de la solicitud de Mack a la facultad de derecho de Duke, y la carta de admisión que había recibido. Encima había escrito un exultante «¡sí!».

Pero papá no encontró lo que buscaba —el dietario de Mack—, que podía habernos dado una pista sobre alguna cita que hubiera tenido antes de su desaparición. Hace unos años mamá le dijo a la asistenta que descolgara los carteles con los que Mack había atiborrado las paredes y un panel lleno de fotografías suyas y de sus amigos. La policía, y después el detective privado, habían interrogado a todos los que aparecían en esas fotos.

La colcha marrón y beige con las almohadas a juego, que contrastaban con las cortinas de las ventanas, eran las mismas, igual que la alfombra de color cacao.

Sobre la cómoda seguía estando la misma fotografía de nosotros cuatro. Me encontré estudiándola y preguntándome si a estas alturas Mack tendría alguna cana en las sienes. Era difícil imaginarlo. Diez años atrás tenía una cara muy juvenil. Pero ahora no solo hacía mucho tiempo que había dejado de ser un universitario; probablemente era un sospechoso de varios casos de secuestro o asesinato que había huido.

En la habitación había dos armarios. Abrí las puertas de ambos y noté ese ligero olor a cerrado que se forma en un espacio relativamente pequeño cuando no circula el aire.

Saqué un montón de chaquetas y pantalones del primer armario y las dejé sobre la cama. Estaban todas cubiertas con bolsas de plástico de la tintorería, y me acordé de que un año después de la desaparición de Mack mamá hizo que limpiaran todas sus cosas y las volvieran a guardar en el armario. Recuerdo que en aquel momento papá dijo:

—Livvy, démoslo todo. Si Mack vuelve, yo iré de compras con él. Dejemos que todo esto le sirva a otra persona.

Su propuesta fue rechazada.

En aquel armario estéril no había nada que encontrar. Yo no quería limitarme a meterlo todo en grandes bolsas de basura. Sabía que así sería más fácil llevarlo al centro de donaciones, pero era una lástima que algo se arrugara. Entonces me acordé de un par de maletas enormes que Mack llevó en nuestro último viaje familiar que estaban en el trastero, detrás de la cocina.

Las encontré allí, volví a su habitación arrastrándolas y las dejé sobre la cama. Abrí la primera y, por una cuestión de costumbre, metí los dedos en los bolsillos para ver si había algo dentro. No había nada. Llené la maleta con los trajes, los pantalones y las chaquetas cuidadosamente doblados, pensando en el esmoquin que Mack llevaba en la última foto navideña de la familia.

La segunda maleta era más pequeña. Nuevamente metí la mano en los bolsillos. Esa vez palpé algo que supuse que era una cámara. Pero cuando lo saqué, me sorprendió ver que era una grabadora. No recordaba haber visto nunca a Mack con una. Había una cinta dentro y pulsé el botón para escucharla.

«¿Usted qué opina, señorita Klein? ¿Mi voz suena más como

Laurence Oliver o como Tom Hanks? La estoy grabando, así que sea amable.»

Oí la risa de una mujer.

«No suena como ninguno de los dos, Mack, pero suena bien.»

Aquello me afectó de tal modo que apreté el botón para pararlo mientras mis ojos se llenaban de lágrimas. Mack. Fue como si él estuviera en la habitación bromeando conmigo, con un tono de voz alegre y optimista.

Aquellas llamadas anuales del día de la Madre y el resentimiento constante y creciente con el que yo había reaccionado ante ellas me habían hecho olvidar esa forma habitual de hablar de Mack, divertida y enérgica.

Pulsé de nuevo el botón de encendido.

«De acuerdo, allá voy señorita Klein —decía Mack—. Usted me dijo que seleccionara un pasaje de Shakespeare. ¿Qué le parece este? —Entonces se aclaró la garganta y empezó—: "Cuando, caído en desgracia ante la Fortuna y ante los ojos de los hombres..."»

Su tono había cambiado drásticamente, de repente se había convertido en sombrío y áspero.

«... lloro en soledad mi condición de proscrito, y perturbo a los indiferentes cielos con mis vanos lamentos.»

En la cinta no había nada más. Rebobiné y volví a escucharla. ¿Qué significaba aquello? ¿Era una elección arbitraria o Mack la había escogido deliberadamente porque correspondía con su estado de ánimo? ¿Cuándo se había grabado? ¿Cuánto tiempo antes de su desaparición?

El nombre de Esther Klein estaba entre el grupo de gente a quien la policía interrogó acerca de Mack, pero obviamente su declaración no aportó nada concluyente. Recordé vagamente que a mamá y a papá les sorprendió que Mack hubiera decidido, por su cuenta, dar clases particulares de interpretación con ella. Yo entendía por qué no se lo había contado. Papá siempre tuvo miedo de que a Mack le interesaran demasiado sus actividades teatrales.

Esther Klein murió cuando la atracaron cerca de su apartamento de la avenida Amsterdam, casi un año después de la desaparición de Mack. Se me ocurrió pensar que quizá hubiera grabado otras cintas mientras estudiaba con ella. Y si era así, ¿dónde habían ido a parar después de la muerte de Esther?

Me quedé en la habitación de Mack con la grabadora en la mano y me di cuenta de que averiguar eso era bastante fácil.

El hijo de Esther Klein, Aaron, era un colaborador próximo de tío Elliott. Le llamaría.

Me metí la grabadora en el bolso y empecé a empaquetar la ropa de Mack. Cuando terminé, los cajones de la cómoda estaban vacíos, igual que los armarios. Durante un invierno especialmente frío, cuando las organizaciones caritativas lo solicitaron, mamá dejó que papá donara los abrigos gruesos de Mack.

Estaba a punto de cerrar la segunda maleta pero dudé, y saqué el lazo negro de vestir que yo le había anudado a Mack justo antes de que posáramos para la foto navideña familiar, aquel último año. Lo sostuve entre las manos y en aquel momento pensé en que le dije que se inclinara, porque yo no era lo bastante alta y no llegaba a anudársela fuerte.

Mientras la envolvía en un pañuelo de papel y la metía en el bolso para llevármela a Thompson Street, me acordé de la divertida respuesta de Mack: «Bendito sea el vínculo que une. Y ahora Carolyn, por favor, no la ensucies».

26

Se preguntó si el padre de ella habría oído ya el mensaje. Casi podía imaginarse cómo reaccionaría al oírlo. ¡Su pequeña estaba viva y no quería verle! ¡Le dijo que le llamaría el día de la Madre! ¡Solo tenía que esperar cincuenta y una semanas!

Papi debe sentirse totalmente desamparado, pensó.

Sin duda, a esas alturas, la policía tenía pinchado el teléfono del doctor Andrews en Greenwich. Se imaginaba el frenesí en el que estarían inmersos. ¿Se darían por vencidos y decidirían que Leesey tenía derecho a su privacidad y abandonarían la búsqueda? Quizá. Ese era precisamente el tipo de cosas que la gente hacía.

Él estaría más seguro si lo hicieran.

¿Le comunicarían a la prensa que ella había llamado?

Me gustan los titulares, pensó. Y me gusta leer sobre Leesey Andrews. Saben que ha desaparecido desde el martes. Ha aparecido en todos titulares de los últimos tres días. Pero hoy la noticia que hablaba de ella estaba enterrada en la página cuatro, lo cual era decepcionante.

Lo mismo había pasado con las otras tres chicas; pasadas dos semanas la noticia estaba muerta.

Tan muerta como ellas.

Me entretendré pensando qué hacer para que Leesey siga estando en la mente de todo el mundo, pero por el momento, pensó, me divierto trasladando su móvil de acá para allá. Eso debe de volverles locos. Y susurró:

—«Goosey, Goosey, Gander, ¿Dónde andáis? ¿Arriba? ¿Abajo? ¿En la habitación de mi señora?».*

Se echó a reír. En los tres sitios, pensó.

En los tres.

---

* Canción infantil del siglo XVI referida a los sacerdotes católicos que tenían que esconderse en «agujeros de sacerdotes» (estancias muy pequeñas que se encuentran en muchas mansiones inglesas) para escapar de la persecución protestante. Si les descubrían, ejecutaban tanto al sacerdote como a la familia que le había escondido. La moraleja de la canción es que algo desagradable le sucederá a cualquiera que no diga sus oraciones correctamente, refiriéndose a las plegarias protestantes dichas en inglés, por oposición a las plegarias católicas en latín. (N. de la T.)

27

—Doctor, ¿está seguro de que la voz del contestador es la de su hermana?

—¡Absolutamente seguro!

Inconscientemente, Gregg se masajeó la frente con el pulgar y el índice. Yo nunca tengo dolor de cabeza, pensó. No tengo por qué empezar ahora. Tres horas después de que su padre le telefoneara, Gregg estaba en el centro de la ciudad, en la sección de la brigada de detectives de la oficina del fiscal del distrito. El mensaje que Leesey había dejado en el contestador automático de la casa de su padre en Greenwich, Connecticut, había sido grabado y amplificado. El detective Barrott ya se lo había hecho escuchar, varias veces, a Larry Ahearn y a él.

—Yo estoy de acuerdo con Gregg —le dijo Ahearn a Barrott—. Conozco a Leesey desde que era una niña. Y juraría que esa es su voz. Parece nerviosa e inquieta, pero naturalmente puede que haya tenido algún tipo de crisis nerviosa o... —Miró a Gregg—. O que le hayan obligado a grabar ese mensaje.

—¿Quieres decir alguien que la ha secuestrado?

—Sí, Gregg, eso es exactamente lo que quiero decir.

—¿Has confirmado que esa llamada se hizo desde su teléfono móvil? —preguntó Gregg, tratando de que su voz sonara firme.

—Sí, lo he confirmado —dijo Ahearn—. La llamada se hizo entre la torre de Madison y la calle Cincuenta. Por eso puede que esté retenida en algún lugar de esa zona. Por otro lado, si Leesey desapareció voluntariamente, no entiendo cómo puede pasearse por esa área, ni siquiera salir a comprar comida, sin preocuparse de que la vean. Su foto ha aparecido en todos los periódicos, en televisión y en internet.

—A menos que lleve algún disfraz tipo burka, que la cubra completamente, menos sus ojos —señaló Barrott—. Pero incluso en Manhattan eso llamaría la atención. —Empezó a rebobinar la cinta de la llamada de Leesey—. Nuestros técnicos están trabajando en el sonido de fondo. Concentrémonos en escuchar eso.

Larry Ahearn captó una expresión sombría en la cara de Gregg.

—No creo que necesitemos escucharla otra vez, Roy.

—¿Y ahora qué? —le preguntó Gregg—. Si decidís que Leesey se fue voluntariamente, ¿dejaréis de buscarla?

—No —dijo con énfasis Ahearn—. Ni por un segundo. Conociendo a Leesey tan bien como la conozco, incluso si hubiera desaparecido por voluntad propia, pasa algo muy grave. Seguiremos trabajado veinticuatro horas, siete días a la semana, hasta que la encontremos.

—Gracias a Dios. —Necesito preguntarles algo más, pensó Gregg. Ah, ya lo sé—. ¿Qué pasa con los periodistas? ¿Vais a decirles que se ha puesto en contacto con nosotros?

—No queremos que nadie lo sepa —dijo Larry moviendo la cabeza—. Eso es lo primero que le dije a tu padre cuando hablamos con él.

—A mí me dijiste lo mismo, pero pensé que te referías a que querías asegurarte de que no era una llamada falsa, o de alguien que simplemente imitaba la voz de Leesey.

—Gregg, no queremos que nada de esto se sepa —dijo inmediatamente Larry Ahearn—. Por horrible que sea, es bueno saber que al menos hace unas horas Leesey estaba viva.

—Supongo que estoy de acuerdo. Pero si está viva, ¿dónde está? ¿Qué puede pasarle? A las otras chicas que desaparecieron al salir de una de esas discotecas del SoHo nunca las encontraron.

—Pero tampoco ninguna de ellas telefoneó a un miembro de su familia, Gregg —le recordó Ahearn.

—Doctor Andrews, hay algo más... —empezó a decir Barrott. Dilo Gregg, por favor.

La sombra de una sonrisa asomó a los labios de Gregg.

—Después de licenciarme en medicina, cuando alguien me telefoneaba a casa preguntando por el doctor Andrews, Leesey siguió pasándole automáticamente la llamada a mi padre durante varios meses.

Barrott esbozó una sonrisa.

—En mi casa pasa lo mismo. Si mi hijo saca muy buenas notas o le dan algún premio, su hermana piensa que se han equivocado. De acuerdo, Gregg —siguió diciendo—, la última vez que usted vio a su hermana fue el día de la Madre, hace una semana. ¿Pasó algo fuera de lo normal ese día?

—Eso es lo que me tiene absolutamente desconcertado —le contestó Gregg—. Solo hace diez años que murió mi madre, y lógicamente es una fecha que vivimos de un modo muy discreto. Fuimos los tres juntos a la iglesia, visitamos su tumba, y luego cenamos en el club. Leesey tenía pensado volver conmigo en coche a la ciudad, pero en el último minuto decidió quedarse con papá y volver en tren a la mañana siguiente.

—Antes de que su madre muriera, ¿el día de la Madre tenía un simbolismo especial en algún sentido para ustedes, aparte de los sentimientos que se le asocian comúnmente?

—No, en absoluto. Lo celebrábamos juntos, pero no era nada especial. Cuando vivían mis abuelos pasaban el día con nosotros. No había nada extraordinario, en absoluto. —Gregg captó la mirada que intercambiaron los dos detectives, y también el gesto de asentimiento que Larry Ahearn le hizo a Roy Barrott, y dijo—: Hay algo que no me han contado. ¿Qué es?

—Gregg, ¿conoces a Carolyn Mackenzie? —preguntó Ahearn.

En aquel momento empezaban a latirle las sienes. Gregg rebuscó en su memoria y luego movió la cabeza.

—Me parece que no. ¿Quién es?

—Es una abogada de veintiséis años —le aclaró Ahearn—. Tiene un apartamento en Thompson Street, en el edificio contiguo al de tu hermana.

—¿Ella conoce a Leesey? —preguntó Gregg inmediatamente—. ¿Tiene alguna idea de dónde puede estar?

—No. No la conoce, pero quizá recuerdes un caso de hace diez años, de un universitario que salió de su apartamento y desapareció. Su nombre era Charles Mackenzie hijo. Todo el mundo le llamaba Mack.

—Me acuerdo de ese caso. Nunca le encontraron, ¿verdad?

—No —dijo Ahearn—. Pero Mack telefonea a su madre todos los años el día de la Madre.

—¡El día de la Madre! —Gregg pegó un brinco—. Hace diez años que se fue y telefonea a su madre el día de la Madre. ¿Insinúas que quizá Leesey tiene intención de seguir una pauta tan disparatada como esa?

—Gregg, nosotros no insinuamos nada —dijo Ahearn suavemente—. Leesey tenía once años cuando Mack Mackenzie desapareció, así que no hay razón para pensar que pueda conocerle. Pero pensamos que quizá tú o tu padre conocéis a la familia. Imagino que os movéis en círculos parecidos.

—Sea lo que sea —dijo perplejo—, ¿Mackenzie llamó a su madre el domingo pasado?

—Sí, la llamó. —Ahearn decidió no informarle inmediatamente de que Mack había dejado un mensaje en la cesta de la colecta—. No sabemos qué está haciendo ese tipo, ni por qué tuvo que esconderse. Desde luego, el hecho de que siga llamando a su familia ese día en concreto no es de dominio público. Lo cual nos lleva a preguntarnos si es posible que en algún momento le conociera Leesey, quizá en una de esas discotecas del SoHo y si, tal como parece, ella decidió desaparecer voluntariamente, puede que utilice el mismo sistema para mantener el contacto.

Gregg miró inquisitivamente a Larry, buscando respuestas.

—¿Qué sabes sobre Mackenzie, Larry? Me refiero a si desapareció voluntariamente, ¿tenía algún tipo de problema?

—No pudimos averiguar nada que tuviera sentido. Él lo tenía todo en la vida y simplemente lo abandonó.

—Lo mismo podría decirse de Leesey —dijo Gregg bruscamente—. ¿Estáis empezando a pensar que si se ha cruzado con ese tipo, la próxima vez que tengamos noticias de ella será el día de la Madre del año próximo? —Miró primero a uno y luego al otro—. Un momento, ¿creéis que ese tal Mack puede ser un loco, y que tenga algo que ver con la desaparición de Leesey?

Larry miró a su compañero de cuarto de la facultad al otro lado de la mesa y pensó: «No es solo su padre quien ha envejecido esta semana. Gregg parece diez años más viejo que cuando jugamos a golf el mes pasado».

—Gregg, estamos investigando a todo el mundo y todas las posibles pistas. La mayoría serán callejones sin salida. Ahora hazme un favor y sigue mi consejo. Vete a casa, cena bien y acuéstate temprano. Piensa que sabemos que esta mañana Leesey estaba viva y consuélate un poco. Tienes muchos pacientes cuya segunda oportunidad en la vida depende de tus capacidades. No puedes fallarles, y eso harás si no duermes ni comes bien.

No es muy distinto del consejo que le di a papá, pensó Gregg. Me iré a casa. Dormiré un par de horas y comeré algo. Pero esta noche iré y vendré a pie de esa discoteca del SoHo a Thompson Street. Esta mañana Leesey estaba viva. Pero eso no significa que vaya a seguir viva si está con algún loco.

Gregg empujó su silla hacia atrás y se levantó.

—Tienes toda la razón, Larry —dijo.

Hizo un leve gesto de despedida y se dispuso a irse, pero cuando sonó el móvil de Ahearn se dio la vuelta. Ahearn sacó el teléfono de su bolsillo y se lo llevó al oído.

—¿Qué hay?

Gregg vio que Larry hacía un gesto de rabia y luego le oyó murmurar una blasfemia. Por segunda vez en ese día, pensó con desesperación que habían encontrado el cuerpo de Leesey.

Ahearn le miró.

—Alguien llamó al *New York Post* hace unos minutos y les contó que hoy Leesey Andrews dejó un mensaje para su padre, y le dijo que volvería a llamar el día de la Madre. El *Post* pide confirmación. —Y luego escupió a gritos las palabras—: ¡No hay absolutamente ningún comentario! —Y colgó el teléfono de golpe.

—¿La llamada la hizo Leesey? —inquirió Gregg.

—El periodista que la cogió no está seguro. Dice que era apenas un susurro. Sin identificador de llamada.

—Eso quiere decir que la llamada no se hizo desde el teléfono móvil de Leesey —dijo Gregg—. El suyo tiene identificador de llamada.

—Eso es exactamente a lo que me refiero, Gregg. Voy a ser brutalmente sincero. O bien Leesey ha tenido una especie de crisis nerviosa y quiere publicidad, o está en manos de un loco peligroso al que le gusta jugar.

—Y que solamente telefonea a casa el día de la Madre —dijo Roy Barrott en voz baja.

—O que tiene un estudio cerca del Woodshed, y un chófer de toda la vida que haría cualquier cosa por él —dijo Ahearn en tono sarcástico.

28

Howard Altman pensó detenidamente cómo abordar a los Kramer para convencerles de que siguieran trabajando allí como encargados. Olsen tiene razón, admitió. El tipo del bloque de apartamentos de la calle Noventa y ocho, a quien despedí el año pasado, nos estaba ahorrando un montón de dinero. Sencillamente no me di cuenta. Olsen no quiere hacer grandes reformas allí. La propiedad de al lado está a la venta y él está convencido de que cuando la compren también le harán una buena oferta por su edificio. El antiguo encargado lo reparaba todo con cinta aislante y cola. El nuevo tiene una lista con todas las cosas que hay que reparar y no para de decirle a Olsen que no hacerlo inmediatamente es una negligencia criminal.

Yo debería haberme callado la boca, pensó Altman, pero nunca he podido entender por qué los Kramer necesitan un piso con tres dormitorios, más dos que no se usan nunca.

Cada vez que Howard iba a ver a los Kramer, les pedía permiso para pasar al baño. Eso le daba la oportunidad de mirar en los dormitorios vacíos. Ni una sola vez, en los casi diez años que llevaba trabajando para Derek Olsen, notó que hubieran cambiado de sitio los osos de peluche que había sobre las almohadas de las camas. Sabía que los Kramer nunca usaban esas habitaciones, pero pensó que lo que debería haber notado es que a Lil Kramer aquel apartamento enorme le producía una especie de orgullo primario.

¡Y yo sé muy bien qué es el orgullo primario!, pensó con pesar. Cuando era un crío y papá se compró su primer coche de primera mano, el más barato del mercado, parecía que le había tocado la lotería. Tuvimos que lucirlo delante de todos los parientes simplemente porque papá pensó que se les caería la baba de envidia.

Yo debería crear un blog y escribir sobre mi propia familia disfuncional, se dijo Howard. No puedo permitir que los Kramer se jubilen. Quizá si yo encontrara un buen sustituto enseguida, a Olsen se le pasaría. Por otro lado, sería típico de él despedirme y darle mi trabajo al psicópata de su sobrino. Al cabo de treinta días seguramente tendría a Olsen de rodillas suplicándome que volviera, pero ese es un riesgo que no puedo correr. Así que ¿cómo abordo a los Kramer?

Durante el fin de semana Howard Altman consideró posibles soluciones. Después, satisfecho con el plan que se le había ocurrido, el lunes a las diez menos cuarto de la mañana entró en el edificio de West End Avenue donde vivían los Kramer.

Finalmente había decidido que rogarles que se quedaran, ofrecerles un aumento y asegurarles que ese enorme piso siempre sería su hogar era justamente el camino equivocado. Si Gus Kramer piensa que si se jubila conseguirá que me despidan, lo hará, aunque en este momento no quiera retirarse.

Howard abrió con llave la puerta de la calle y entró en el vestíbulo, donde se encontró a Gus Kramer, abrillantando unos buzones metálicos ya relucientes.

Gus levantó la mirada.

—Supongo que pronto dejaré de hacer esto —le dijo—. Espero que el próximo que contrate sea la mitad de bueno de lo que yo he sido durante casi veinte años.

—Gus, ¿está Lil por aquí? —dijo Howard como en un susurro—. Necesito hablar con los dos. Estoy preocupado por vosotros.

Cuando vio la evidente expresión de miedo en la cara de Kramer, Altman supo que iba por buen camino.

—Está en casa, ordenando cosas —dijo Gus. Y sin molestarse en quitar los últimos restos de abrillantador de los buzones, se dio la vuelta y cruzó el vestíbulo hacia su piso. Abrió la puerta de un empujón y entró, obligando a que Howard la aguantara para que no se le cerrara en la cara.

—Iré a buscar a Lil —dijo Gus con brusquedad.

Howard vio claramente que Kramer quería tener la oportunidad de hablar con su mujer y probablemente advertirle antes de que hablara con él. Ella está en uno de los dos dormitorios que hay después de la sala, pensó. Debe de estar guardando cosas allí. Por fin le ha encontrado una utilidad a ese espacio extra.

Pasaron casi cinco minutos antes de que los Kramer se reunieran con él en la salita. Lil Kramer estaba visiblemente nerviosa. Se frotaba los labios, uno contra otro, de forma compulsiva, y cuando Howard le tendió la mano, ella se secó la suya en la falda antes de responder de mala gana al saludo. Y tal como Howard esperaba, tenía la palma de la mano bañada en sudor.

Pégales ahora mismo un derechazo en la mandíbula, pensó Howard. Haz que se tambaleen.

—Os hablaré con toda franqueza —dijo—. Yo no estaba aquí el día que desapareció el chico Mackenzie, pero sí estaba el otro día cuando vino su hermana. Lil, tú estabas tan nerviosa como ahora. Yo soy observador y vi claramente que tenías miedo de hablar con ella. Eso me dice que sabes algo de por qué o cómo desapareció ese chico, o que quizá tuviste algo que ver con eso.

Howard vio cómo Lil Kramer miraba aterrorizada a su marido y que las mejillas de Gus Kramer se teñían de un desagradable púrpura oscuro. Tengo razón, pensó. Están mortalmente asustados. Y, envalentonado, añadió:

—La hermana no ha terminado con vosotros. La próxima vez puede que venga con un detective privado o con la policía. Si creéis que os libraréis de ella huyendo a Pennsylvania estáis locos los dos. Si ella vuelve y no estáis, empezará a hacer preguntas. Averiguará que os jubilasteis de repente. Lil, ¿a cuánta gente durante todos estos años le has dicho que no pensabas moverte de Nueva York hasta que tuvieras noventa años por lo menos?

En aquel momento Lil Kramer reprimía las lágrimas.

Howard dulcificó el tono.

—Lil, Gus, pensadlo. Si os vais ahora, Carolyn Mackenzie y la policía se convencerán de que tenéis algo que ocultar. Yo no sé lo que es, pero vosotros sois mis amigos y quiero ayudaros. Dejadme decirle al señor Olsen que lo habéis reconsiderado y que no queréis marcharos. La próxima vez que Carolyn Mackenzie avise que va a venir, hacédmelo saber y yo estaré presente. Le dejaré muy claro que la dirección no ve con buenos ojos que moleste a sus empleados. Es más, le recordaré que el acoso se castiga con penas severas.

Cuando Altman vio sus caras de alivio, supo que les había convencido de que se quedaran. Y no tengo que aumentarles el sueldo, ni prometerles que conservarán este piso, pensó exultante.

Pero mientras aceptaba la humilde gratitud de Lil y las parcas muestras de agradecimiento de Gus, Altman se moría por saber de qué tenían tanto miedo y si, por algún motivo, sabían la razón de la desaparición de Mack Mackenzie diez años atrás.

29

El domingo fui a la última misa matutina de Saint Francis of Sales. Llegué pronto, me deslicé en el último banco y después me puse a estudiar las caras de los parroquianos que entraban. No hace falta decir que no vi a nadie que se pareciera ni remotamente a Mack. El tío Dev siempre medita mucho sus homilías y les da un toque de humor irlandés. Ese día no hubo nada de eso.

Cuando terminó la misa, fui a la rectoría a tomarme un café rápido. Devon me sonrió, me hizo un gesto para que pasara a su oficina y me dijo que se iba a Westchester, donde había quedado para jugar al golf con unos amigos, pero que le esperarían. Sirvió el café en un par de tazones blancos, me dio uno y nos sentamos.

Yo no le había contado aún que había ido a ver a los Kramer, y cuando lo hice me sorprendió que se acordara de ellos perfectamente.

—Cuando supimos que Mack había desaparecido, yo acompañé a tu padre a ese apartamento del West End —dijo—. Recuerdo que la mujer estaba muy afectada por si a Mack le había pasado algo.

—¿Recuerdas algo de la reacción de Gus Kramer? —le pregunté.

Cuando el tío Dev hace un gesto pensativo, se parece a mi padre de una forma casi asombrosa. Hay veces que eso me consuela. Otras veces me duele. Ese día, por alguna razón, fue uno de los que me dolió.

—¿Sabes, Carolyn? —me dijo—, ese Kramer es un bicho raro. Creo que estaba más preocupado por el posible interés de la prensa que por Mack.

Diez años después, Kramer me había dado exactamente la misma impresión, pero yo sabía que Devon tenía prisa por irse y no le entretuve para hablar de eso. Lo que hice, en cambio, fue sacar la grabadora que había encontrado en la maleta de Mack y contarle cómo la había descubierto. Luego le puse la cinta. Vi cómo mi tío sonreía con tristeza al oír la voz de Mack hablando con la profesora, y luego vi su gesto de desconcierto cuando Mack empezó a recitar: «Cuando, caído en desgracia ante la Fortuna y ante los ojos de los hombres, lloro en soledad mi condición de proscrito, y perturbo a los indiferentes cielos con mis vanos lamentos».

Cuando apagué la grabadora, mi tío dijo con la voz tomada:

—Me alegro de que tu madre no estuviera cuando encontraste esta cinta, Carolyn. Creo que yo no se la pondría nunca.

—No tengo intención de ponérsela. Pero, Devon, quiero averiguar su importancia, si es que la tiene. ¿Mack te habló alguna vez de ir a clases particulares con una profesora de interpretación de Columbia?

—Recuerdo que lo hizo de pasada. Y ya sabes que cuando a Mack le cambió la voz a los trece años, hubo una temporada que la tuvo realmente aguda. En el colegio le hacían unas bromas muy crueles.

—Yo no recuerdo que Mack tuviera la voz aguda —repliqué, y luego me paré a recordar. Cuando Mack tenía trece años, yo tenía ocho.

—Naturalmente su voz se volvió más grave, pero Mack era un chico más sensible de lo que pensaba la mayoría. Cuando estaba dolido no mostraba sus sentimientos, pero años después me confesó lo mal que lo había pasado en aquella época. —El tío Dev daba golpecitos en el tazón mientras recordaba—. Quizá algún resto de aquel dolor le llevó a apuntarse a esas clases de voz. Por otro lado, Mack quería ser abogado, un buen abogado. Me dijo que un buen abogado tenía que ser también buen actor. Tal vez eso explica tanto las clases como el pasaje que recita en esa cinta.

Obviamente no llegamos a ninguna conclusión. Si Mack había escogido ese pasaje sombrío porque correspondía a su propio estado de ánimo o si simplemente estaba recitando un texto preparado eran meras suposiciones. Tampoco podíamos saber si dejó de grabar o si borró el resto de la sesión con la profesora de teatro.

A las doce y media, el tío Devon me dio un cariñoso abrazo y se fue a jugar su partido de golf. Yo volví a Sutton Place y me alegré de estar allí porque en mi apartamento del West Village ya no me sentía en casa. El hecho de que yo viviera en la puerta de al lado del edificio donde vivía Leesey Andrews me angustiaba muchísimo. Si no fuera por eso, pensé, estoy segura de que el detective Barrott no estaría intentando relacionar a Mack con su desaparición.

Yo quería hablar con Aaron Klein, el hijo de la profesora de teatro de Mack. Era bastante fácil localizarlo. Aaron llevaba casi veinte años trabajando para Wallace & Madison y en aquel momento era el sucesor oficioso del tío Elliott. Recordé que, un año después de la desaparición de Mack, robaron y asesinaron a su madre y que mamá y papá fueron con tío Elliott a visitarle al velatorio judío.

El problema es que yo no quería que tío Elliott se enterara de nuestra conversación. En aquel momento, él estaba convencido de que tanto mamá como yo íbamos a aceptar la petición de Mack, que en pocas palabras decía «Dejadme en paz». Si Elliott se enteraba de que yo me ponía en contacto con Aaron Klein por el tema de Mack, se sentiría en la obligación de contárselo a mamá. Tan seguro como que mañana volverá a salir el sol.

Eso significaba que yo tenía que verme con Klein fuera del despacho y pedirle que considerara confidencial nuestra conversación. Y confiar que luego no iría a chismorrear a Elliott.

Volví al despacho de papá, encendí la luz y revisé de nuevo el expediente de Mack. Yo sabía que Lucas Reeves, el detective privado, había interrogado a la profesora de teatro de Mack y a los demás miembros de la facultad de la Universidad de Columbia. Había leído sus declaraciones el otro día y sabía que no tuvieron ninguna utilidad, pero en ese momento busqué específicamente lo que Reeves había escrito sobre Esther Klein.

Era muy breve: «La señora Klein manifestó su pesar y conmoción por la desaparición de Mack. No era consciente de que él tuviera ningún problema concreto».

Una declaración inocua, me dije, pensando en la definición de la palabra «inocuo» que daba el diccionario: «Desvaído, tedioso; incapaz de despertar interés o emoción.»

Las pocas palabras que Mack y ella intercambiaban en la cinta sugerían que tuvieron una relación afectuosa. ¿Fue Esther Klein deliberadamente esquiva cuando habló con Reeves? Y si fue así, ¿por qué?

Me pasé la noche dando vueltas en la cama por culpa de esa pregunta. Me pareció que la mañana del lunes no llegaba nunca. Aproveché la circunstancia de que Aaron Klein era uno de esos ejecutivos que llegan temprano al despacho y a las nueve menos veinte telefoneé a Wallace & Madison y pregunté por él.

Su secretaria me hizo la pregunta habitual: «¿De qué asunto se trata?», y pareció molesta cuando le dije que era personal. Pero en cuanto le dio mi nombre a Aaron Klein, él atendió mi llamada de inmediato.

Tan brevemente como pude, le expliqué que no quería preocupar ni a Elliott ni a mi madre porque yo continuara buscando a mi hermano, pero que había encontrado una grabación de Mack y su madre, y que si podíamos vernos fuera de la oficina para que él la escuchara.

Su respuesta fue afectuosa y comprensiva.

—Elliott me contó que su hermano llamó la semana pasada, el día de la Madre, y que dejó una nota para usted diciéndole que no debe buscarle.

—Exacto. Y por eso quiero que esto quede entre nosotros dos. Pero la grabación que he encontrado parece indicar que Mack tenía problemas. No sé hasta qué punto su madre le contó cosas sobre él.

—Ella apreciaba mucho a Mack —dijo Klein enseguida—. Comprendo que no desee que Elliott y su madre se enteren de esto. Yo siempre he lamentado mucho lo de su hermano. Mire, hoy saldré temprano. Esta tarde mis hijos actúan en una función escolar y no quiero perdérmela por culpa del tráfico. En el ático tengo una caja con todas las cintas que mi madre grabó con sus alumnos particulares. Estoy seguro de que estarán las que grabó con su hermano. ¿Querría pasarse por mi casa está tarde sobre las cinco? Se las daré todas.

Por supuesto acepté enseguida. Llamé al garaje del sótano y le dije al vigilante que recogería el coche de mi madre. Yo sabía que escuchar la voz de Mack una y otra vez sería doloroso, pero al menos si conseguía convencerme de que la cinta que había encontrado en la maleta era una más entre otras parecidas, dejaría de corroerme el temor de que Mack hubiera desaparecido porque tenía un problema terrible que no podía compartir con nosotros.

Satisfecha con mi conclusión, me preparé café y puse el informativo de la mañana. Luego escuché, con el corazón en un puño, las últimas noticias del caso Leesey Andrews. Alguien había filtrado a un periodista del *Post* que ella había telefoneado a su padre el sábado y que había prometido volver a llamarle el día de la Madre.

¡EL DÍA DE LA MADRE!

Sonó mi móvil. Mi instinto más profundo me dijo que era el detective Barrott. No contesté y al cabo de un minuto, cuando revisé mis mensajes, oí su voz: «Señorita Mackenzie, me gustaría volver a verla lo más pronto posible. Mi número es el...».

Desconecté el teléfono, con el corazón a cien por hora. Yo tenía su número y no tenía intención de llamarle hasta que no hubiera hablado con Aaron Klein.

Aquella tarde llegué a Darien a las cinco y entré en casa de los Klein en mitad de una tormenta. Cuando llamé al timbre, me abrió una mujer atractiva que aún no había cumplido los cuarenta y que se presentó como Jenny, la esposa de Aaron. Al ver la tensa expresión de su cara supe que pasaba algo malo.

Me hizo pasar al estudio. Aaron Klein estaba de rodillas sobre la alfombra, rodeado de cajas puestas del revés. Había montones de cintas ordenadas en distintas pilas. Debía de haber unas trescientas, al menos.

Aaron estaba pálido como un muerto. Al verme se levantó despacio y miró a su esposa que estaba detrás de mí.

—Jenny, aquí no están, no hay ninguna.

Ella protestó:

—Pero Aaron, eso no tiene ningún sentido. ¿Por qué habría...?

Él la interrumpió y me miró con expresión hostil:

—A mí nunca me satisfizo la explicación de que mi madre fuera víctima de un crimen arbitrario —dijo claramente—. En aquel momento pareció que no se habían llevado nada de su piso, pero eso no es verdad. Aquí no hay ni una sola cinta de las clases con el hermano de usted, y yo sé que había al menos veinte, y sé que estaban aquí después de su desaparición. La única persona que podría quererlas es su hermano.

—No lo entiendo —dije, y me derrumbé en la silla que tenía más cerca.

—Ahora pienso que a mi madre la asesinaron para llevarse algo de su casa. La persona que la mató le quitó la llave del piso. En aquella época yo no eché nada en falta. Pero algo se llevaron: la caja donde guardaba todas las cintas que había grabado con su hermano.

—Pero a su madre la atacaron casi un año después de la desaparición de Mack —dije yo—. ¿Para qué podía quererlas? ¿De qué podían servirle? —Luego le grité, súbitamente indignada—: ¿Qué está usted insinuando?

—No insinúo —me replicó Aaron Klein —. ¡Digo que ahora pienso que su desaparecido hermano pudo ser el responsable de la muerte de mi madre! Puede que hubiera algo comprometedor en esas cintas. —Aaron Klein señaló la ventana—: Hay una chica de Greenwich que desapareció hace una semana. Yo no la conozco, pero si las últimas noticias que he oído en el coche mientras venía hacia aquí son ciertas, esa chica telefoneó a su padre y prometió volver a llamarle el día de la Madre. ¿No es ese el día escogido por su hermano para llamar? No me extraña que le advirtiera que no intente encontrarle.

Yo me levanté.

—Mi hermano no es un asesino. No es un acosador. Cuando se sepa la verdad, se sabrá que Mack no es responsable de nada de lo que les pasó a su madre y a Leesey Andrews.

Salí de allí, me metí en el coche y emprendí camino a casa. Supongo que estaba tan conmocionada que iba como con una especie de piloto automático, porque lo siguiente que recuerdo con claridad es que aparqué delante de Sutton Place y vi al detective Barrott esperándome en el vestíbulo.

30

—Venga, abuelo, en realidad no estás enfadado conmigo. Ya sabes que te quiero —dijo Steve Hockney en tono persuasivo cuando se sentó a la mesa frente a su anciano tío, Derek Olsen. Había recogido a Olsen en su apartamento y le llevó en taxi a cenar al Shun Lee West de la calle Sesenta y cinco—. Vamos a probar la mejor comida china de Nueva York. Así celebraremos tu cumpleaños con unas pocas semanas de retraso. Puede que nos pasemos todo el año celebrándolo.

Steve vio que estaba consiguiendo la reacción que quería. El enfado desaparecía de los ojos de su tío y en sus labios se dibujaba una involuntaria sonrisa. Tengo que ser más cuidadoso, se advirtió Hockney a sí mismo. Olvidarme de su cumpleaños fue la cosa más estúpida que he hecho en mucho tiempo.

—Tienes suerte de que no te eche de tu piso y te obligue a ganarte la vida tú solo, para variar —masculló Olsen entre dientes, aunque sin rencor. Esa súbita ráfaga de emoción que sentía cuando estaba con el hijo de su difunta hermana siempre le sorprendía. Es porque se parece mucho a Irma, se dijo Olsen, el mismo pelo negro y grandes ojos marrones, la misma sonrisa maravillosa. Carne de mi carne, pensó, mientras le daba un mordisco a las empanadillas al vapor que Steve le había pedido.

—Están buenas —dijo—. Siempre me llevas a sitios bonitos. Eso es que te doy demasiado dinero.

—No, abuelo, eso no es verdad. He hecho muchos bolos. Estoy a punto de dar el gran salto. Vas a sentirte muy orgulloso de mí. Ya verás. Mi grupo y yo seremos los próximos Rolling Stones.

—Llevo oyendo eso desde que tenías veinte años. ¿Ahora cuántos tienes? ¿Cuarenta y dos?

Hockney sonrió.

—Ya sabes que tengo treinta y seis.

Olsen se echó a reír.

—Ya sé que lo sé. Pero, óyeme, sigo pensando que deberías encargarte de los apartamentos. A veces Howie me pone nervioso. Irrita a la gente. Hoy he estado a punto de despedirle, pero, gracias a Dios, los Kramer han cambiado de opinión y ya no se marchan.

—¿Los Kramer? ¡No se irán de Nueva York nunca! Su hija les obligó a comprar una casa en Pennsylvania, y te diré por qué. No quiere que sus padres sean encargados. La hace quedar mal delante de sus aburridos y estirados amigos.

—Bien, Howie les convenció para quedarse, pero tú deberías pensar en implicarte más en el negocio.

¡Oh, por favor! Pensó Steve Hockney, pero luego reprimió su enfado. Ve con cuidado, se dijo de nuevo, ve con mucho cuidado. Yo soy su único pariente vivo, pero, tal como está ahora, sería capaz de dejarlo todo a la beneficencia, o incluso darle una buena tajada a Howie. Esta semana está enfadado con él. La semana que viene irá diciendo por ahí que nadie lleva sus negocios como Howie, que para él es como un hijo. Dio un par de mordiscos y luego dijo:

—Bueno, abuelo, he pensando que debería ayudarte más, visto todo lo que tú haces por mí. Quizá la próxima vez que hagas la ronda de los edificios yo podría ir contigo y con Howie. Francamente, me gustaría.

—¿De verdad lo harías? —Derek Olsen habló con dureza y miró fijamente a su sobrino a la cara. Luego, satisfecho de lo que veía, concluyó—: Lo dices de verdad. Lo noto.

—Claro que lo digo de verdad. ¿Por qué te llamo «abuelo»?

Porque al fin y al cabo sustituiste a mi padre cuando yo tenía dos años.

—Advertí a tu madre de que no se casara con ese hombre. Era un inútil total. Deshonesto, marañero. Cuando eras un adolescente pensé que terminarías como él. Gracias a Dios que te reformaste, con un poco de ayuda por mi parte.

Steve Hockney sonrió con agradecimiento, y luego buscó en su bolsillo y sacó una cajita. La puso en la mesa y se la acercó a su tío.

—Feliz cumpleaños, abuelo.

Olsen se olvidó de la última empanadilla al vapor y desató rápidamente el lazo, rompió el envoltorio de regalo y abrió la caja. Era una pluma Montblanc con sus iniciales grabadas en oro. Una sonrisa complacida le iluminó la cara.

—¿Cómo sabías que había perdido mi pluma buena? —preguntó.

—La última vez vi que usabas una barata. Era fácil deducirlo.

Llegó el camarero con una bandeja de pato mandarín. Durante el resto de la cena, Steve Hockney dirigió cuidadosamente la conversación hacia el recuerdo de su difunta madre y, como hacía siempre, dijo que su hermano mayor era el hombre más bueno e inteligente que había conocido.

—Cuando mamá estaba enferma, me dijo que lo único que siempre había querido era que yo me pareciera a ti.

Al ver que los ojos de su tío se llenaban de lágrimas de emoción, Steve se sintió recompensado.

Cuando terminó la cena, Hockney paró un taxi, dejó a su tío en casa y esperó a que entrara en su apartamento.

—Dale dos vueltas a la llave —le aconsejó al final con un cariñoso abrazo. En cuanto el clic confirmó que Olsen había seguido sus instrucciones, Derek bajó corriendo las escaleras y con rápidas zancadas corrió hasta su propio apartamento, que estaba a diez manzanas.

Una vez allí, se quitó la americana, los pantalones, la camisa y la corbata, y los cambió por un pantalón de peto y una sudadera. Ha llegado el momento de ir al SoHo, se dijo. Dios, creí que me volvía loco sentado tanto rato con ese viejo.

Su piso de planta baja tenía una entrada privada. Al salir miró a su alrededor y, como siempre, pensó en la inquilina anterior, la profesora de interpretación que asesinaron en la calle, tan solo a una manzana de allí.

El piso que tenía antes era un asco, pensó. Pero después de la muerte de la profesora, el abuelo me cedió este, encantado. Yo le convencí de que la gente es supersticiosa. Él estuvo de acuerdo conmigo en que era mejor no alquilarlo mientras la prensa hablara de ese asesinato. Eso fue hace nueve años. Hoy en día, ¿quién se acuerda de eso?

Yo no pienso dejarlo nunca, se juró a sí mismo. Es perfecto para mis planes, y aquí no hay esas malditas cámaras de seguridad para vigilarme.

31

El detective Barrott tenía un buen motivo para buscarme. Quería la nota que Mack dejó en la cesta de la colecta. Yo la había dejado dentro del expediente de Mack en el despacho de mi padre. Le invité a subir y entró conmigo al apartamento.

Fui deliberadamente maleducada y le dejé plantado en el recibidor mientras iba a buscar la nota. Aún estaba dentro de la bolsa de plástico para bocadillo. La saqué y la examiné. Nueve palabras en mayúsculas: «TÍO DEVON, DILE A CAROLYN QUE NO DEBE BUSCARME».

¿Cómo podía asegurarme de que Mack había impreso esas palabras?

Parecía un trozo de una hoja de papel más grande, cortado de cualquier manera. Cuando el lunes pasado se la ofrecí a Barrott, no le interesó. Dijo que seguramente había pasado por las manos del monaguillo, de mi tío, de mi madre y por las mías, como mínimo. No recuerdo si le conté que también se la había enseñado a Elliott. ¿Había alguna posibilidad de que las huellas de Mack aún estuvieran allí?

La metí de nuevo en la bolsa y se la llevé a Barrott, que estaba hablando por su teléfono móvil. Cuando me vio entrar en el recibidor, cortó la conversación. Yo confiaba en que simplemente cogiera la nota y se marchara, pero en lugar de eso dijo:

—Señorita Mackenzie, necesito hablar con usted.

Permíteme conservar la calma, recé, mientras le hacía pasar a la sala. De pronto me flaquearon las rodillas y me dejé caer en una gran butaca estilo Reina Anna, que había sido el rincón preferido de mi padre en esa habitación. Levanté la mirada hacia su retrato, que mi madre había mandado pintar y que seguía colgado sobre la repisa de la chimenea. La butaca estaba frente a la chimenea y papá solía bromear diciendo que cuando se sentaba allí se pasaba el rato admirándose a sí mismo: «Dios mío, Liv, fíjate en ese tipo tan apuesto —decía—, ¿cuánto dinero extra le pagaste al pintor para que me hiciera así de guapo?».

En cierto modo, sentarme en la butaca de papá me dio valor. El detective Barrott se sentó en el borde del sofá y me miró sin el menor rastro de afecto.

—Señorita Mackenzie, acaban de informarme que Aaron Klein, de Darien, Connecticut, ha llamado a nuestra oficina y nos ha dicho que cree que su hermano es la persona que asesinó a su madre hace nueve años. Ha dicho que siempre pensó que quienquiera que la mató quería algo de su piso. En este momento está convencido de que eran las cintas con la voz de su hermano. Ha dicho que usted le llevó una cinta para que él la escuchara. ¿Tiene usted esa cinta?

Me sentí como si me hubiera tirado agua helada a la cara. Yo sabía el efecto que esa cinta produciría en él. Barrott, y todos los demás de la oficina del fiscal del distrito, deducirían que Mack tenía un problema muy grave y que se lo había confiado a Esther Klein. Me agarré a los brazos de la butaca.

—Mi padre era abogado y yo también lo soy —le dije a Barrott—, y antes de decir una palabra más o darle nada, voy a consultar con un abogado.

—Señorita Mackenzie, quiero decirle una cosa —contestó Barrott—. Hasta el sábado por la mañana, Leesey seguía viva. No hay nada más importante que encontrarla, si aún estamos a tiempo. Debe usted saber por las noticias que hace dos días ella telefoneó a su padre y le dijo que volvería a llamar el próximo día de la Madre. Seguramente estará de acuerdo en que es difícil creer que sea simplemente una coincidencia que ella actúe, o que la estén obligando a actuar, según el modus operandi de su hermano.

—No es un secreto que Mack telefonea a mamá el día de la Madre —protesté yo—. Había más gente que lo sabía. Un año después de la desaparición de Mack, un periodista escribió un artículo sobre él y lo mencionó. Todo eso está en internet, a la vista de todo aquel al que le interese.

—En internet no está que después del asesinato de la profesora de interpretación de su hermano robaron de su apartamento todas las cintas con la voz de Mack —replicó Barrott. Me miró con severidad—. Señorita Mackenzie, si hay algo en esa cinta que usted retiene que pueda ayudarnos de algún modo a encontrar a su hermano, su sentido de la decencia debería impulsarle a entregármela.

—No le daré la cinta —dije—. Pero le juro que no hay nada en ella que pudiera darle una idea del paradero de Mack. Y le diré más. La cinta dura menos de un minuto. Mack le dice apenas unas palabras a su profesora de teatro y luego empieza a recitar un pasaje de Shakespeare. Eso es todo.

Barrott asintió. Creo que me creyó.

—Si tiene noticias suyas —me dijo—, o si a usted se le ocurre algo que pueda ayudarnos a encontrarle, confío que tendrá presente que la vida de Leesey Andrews es mucho más importante que intentar proteger a su hermano.

Cuando Barrott se fue hice una cosa que sabía que debía haber hecho inmediatamente: llamar al jefe de Aaron Klein, Elliott Wallace, el mejor amigo de mi padre, mi tío postizo, el pretendiente de mi madre, y decirle que violé nuestro acuerdo de aceptar los deseos de Mack y de ese modo convertí a mi hermano en sospechoso tanto de asesinato como de secuestro.

32

Nick DeMarco había tenido un fin de semana difícil. No quería admitir ante sí mismo lo perturbador que había sido volver a ver a Carolyn. «Pizza y Pasta» le llamaban en la época que solía ir a cenar al piso de los Mackenzie en Sutton Place.

Yo no sabía absolutamente nada de modales, recordó. Siempre me fijaba en qué tenedor usaban ellos o cómo se ponían las servilletas sobre las rodillas. Papá se sujetaba la suya bajo la barbilla. Tampoco me servía cuando el señor Mackenzie bromeaba sobre sus propios orígenes trabajadores. Yo pensaba que simplemente era un buen tipo que intentaba que un torpe idiota se sintiera bien recibido.

¿Y cuando me enamoré de Barbara? Al recordar el pasado, creo que no fue más que otra prueba de lo celoso que estaba de Mack.

Ella no me importaba en absoluto.

La que me importaba era Carolyn.

Con ella siempre me sentí cómodo. Siempre era divertida y lista. Lo pasé muy bien con ella la otra noche.

Para mí, como esnob, la familia de Mack era un modelo. Yo quería a mis padres, pero me hubiera gustado que mi padre no llevara tirantes. Me habría gustado que mi madre no les diera esos enormes abrazos a los clientes habituales. ¿Cómo es el dicho? Es algo así: «Nuestros hijos empiezan queriéndonos y a medida que crecen nos juzgan. A veces, nos perdonan».

Debería ser al revés: «Los padres empiezan queriéndonos y nos juzgan a medida que crecemos. A veces, nos perdonan». Pero a menudo no.

Yo quise que papá dejara el quiosco de comidas. No sabía lo que le estaba haciendo cuando le puse al frente de mi nuevo restaurante. Fue muy desgraciado. Mamá también añoraba estar en la cocina. Su hijo de clase alta no les dejó ser quienes eran.

Nick DeMarco, el gran triunfador, nombrado soltero del mes, el tipo que las chicas perseguían, pensó con un matiz de amargura. Nick DeMarco, el gran osado. Y ahora puede que sea Nick DeMarco, el tonto que se arriesgó demasiado.

Leesey Andrews.

¿Me oiría alguien ofrecerle ayuda para hacer carrera en el mundo del espectáculo? La cámara no grabó cuando le di la tarjeta con mi dirección, pero cuando se la pasé en la mesa ¿me vio alguien?

33

El martes por la mañana el capitán Larry Ahearn y el detective Bob Gaylor, ambos relativamente despejados después de dormir seis horas, estaban de vuelta en la sala de proyección del despacho del fiscal del distrito, repasando las grabaciones de seguridad de las otras tres discotecas en las que fueron vistas las jóvenes antes de desaparecer.

Se habían reabierto los casos de las otras tres mujeres: Emily Valley, Rosemarie Cummings y Virgina Trent. Las fotos borrosas del caso de Emily Valley, del que ya habían pasado diez años, fueron ampliadas e iluminadas con métodos de tecnología punta. Entre el grupo de estudiantes que habían entrado a la discoteca, llamada The Scene, se pudo identificar claramente a Mack Mackenzie y a Nick DeMarco.

—Cuando empezamos a buscar a Emily Valley, todos esos chicos de Columbia vinieron en grupo antes de que nosotros nos pusiéramos en contacto con los que habían firmado los recibos de las tarjetas de crédito —comentó Ahearn, pensando en voz alta—. Apenas había pasado un mes desde que hablamos con ellos y desapareció el chico Mackenzie. Cuando lo recuerdo, pienso que quizá debimos considerar sospechosa esa desaparición y relacionarla con el caso Valley.

—Él no aparece en ninguna de las grabaciones de seguridad de las discotecas donde solían ir las otras chicas que desaparecieron. Claro que la chica Cummings se esfumó tres años después, y hace cuatro años la Trent. En el colegio y en el instituto él era muy aficionado al teatro —señaló Gaylor. Su aspecto podía haber cambiado mucho en todo ese tiempo.

—Yo hubiera jurado que DeMarco era nuestro hombre, pero las grabaciones de la profesora de teatro que desaparecieron y las referencias al día de la Madre han vuelto a poner a Mack Mackenzie en el punto de mira —dijo Ahearn con gesto y tono de frustración—. ¿Cómo ha conseguido esconderse durante diez años? ¿De qué vive? ¿Cómo puede moverse entre Brooklyn y Manhattan con el móvil de ella sin que nadie le vea? Todos los policías de Nueva York tienen una imagen ampliada del aspecto que supuestamente tendría ahora. ¿Dónde tuvo escondida a Leesey desde el momento de su desaparición hasta que ella hizo esa llamada el sábado? Y si aún está viva, ¿dónde la tiene?

—¿Y qué le estará haciendo? —preguntó con amargura Roy Barrott.

Ninguno de sus compañeros le había oído entrar en la sala de proyección. Ambos levantaron la mirada, sorprendidos.

—Se suponía que te habías ido a casa a dormir un poco —dijo Ahearn.

Barrott asintió con la cabeza.

—Lo hice. En cualquier caso, ya he dormido lo que necesitaba. Escuchad, acabo de pasar por el laboratorio. Han terminado las ampliaciones de las dos fotos que hizo Kate, la compañera de piso de Leesey, incluida la que usamos para el cartel. Hizo esas fotos un minuto después de fotografiar a Angelina Jolie y Brad Pitt con sus hijos. Ahora se pueden ver las caras de la gente que hay al fondo.

—¿Y qué habéis encontrado? —preguntó Ahearn.

—Mira esta foto. Mira si reconoces al tipo de la izquierda.

—¡Es DeMarco! —dijo Ahearn, y luego lo repitió como si no creyera lo que estaba viendo—: ¡DeMarco!

—Exactamente —confirmó Barrott—. DeMarco nunca nos dijo que estuvo en Greenwich Village una semana antes de que

Leesey desapareciera, ni que estaba en la acera de enfrente cuando Kate hizo la foto. Lo que sí nos dijo es que cuando no usa su monovolumen, conduce un Mercedes descapotable. No mencionó que su chófer lleva un Mercedes sedán.

Ahearn se levantó.

—Creo que ha llegado el momento de llamar otra vez a ese tipo para hacerle algunas preguntas más y apretarle las tuercas —dijo—. Para él habría sido fácil que su chófer sacara a Leesey de su estudio en plena noche y la escondiera en alguna parte. Nuestros chicos le están investigando más a fondo. DeMarco compró muchas propiedades sin apenas dar entrada. Financieramente está con el agua al cuello. Si le quitan la licencia de alcohol de ese local de moda, el Woodshed, puede acabar otra vez vendiendo pasta en un chiringuito de Queens. —Ahearn miró a Bob Gaylor—. Tráetelo.

—Diez a uno a que vendrá con un abogado —espetó Barrott—. Me sorprende que la semana pasada se arriesgara a venir solo.

34

Estaba previsto que mamá volviera de Grecia el miércoles, y yo estaba cada vez más angustiada. Elliott había venido a verme para calmarme después de que yo le llamé desesperada el lunes por la noche. Hubo algo que me tranquilizó mucho de cómo se tomó lo que le conté, incluido que Aaron Klein, el elegido para sucederle en Wallace & Madison, creía ahora que Mack era el responsable de la muerte de su madre.

—Eso es una solemne tontería —dijo Elliott enfáticamente—. Aaron olvida que en aquella época me contó que no se habían llevado nada del apartamento de su madre. Recuerdo perfectamente sus palabras: «¿Para qué querría alguien asesinar a mi madre y robarle la llave, y no molestarse en robar su apartamento?». Yo le dije que probablemente la mató un drogadicto al que le entró el pánico al ver que estaba muerta. Aaron lleva años obsesionado por encontrar a alguien a quien culpar de la muerte de su madre, pero me sorprendería que intentara colgárselo a Mack.

La airada respuesta de Elliott no tuvo nada de moderada ni de formal. Ni mi propio padre hubiera sido más vehemente. Creo que fue en ese momento cuando desaparecieron para siempre mis dudas sobre la creciente intimidad entre mamá y Elliott. También fue el momento en el que decidí olvidar lo de «tío» y llamarle Elliott.

Ambos coincidimos en que era inevitable que me citaran para interrogarme sobre Mack y que teníamos que contratar un abogado defensor.

—No permitiré que Mack sea juzgado y condenado en los periódicos —aseguró Elliott—. Buscaré y conseguiré al mejor que encuentre.

También acordamos informar a mamá de lo que estaba pasando.

—Habrá algún periodista espabilado que por la alusión al día de la Madre no tardará en relacionar la desaparición de Mack con la de la chica —decidió Elliott—. Y, lo que es peor, no me extrañaría que los detectives lo filtren deliberadamente a los medios. Tu madre no debe dar la impresión de estar escondiéndose de ellos.

Elliott telefoneó a mamá y le aconsejó amablemente que volviera pronto a casa. Llegó el miércoles por la tarde; para entonces ya había pasado todo lo que Elliott había predicho: los medios, como sabuesos en busca de una presa, habían reabierto con eficacia los casos de las otras tres jóvenes que habían desaparecido de las discotecas, e informaban del hecho de que Mack y sus amigos de la universidad estuvieron presentes en The Scene la noche en que se esfumó Emily Valley, la primera chica. La relación entre la costumbre de Mack de llamar el día de la Madre y el mensaje que dejó Leesey Andrews a su padre también ocupó los titulares de la noticias.

Mamá, apoyada en el brazo firme de Elliott, tuvo que abrirse camino entre cámaras y micrófonos cuando llegaron juntos a Sutton Place. Me saludó exactamente como yo esperaba, aunque yo confiara en que no fuera así. Las profundas bolsas que mi madre tenía bajo los ojos hinchados por el llanto reflejaban por primera vez que tenía sesenta y dos años.

—Carolyn —me dijo—, ambas acordamos dejar que Mack hiciera su vida. Y ahora, por culpa de tu intromisión, persiguen a mi hijo como a un criminal. Elliott ha sido muy amable y se ha ofrecido a acogerme en su casa. He dejado mis maletas en su coche porque tengo intención de irme allí. Entretanto, tú arréglatelas con el jaleo que hay en la calle y discúlpate con nuestros vecinos por destruir su privacidad. Antes de irme quiero oír esa cinta.

En silencio saqué la cinta, y luego me senté con ella en la cocina y se la puse. Se oyó la voz de Mack bromeando con su profesora de teatro: «¿Sueno como Laurence Oliver o como Tom Hanks?», y después, en cuanto empezaba a recitar el pasaje de Shakespeare, aquel espectacular cambio de tono en su voz.

Cuando la apagué, mamá estaba pálida por el dolor.

—Ahí pasaba algo grave —murmuró—. ¿Por qué no acudió a mí? Nada podía ser tan malo como para que yo no le ayudara. —Luego alargó la mano hacia mí—. Dame la cinta, Carolyn —dijo.

—Mamá, no puedo —dije—. No me sorprendería que recibiéramos una citación por ella. Tú crees que significa que Mack tenía problemas. Otra explicación es que simplemente leía un texto teatral. Mañana por la mañana Elliott y yo tenemos una reunión con un abogado criminalista. Necesito tener la cinta para que la escuche.

Sin añadir una palabra, mamá me dio la espalda. Elliott susurró: «Luego te llamo», y bajó corriendo al vestíbulo tras ella. En cuanto se fueron, volví a poner la cinta: «... lloro en soledad mi condición de proscrito, y perturbo a los indiferentes cielos con mis vanos lamentos».

Puede que Mack estuviera actuando o puede que estuviera hablando de sí mismo, pero con una mezcla de dolor y amargura. En ese momento pensé que esas palabras se podían aplicar perfectamente a mí. Un par de minutos después sonó el teléfono del apartamento. Cuando descolgué y dije «Diga», quien hubiera al otro lado de la línea colgó.

35

Él nunca se cansaba de las historias que publicaba la prensa sobre las otras tres chicas, Emily, Rosemarie y Virginia. Se acordaba muy bien de todas. Emily había sido la primera. Al principio los periódicos no hablaron demasiado de su desaparición. Ella ya se había escapado antes, así que cuando no volvió a su casa de Trenton, New Jersey, incluso sus padres admitieron la posibilidad de que simplemente hubiera desaparecido voluntariamente una vez más.

Pero cuando Rosemarie se esfumó tres años después empezaron a pensar en la posibilidad de que a Emily la secuestraran. Luego, cuando hace cuatro años despareció Virginia, los medios hicieron su agosto relacionándolas a las tres.

Naturalmente aquello no duró. Cada tanto un aspirante al premio Pullitzer escribía una historia que relacionaba a las tres jóvenes pero sin aportar nada nuevo, y el interés del público cayó en picado.

Leesey había cambiado todo aquello. La pregunta: «Mack, ¿dónde te escondes?», estaba en boca de todos.

Vestido con una sudadera deportiva con capucha y gafas negras, él salió a correr por Sutton Place. Tal como esperaba, había un montón de camionetas de la prensa. Maravilloso, pensó, maravilloso. Sacó una pequeña caja metálica de un bolsillo, la abrió de un golpe y cogió el teléfono móvil de Leesey. Ahora, en cuanto marcara, ellos podrían localizar su posición en los alrededores de esa zona. Pero eso es lo que yo quiero, ¿verdad?, se dijo con una sonrisa. Marcó el número de teléfono del apartamento, esperó a que Carolyn contestara la llamada y luego colgó. Después, apretó el paso y despareció entre el aluvión de peatones que circulaba por la calle Cincuenta y siete.

36

Bruce Galbraith y su esposa, la doctora Barbara Hanover Galbraith, habían evitado, en la medida de lo posible, hablar sobre Mack Mackenzie. Pero finalmente, el miércoles por la noche, después de que los niños se acostaran y ellos hubieran terminado de ver las noticias de las diez, Bruce supo que tenía que sacar el tema.

Estaban en la biblioteca de su espacioso piso de Park Avenue. Siempre que Bruce se iba de viaje de negocios, se sorprendía nuevamente al darse cuenta de lo feliz que era en su casa y con su familia. Barbara se había cambiado y llevaba un pijama verde claro y el cabello rubio ceniza suelto sobre los hombros. Hacía mucho tiempo que Bruce ya no se sentía torpe e incómodo ante ella, pero, aun así, la sensación de que un día podía despertarse y descubrir que había estado soñando y que la vida que conocía era una ilusión permanecía en su subconsciente.

Desde que la prensa empezó a relacionar a Mack con la desaparición de Leesey Andrews, la chica de Connecticut, y después con el asesinato de la profesora de interpretación, Bruce había visto a Barbara cada vez más tensa.

Durante la emisión del programa, preso de esos celos que nunca había superado, Bruce había visto la cara de su mujer cada vez que las fotos de Mack aparecían en escena. Apretó el botón del mando a distancia, vio cómo la pantalla se apagaba y supo que era el momento de hablar de lo que había que hacer.

—Barb —dijo—, yo estaba en la discoteca la noche que desapareció la primera chica.

—Lo sé, pero también había otros veinte chicos de Columbia, incluidos Nick y Mack —contestó Barbara, evitando su mirada.

—Carolyn Mackenzie me llamó, pero no le he devuelto la llamada. Apostaría cualquier cosa a que sigue dedicada a este asunto. En cuanto la policía amplíe su investigación, será inevitable que me citen. Al fin y al cabo Nick y yo compartíamos piso con Mack.

Bruce vio que su mujer intentaba reprimir las lágrimas.

—¿Qué quieres decir con eso? —dijo con voz temblorosa.

—Creo que los niños y tú deberías iros a Martha's Vineyard a ver a tu padre. Ha tenido tres ataques al corazón. Si le dices a la gente que vuelve a estar delicado, nadie se extrañará.

—¿Y el colegio?

—Por lo que les pagamos, podemos pedir el plan de estudios y un profesor particular.

Bruce captó la incertidumbre en la expresión de su esposa.

—Barbara, cuando abriste la consulta con otros dos cirujanos infantiles, tuviste que tomar medidas para organizar tu vida personal. Yo diría que en este momento habría que reafirmar esas medidas.

Se puso de pie, se acercó a ella, se inclinó y la besó en la cabeza.

—Sería capaz de matar a Mack por lo que te hizo —dijo en voz baja.

—Yo ya lo he superado, Bruce, de verdad.

No, no lo has superado, pensó él. Pero yo he aprendido a vivir con eso, y por nada del mundo permitiré que Mack vuelva a hacerte daño.

37

El miércoles por la tarde, poco después de que mamá y Elliott se marcharan, me llamó el detective Barrott. Yo creía que las cosas no podían empeorar, pero me equivocaba. Barrott me preguntó tranquilamente si sabía que la llamada que acababa de recibir, y que había tomado por una equivocación, se había hecho desde el móvil de Leesey Andrews. Me quedé tan atónita que creo que tardé un minuto antes de decir algo como:

—Pero eso es imposible —hice una pausa para digerirlo—. Eso es totalmente imposible.

Barrott me aseguró con brusquedad que era cierto y me preguntó si creía que era mi hermano, que intentaba ponerse en contacto conmigo.

—Cuando contesté, colgaron. Pensé que se habían equivocado de número. ¿No se han enterado de que no hablé con nadie? —le pregunté indignada.

—Eso lo sabemos. También sabemos que el teléfono de su casa no está en el listín, señorita Mackenzie. No se equivoque. Si su hermano tiene el teléfono de Leesey, y si intenta ponerse en contacto con usted otra vez y usted no nos ayuda a encontrarle, puede convertirse en cómplice de un delito muy grave.

Yo no le contesté. Sencillamente corté la comunicación.

En algún momento entre las cuatro y las siete de la mañana del jueves decidí telefonear a Lucas Reeves y pedirle que nos viéramos lo más pronto posible. Necesitaba la ayuda de alguien de quien pudiera esperar minuciosidad e imparcialidad. Yo ya había visto, al estudiar su expediente sobre Mack, que se había empleado a fondo y había entrevistado a todas las personas que habían tenido alguna relación con mi hermano. Le dio su opinión a papá de forma muy clara: «En el entorno de su hijo no hay nada que sugiera que tenía un problema que le impulsara a huir. Yo no descartaría la posibilidad de una enfermedad mental de la que nadie se había dado cuenta».

Elliott y yo quedamos en encontrarnos a mediodía en el despacho de Thurston Carver, el abogado criminalista que él había encontrado para que nos representara. A las nueve de la mañana telefoneé a Reeves. Aún no había llegado, pero su secretaria me prometió que me llamaría en cuanto lo hiciera. Obviamente, había reconocido mi nombre. Media hora más tarde él me devolvió la llamada. Le expliqué lo que había pasado lo más brevemente que pude.

—¿Sería posible que nos viéramos esta mañana? —le pregunté, sabiendo que mi voz sonaba desesperada.

Reeves contestó con una voz profunda y sonora:

—Cambiaré mi agenda. ¿Dónde se reunirá con el abogado?

—En el edificio MetLife. Park Avenue con la calle Cuarenta y cinco.

—Yo sigo teniendo el mismo número de teléfono, pero me trasladé de oficina hace dos años. Ahora estoy en Park Avenue con la calle Treinta y nueve, unas manzanas más abajo del Met-Life. ¿Puede venir a las diez y media?

Sí, podía. Ya me había duchado y vestido. La imprevisible climatología nos había obsequiado con otro día tormentoso. Cuando miré por la ventana y vi a la gente con chaqueta y las manos en los bolsillos, cambié el traje ligero que había pensado llevar por un conjunto deportivo de velvetón, con el que tenía menos apariencia de abogado y más de la hermana de alguien. No diré que me favoreciera. Era gris oscuro y al mirarme al espejo vi que me resaltaba las ojeras y la inusual palidez de la cara.

Aunque de día no suelo molestarme en maquillarme mucho, me entretuve en ponerme una crema base, un toque de sombra de ojos, colorete, rímel y brillo de labios. Arreglada para defender a mi hermano, pensé. Luego me pareció odiosa esa forma tan amarga de pensar.

Si no hubiera ido a ver al detective Barrott... Si no hubiera encontrado la cinta en la maleta de Mack... Pensamientos inútiles.

Noté que empezaba a tener dolor de cabeza y, aunque no tenía hambre, bajé a la cocina, me hice una taza de café y tosté un bollo. Me lo llevé al saloncito y me senté a la mesa, frente a la espectacular vista del East River. Gracias a la fuerza de la brisa, se veía el oleaje de la corriente, y me di cuenta de que me sentía identificada con ella. Yo estaba siendo arrastrada por una corriente contra la que no podía luchar y tenía que dejarme llevar hasta que me ahogara o me salvara.

Me alegró que mamá hubiera estado unos días en Grecia y haber tenido el apartamento para mí sola. Pero eso fue mientras estaba de viaje. Me parecía increíble que ella estuviera en Nueva York y no viviera en casa, pero al salir del piso comprendí la razón. Había camionetas de prensa por todas partes y los periodistas se me acercaron corriendo en busca de una declaración. Eso es lo que le pasó a ella anoche, pensé.

Había llamado al portero para que me buscara un taxi y ya había uno esperándome. Sin hacer caso de los micrófonos, entré de un salto y le ordené que arrancara. No quería que nadie oyera adónde me dirigía. Veinte minutos después, estaba en la sala de espera del despacho de Lucas Reeves. A las diez y media en punto, él acompañó a la puerta a una pareja visiblemente tensa, que supuse eran otros clientes, miró a su alrededor y se me acercó.

—Pase, señorita Mackenzie.

Yo recordaba haberle visto solo una vez hacía diez años, cuando vino a Sutton Place, de modo que o bien él se acordaba de mi cara o dio por supuesto que yo era Carolyn Mackenzie porque no había nadie más en la sala de espera.

Lucas Reeves era todavía más bajo de lo que yo recordaba.

No creo que con los zapatos puestos midiera más de metro sesenta. Tenía la cabeza grande y un pelo enmarañado y grisáceo que claramente se teñía para aparentar un gris natural. Tenía la cara arrugada y estrías alrededor de la boca que me hicieron pensar que seguramente había sido un fumador empedernido. Su voz, profunda y agradable, resultaba incongruente en un hombre tan pequeño, pero correspondía con la calidez de su mirada y su cordial apretón de manos.

Le seguí al interior de su despacho. En lugar de ir hacia su escritorio, me llevó a un rincón para las visitas donde había dos silloncitos, un sofá y una mesa de café. Me indicó una de las butacas y dijo:

—Para usted no lo sé, señorita Mackenzie, pero para mí es la hora del café de media mañana. ¿Le apetece? O tal vez prefiera una taza de té, como mis amigos británicos.

—Un café solo sería perfecto —dije.

—Ya somos dos.

La recepcionista abrió la puerta y sacó la cabeza.

—¿Qué van a tomar señor Reeves?

—Dos solos, gracias Marge. —Y dirigiéndose a mí agregó—: En estos tiempos de corrección política empecé a hacerme yo mismo el café en nuestra cocinita. Pero mi ayudante, mi secretaria, mi recepcionista y mi contable me echaron a empujones. Dijeron que mi café era como engrudo.

Le agradecí tanto que intentara que me sintiera cómoda que de pronto se me llenaron los ojos de lágrimas. Él fingió no darse cuenta. Yo me había ofrecido a llevarle el expediente de Mack, pero me dijo que tenía una copia. Estaba sobre la mesa del café. Lo señaló.

—Póngame al día, Carolyn.

No dejó de mirarme mientras yo le explicaba que, por mi culpa, Mack se había convertido en sospechoso, tanto en el caso de Leesey Andrews como en el de Esther Klein.

—Y ahora piensan que Mack tiene el móvil de Leesey. Naturalmente, nosotros tenemos un número de teléfono privado, pero es el mismo desde que yo era pequeña. Hay muchísimas personas que lo saben.

Me mordí el labio. Me temblaba tanto que no pude seguir. De pronto me vino a la mente que la razón por la que mamá quiso quedarse en el piso todos esos años era para asegurarse de que no se perdería ni una llamada de Mack.

Reeves me escuchaba, y su cara de preocupación era cada vez más evidente.

—Me temo que su hermano es un sospechoso muy oportuno, Carolyn. Le seré sincero: no puedo imaginarme una razón por la que un joven de veintiún años en sus circunstancias desaparezca por voluntad propia. Francamente, estos últimos días, con toda la prensa pendiente de él, he estudiado su expediente y he hecho algún seguimiento, exclusivamente por mi cuenta. Su padre me pagó generosamente, pero yo no pude ayudarle en absoluto a resolver la desaparición de su hermano.

Reeves miró detrás de mí.

—Ah, aquí llega un café que yo no he preparado. —Esperó a que nos sirvieran las tazas y cuando volvimos a estar solos continuó—: Analicémoslo desde el punto de vista de la policía. La noche que desapareció la primera chica, su hermano estaba en la discoteca The Scene. Pero también estaban sus dos compañeros de piso, otros estudiantes de Columbia y unos quince clientes más. Era una discoteca pequeña, pero naturalmente también había un barman, varios camareros y un pequeño grupo de músicos. Esa lista, tan completa como pude elaborarla, está aquí, en el expediente de su hermano. Puesto que la policía opina ahora que su hermano podría estar implicado en esa primera desaparición, pensemos como ellos. Gracias a la tecnología, cada vez es más fácil investigar la vida de la gente. Me enorgullece decir que esta agencia tiene una capacidad tecnológica inmejorable. Empezaremos actualizando nuestros datos sobre todos los que estuvieron en esa discoteca hace diez años, cuando empezó todo esto.

Bebió un sorbo de café.

—Excelente. Fuerte sin ser amargo. Cualidades admirables, ¿no está usted de acuerdo?

Me pregunté si aquello era una reprimenda. ¿Reeves había notado mi creciente hostilidad hacia Mack, e incluso, tuve que admitirlo, hacia mi madre?

Él no esperó a que le contestara.

—¿Dice usted que le pareció que los encargados, los Kramer, quizá tenían algo que ocultar?

—No sé si tenían algo que ocultar. Sé que parecían muy nerviosos, casi como si les estuvieran acusando de saber algo sobre la desaparición de Mack.

—Yo les interrogué hace diez años. Haré que mi personal compruebe si hay algo fuera de lo común en su vida que nos convenga saber. Ahora hábleme de Nicholas DeMarco. Cuénteme qué impresión le dio, tanto positiva como negativa.

Yo quería ser objetiva.

—Obviamente Nick tiene diez años más —le dije—. Es más maduro, naturalmente. A los dieciséis años yo estaba loca por él, de modo que no sé si realmente era capaz de juzgarle. Era guapo, era divertido, y cuando lo recuerdo pienso que coqueteaba conmigo y que yo era tan joven que me creí que era especial para él. Mack me advirtió que me apartara de Nick y después de eso, las pocas veces que vino a cenar, me las arreglé para salir con mis amigos.

—¿Mack le advirtió que se apartara? —Reeves levantó una ceja.

—Cosas de hermano mayor. Supongo que yo iba con el corazón en la mano y Mack me dijo que todas las chicas se enamoraban de Nick. Aparte de eso, diría que esta última vez que le he visto, tuve la impresión de que Nick tenía muchas cosas en la cabeza.

—¿Hablaron del otro compañero de piso, Bruce Galbraith?

—Sí. Nick ha perdido el contacto con él. Francamente, creo que Bruce no le gustaba mucho. Incluso le llamó «el Forastero Solitario». Ya le he dicho que le dejé un mensaje a Bruce pidiéndole que nos viéramos, pero de momento no ha contestado.

—Vuelva a llamarle. Con el interés que la prensa dedica a su hermano, dudo que Bruce Galbraith deje de lado su petición de verle. Entretanto, yo empezaré inmediatamente a poner al día nuestros archivos sobre los demás. A partir de la alusión al día de la Madre, la policía intenta relacionar a Mack con la desaparición de Leesey Andrews y, por extensión, con la desaparición de todas esas jóvenes. Y ahora esa llamada a su casa desde el teléfono móvil de Leesey les confirmará su culpabilidad. Todas las pistas conducen convenientemente a Mack. Empiezo a preguntarme si todo lo sucedido empezó aquella noche en The Scene, semanas antes de que Mack desapareciera.

Aquello me hizo saltar.

—Señor Reeves, ¿está usted diciendo que alguien puede haber intentado relacionar a Mack con la desaparición de esas cuatro mujeres?

—Creo que es una posibilidad. Como usted misma dijo, la prensa publicó hace unos años un artículo sobre esa única llamada anual de su hermano el día de la Madre. ¿Quién sabe si alguien retuvo ese dato en la mente y ahora lo utiliza para desviar las sospechas? Se dan suplantaciones de identidad de todo tipo. Seguir el patrón de conducta de alguien que ha desaparecido y que opta por no defenderse podría ser uno. El raptor de Leesey tiene su móvil. Puede que también tenga su número de teléfono privado.

Era una posibilidad que tenía sentido. Cuando salí de la oficina de Reeves, sentí que esta vez había acudido a la persona adecuada, alguien que buscaría la verdad sin partir de la premisa de que Mack se había convertido en asesino.

38

El jueves a primera hora de la tarde Nick DeMarco volvió a la sección de la brigada de detectives de la oficina del fiscal del distrito, acompañado de su abogado Paul Murphy. En esa ocasión el ambiente en el despacho del capitán Ahearn era abiertamente hostil. No hubo apretones de manos, ni breves muestras de agradecimiento porque hubiera respondido inmediatamente a la llamada telefónica que solicitaba su presencia lo más pronto posible.

Pero Nick tenía otros problemas en la cabeza. El martes a primera hora de la mañana, después de que su madre le llamara angustiadísima diciendo que su padre había sido ingresado de urgencia en el hospital por dolores en el pecho, Nick viajó en avión a Florida. Cuando llegó, las pruebas que le habían hecho a su padre hasta el momento eran negativas, pero seguía ingresado por la posibilidad de que sufriera un amago de infarto. Cuando Nick entró en la habitación, su madre corrió a refugiarse entre sus brazos.

—Oh, Nick, creí que le perdíamos —le dijo llorando.

Su padre, visiblemente envejecido y con la cara pálida, estaba recostado en la almohada. Tenía un tubo de oxígeno en los orificios nasales y la aguja del gotero en la mano, y claramente se sentía abrumado.

—Nick, yo odio los hospitales —dijo a modo de saludo—,

pero quizá esto que ha pasado no haya sido malo del todo. En la ambulancia estuve pensando en las cosas que me habría gustado decirte, aunque tu madre no me dejó decirlas. Ahora tendrás que oírlas. Tengo sesenta y ocho años. Llevo trabajando desde los catorce. Por primera vez en mi vida me siento inútil y no me gusta.

—Papá, yo compré un restaurante para que tú lo llevaras —protestó Nick—. Fuiste tú quien decidió jubilarse.

—Claro, tú compraste un restaurante aquí, pero ya deberías saber que eso no me convenía. Me sentía como un pez fuera del agua en ese sitio. Me ponía enfermo ver cómo perdías dinero a espuertas con tu comida de moda, sobrevalorada y carísima. He visto abrir y cerrar montones de sitios como esos. Hazte un favor a ti mismo y véndelo, o al menos incluye algún plato sencillo en el menú para que pueda pedirlo la gente cuando no quiera foie-gras ni caviar.

—Dominick, no te pongas nervioso —rogó su madre.

—Tengo que ponerme nervioso. Tengo que sacarme esto de dentro antes de que me dé un ataque al corazón. ¡Soltero del mes! Fue repugnante ver lo satisfecho que estabas. Parecía que hubieras ganado la medalla de honor del Congreso. He de decírtelo antes de morirme.

—Papá, ya te oído. Y, lo creas o no, esta vez te estoy escuchando. Dime, ¿qué quieres? ¿Qué puedo hacer para que seas feliz?

—No quiero jugar al golf y no quiero estar sentado en una casa carísima donde me puede caer una pelota de golf en la cabeza, porque vivimos cerca del hoyo dieciséis.

—Todo eso es fácil de solucionar, papá. ¿Qué más?

Nick aún no había conseguido borrar la mirada de desprecio de los ojos de su padre.

—Tienes treinta y dos años. Baja de las nubes. Sé el hijo del que estábamos tan orgullosos. Deja de salir por ahí con mujeres que conoces en discotecas. De hecho, ¡deja el negocio de las discotecas! Te meterás en líos. Búscate una buena chica. Tu madre y yo nos acercamos a los setenta. Estuvimos quince años casados antes de que Dios nos enviara un hijo. No nos hagas esperar quince años más para tener un nieto.

Nick tenía todo eso en la cabeza cuando él y su abogado se instalaron en aquellas sillas duras e incómodas, frente al escritorio del capitán Ahearn. Los detectives Barrott y Gaylor estaban sentados a ambos lados del capitán.

Esto es un pelotón de fusilamiento, pensó Nick. Echó un vistazo a su abogado y comprobó que Murphy tenía la misma impresión.

—Señor DeMarco —empezó Ahearn—, usted no nos dijo que tiene un Mercedes sedán 550 que utiliza únicamente cuando le lleva su chófer.

Nick frunció el ceño.

—Espere un momento. Si no me equivoco, usted me preguntó por los coches que yo conduzco. Yo nunca conduzco el sedán. Cuando estoy solo uso el descapotable o el monovolumen.

—Tampoco nos habló de su chófer.

—No debí ver razón para mencionarle.

—Pues nosotros no estamos de acuerdo con usted, señor De-Marco —le dijo Ahearn—. Especialmente porque su chófer, Benny Seppini, tiene un extenso expediente criminal.

Nick supo lo que Paul Murphy estaba pensando sin necesidad de mirarle: «¿Por qué no me contó eso mi cliente?».

—Benny tiene cincuenta y ocho años —le comentó Nick a Ahearn—. Fue un niño sin hogar y estuvo en una banda callejera hasta la adolescencia. A los diecisiete le cayó una condena de cinco años de cárcel por robar, como si fuera un adulto. Cuando salió empezó a trabajar para mi padre. De eso hace treinta y cinco años. Cuando mi padre se jubiló hace un tiempo, vino a trabajar para mí. Es un hombre honrado y bueno.

—¿Su mujer no consiguió una orden de alejamiento contra él hace diez años? —replicó Ahearn.

—La primera mujer de Benny murió joven. La segunda quería conseguir que le firmara un documento cediéndole la casa.

Esa denuncia era falsa, un fraude que ella retiró en cuanto consiguió la propiedad.

—Sí, sí. Señor DeMarco. ¿Suele usted pasear por Greenwich Village de día?

—Claro que no. Yo soy un hombre de negocios.

—¿Vio usted alguna vez a Leesey Andrews antes del lunes por la noche de la semana pasada?

—Por lo que yo sé, rotundamente no.

—Déjeme enseñarle una foto suya que tenemos, señor DeMarco. —Ahearn hizo un gesto afirmativo a Barrott, quien sacó las copias de las fotografías ampliadas de Leesey que su compañera de piso había hecho, y las dejó en la mesa frente a Nick y Murphy.

—¿Reconoce a ese hombre del fondo en la segunda fotografía, señor DeMarco? —preguntó Barrott.

—Naturalmente, ese del fondo soy yo —espetó Nick—. Me acuerdo de ese día. Había quedado a comer con un agente de la propiedad. Estoy interesado en comprar propiedades en la zona urbanizable por donde antes pasaban las vías del tren. En cuanto empiecen a urbanizar, las propiedades colindantes subirán como la espuma. Vi que había muchos paparazzi en acción y me acerqué para saber qué pasaba. Brad Pitt y Angelina Jolie estaban allí.

—¿Dónde pensaba a ir a comer?

—A Casa Florenza, justo a la vuelta de la esquina de donde se hizo la foto.

—¿Entonces sostiene usted que no vio a Leesey Andrews cuando la fotografiaba su amiga?

—No solo lo sostengo, no la vi —repitió Nick con vehemencia.

—¿Tiene usted la factura de esa comida? —preguntó Gaylor en un tono que insinuaba que le sorprendería verla.

—No, no la tengo. El agente inmobiliario intentaba venderme una propiedad, así que pagó él. Si lo consigue, tendrá una comisión que le permitirá llenar el depósito de gasolina de su coche durante mucho tiempo.

—Y usted, ¿cuánto tiempo podrá seguir poniendo gasolina a todos sus coches, señor DeMarco? —preguntó Ahearn—. Tiene usted ciertos problemas financieros, ¿verdad?

—¿Qué tienen que ver los temas de negocios del señor DeMarco con nuestra presencia aquí? —inquirió Paul Murphy.

—Quizá nada en absoluto —replicó Ahearn—. Y quizá mucho. Si el gobierno decide cancelar la licencia para vender alcohol en el Woodshed, no creo que su cliente se gane la vida vendiendo helados en ese local. Y créame, si tenemos la mínima sospecha de que el señor DeMarco no está siendo totalmente sincero, nosotros encontraremos un motivo para cancelarla.

Ahearn se dirigió a Nick:

—¿Tiene usted el número de teléfono privado de la casa de los Mackenzie en Sutton Place?

—Estoy seguro de tenerlo por algún lado, a menos que haya cambiado. Recuerdo que telefoneé a la señora Mackenzie cuando murió su esposo el 11 de septiembre.

—¿Cree usted que Leesey Andrews está muerta?

—Sinceramente espero que no. Eso sería una tragedia.

—¿Sabe usted si aún está viva?

—¿Qué clase de pregunta absurda es esta?

—Nick, nos vamos. —Murphy se había puesto de pie.

Ahearn no le hizo caso.

—Señor DeMarco, ¿tiene usted un teléfono móvil que no esté registrado a su nombre, uno con tarjeta prepago, como los que usan los corredores de apuestas y los listillos?

—¡Basta ya! ¡No escucharemos más ninguna de sus insinuaciones baratas! —gritó Murphy.

Larry Ahearn actuó como si no le hubiera oído.

—¿Y tiene su conflictivo chófer un teléfono igual, señor DeMarco? Y si es así, ¿respondió él a su llamada desesperada para que sacara a Leesey de su estudio? Y si ella no estaba muerta aún, ¿decidió él retenerla para su diversión personal? Y si ese es el caso, ¿le ha mantenido informado sobre el estado físico de ella?

Nick, con los puños apretados, había llegado prácticamente a la puerta cuando oyó la última pregunta de Ahearn:

—¿O está usted protegiendo a su compañero de piso de la universidad Mack Mackenzie, o quizá ayudando a su atractiva hermana a protegerle? El pasado viernes por la noche tuvieron ustedes un pequeño *tête-à-tête*, ¿verdad?

39

Después de dejar a Lucas Reeves me reuní con Elliott en el despacho de Thurston Carver del edificio MetLife. Inmediatamente me di cuenta de que en la época que trabajé para el juez Huot había visto a Carver en los tribunales. Era un hombre grande, con una cabellera que supuse prematuramente cana; me pareció que no tenía más de cincuenta y cinco años.

Yo me sentía reafirmada en cierto modo por mi reunión con Reeves, y le conté a Carver la teoría que él me había aconsejado. Mack había desaparecido. El hecho de que llamara todos los años el día de la Madre era de conocimiento público, y quien hubiese raptado a Leesey Andrews intentaba que las sospechas recayeran sobre Mack con esas llamadas telefónicas que estaba haciendo.

Elliott, que parecía cansado y profundamente afectado, sopesó esa posibilidad. Me dijo que la noche anterior mi madre estaba tan angustiada que al llegar a su apartamento se descompuso. Lloraba y sollozaba, hasta tal punto que él estaba seriamente preocupado por ella.

—Anoche me di cuenta de que Olivia siempre ha estado convencida de que, para que se marchara de ese modo, algo debió afectar a la mente de Mack —le explicó a Carver—. Ahora ella piensa que si él es culpable de esas desapariciones, puede que esté completamente trastornado y cuando le encuentren puede acabar recibiendo un disparo de la policía.

—Y me echa la culpa a mí —dije yo.

—Carolyn, tiene que echarle la culpa a alguien. Esto no durará. Tú sabes que no durará.

«Tú has sido mi cayado y mi apoyo en todo esto.» Eso fue lo que mamá me dijo la semana pasada, después que Mack llamara el día de la Madre por la mañana. Yo aún tenía una fe absoluta en que en algún momento ella entendería por qué yo había intentado llegar a algún tipo de conclusión definitiva sobre la situación de Mack. Entretanto, ella contaba con la ayuda de Elliott, y entonces me di cuenta de lo profundamente agradecida que le estaba por apoyarla en este trance. No importaba cómo acabara aquello; en aquel momento, sentada en el elegante despacho forrado de madera de Thurston Carver, olvidé definitivamente los celos que sentía por que Elliott pudiera reemplazar a mi padre en la vida de mi madre.

Ese mismo día, algo más tarde, llamé a Bruce Galbraith. Me pareció que esperaba una eternidad, hasta que se puso al teléfono y accedió de mala gana a recibirme en su oficina el viernes por la tarde.

—Carolyn, has de saber que no he visto a Mack ni he tenido noticias suyas desde el día que desapareció —me dijo—. No entiendo qué información esperas obtener de mí.

Aunque su tono de voz venenoso me dejó helada, no le di la respuesta que tenía en la punta de la lengua: «Quiero saber por qué odiabas tanto a Mack».

El viernes por la tarde me hicieron pasar al despacho de Galbraith. Estaba en el piso sesenta y tres de su edificio en la avenida de las Américas y tenía unas vistas espectaculares de la ciudad. Solo se me ocurre compararla con la que se ve desde el Rainbow Room del Rockefeller Centre.

Yo tenía un recuerdo borroso de Bruce. Cuando Mack desapareció, papá y mamá me mantuvieron al margen de su búsqueda, mientras ellos iban y venían de su apartamento. Yo tenía un vago recuerdo del cabello castaño claro y las gafas sin montura de Bruce.

Me recibió con la cordialidad pertinente. No quiso que nos sentáramos en el lugar habitual, sino en un par de butacas de piel a juego que había a ambos lados de su escritorio. Empezó manifestando su pesar por la forma como los tabloides estaban intentando vincular a Mack con la desaparición de Leesey Andrews.

—Me imagino cómo debe afectar esto a tu madre —dijo. Y luego, tras una pausa, añadió—: Y a ti, por supuesto.

—Bruce —dije yo—, comprenderás lo angustiada que estoy no solo por encontrar a Mack; también por desvincular su nombre de cualquier relación con las mujeres que desaparecieron, tanto si le encuentro como si no.

—Lo comprendo perfectamente —dijo él—. Pero la cuestión es que Mack, Nick y yo meramente compartíamos el apartamento. Mack y Nick eran muy amigos. Iban juntos por ahí, salían con chicas juntos. Nick iba a cenar a vuestra casa a menudo. Es mucho mejor que le preguntes a él sobre Mack que a mí. Lo que yo puedo decirte también te lo pueden decir los demás alumnos de último curso de Columbia.

—¿Y Barbara? —pregunté—. Ella vino a cenar a casa una vez. Yo creía que salía con Nick, pero él me dijo que había estado enamorada de Mack, y luego se casó contigo, después de que Mack desapareciera. ¿Has hablado alguna vez sobre Mack con ella? ¿Podría tener alguna idea de lo que Mack tenía en la cabeza antes de esfumarse?

—Naturalmente que, con toda esa publicidad reciente, Barbara y yo hemos hablado sobre Mack. La idea de que pueda estar implicado en un crimen la desconcierta tanto a ella como a mí. Dijo que desde luego la persona que ella conocía no era así.

Bruce habló en un tono tranquilo, aunque vi cómo le subía del cuello un intenso rubor que le llegaba a las mejillas. Él odia a

Mack, pensé. ¿Son celos? ¿Hasta dónde podrían llevarle esos celos? Era tan prudente, tan comedido..., era un hombre de aspecto corriente que, vistos sus éxitos, debía de ser un magnate inmobiliario extraordinariamente hábil. La imagen de Mack, con su atractivo, su maravilloso sentido del humor y su encanto infinito invadió mi mente.

Recordé haber oído que, cuando eligieron a los diez mejores alumnos de su promoción, Mack superó a Galbraith por una décima. Pensé que aquello tuvo que ser un golpe tremendo para el ego de Galbraith. Y que después de la desaparición de Mack, Barbara, la chica que según Nick estaba loca por él, se casó con Galbraith, quizá para asegurarse el ingreso en la facultad de medicina...

—Conocí a Barbara en mi casa hace años —dije—, y agradecería tener la oportunidad de hablar con ella.

—Lo siento, pero eso es imposible —dijo Galbraith llanamente—. Su padre está muy enfermo. Vive en Martha's Vineyard. Barbara se ha ido allí con los niños para acompañarle en sus últimas semanas.

Se puso de pie y yo capté el mensaje de que la reunión había terminado. Me acompañó a la recepción y yo hice ademán de estrecharle la mano. No se me pasó por alto la forma como se restregó la palma en el pantalón antes de aceptar mi mano de mala gana. La suya aún estaba sudorosa y húmeda. Un hombre sencillo con un traje caro y los ojos entornados.

Recordé que Nick le había llamado «el Forastero Solitario».

40

Si había una persona que a Lil Kramer le gustaba menos que Howard Altman ese era Steve Hockney, el sobrino de Derek Olsen. Por eso, cuando él se presentó de improviso el viernes por la mañana, Lil se puso muy nerviosa. En un principio, Gus y ella habían aceptado agradecidos la advertencia de Howie sobre lo imprudente que sería escapar a Pennsylvania como si tuvieran algo que ocultar. Pero Lil conocía muy bien las cambiantes alianzas de Olsen entre su sobrino y su ayudante Howie, y al ver a Steve solo sintió terror.

Howie se ha peleado con Olsen, pensó, y Steve va a hacerse cargo de todo. Se alegró de que Gus hubiera subido a cambiar los filtros de algunos aires acondicionados. Acababa de limpiar la escalera entre el segundo y el tercer piso y estaba de mal humor. Uno de los universitarios había derramado la cerveza por allí durante la noche.

—Debieron subir un barril a rastras —había refunfuñado Gus minutos antes de que Hockney llegara—. Hay cerveza por toda la escalera. No se habrían muerto si lo hubieran fregado ellos mismos.

Menos mal que Gus lo vio antes de que llegara Hockney, pensó Lil. Probablemente este hubiera montado un numerito y hubiera revisado la escalera para encontrar algún fallo. Le invadió una repentina sensación de fatiga. Después de todo, puede que fuera agradable no estar ocupada todo el día. Intentó parecer sociable, invitó a Hockney a entrar y le preguntó si le apetecería una taza de té. Él respondió con una amplia sonrisa y, de una zancada, se metió dentro.

Realmente es atractivo, pensó ella, y él lo sabe. Siempre estuvo pagado de sí mismo, y cuando tenía unos veinte años Olsen tuvo que abonar una fianza para librarle de una serie de problemas. Estuvo a punto de ir a la cárcel. Ahora había cierto brillo de insolencia en su mirada. Steve declinó el té, pero se instaló en el sofá, pasó el brazo por el respaldo y cruzó las piernas.

—Lil —empezó diciendo—, el mes pasado mi tío cumplió ochenta y tres años.

—Lo sé. Le mandamos una tarjeta.

—Son ustedes mejores que yo. —Steve volvió a sonreír—. Pero creo que ha llegado el momento de que yo asuma la responsabilidad de controlar sus negocios. Usted ya le conoce. Nunca admitirá que se siente viejo, pero yo lo sé. También sé que últimamente Howie Altman le pone muy nervioso.

—Nosotros nos llevamos bien con él —dijo Lil prudentemente.

—Ha estado insistiendo para que dejen este apartamento, ¿verdad?

—Me parece que eso ya se acabó.

—Es un abusón. Sé que si informaran a mi tío de lo fastidioso que Howie ha sido y es capaz de ser con ustedes dos, él les escucharía.

—¿Para qué crear problemas si lo que el señor Olsen piense de Howie no es asunto mío?

—Porque yo quiero que me ayuden, Lil. Me parece que ha olvidado que yo estaba aquí en el edificio cuando Mack Mackenzie la acusó a usted nada menos que de robarle el reloj. Eso fue pocos días antes de que desapareciera.

Con una mueca de pánico, Lil balbuceó:

—Encontró el reloj y se disculpó.

—¿Alguien le oyó disculparse?

—No lo sé. Quiero decir, no, no lo creo.

Hockney se incorporó del sofá.

—Lil, se nota que eso que dice de la disculpa es mentira. Pero no se preocupe. Yo nunca le he contado a nadie lo del reloj de Mack y nunca lo haré. Howie no nos gusta, ¿verdad Lil? Por cierto, le diré al tío Derek que gracias a como Gus y usted cuidan este edificio es la joya de la Corona.

41

Derek Olsen distaba mucho de ser solo el viejo petulante e irascible que su sobrino Steve y el gestor de sus edificios, Howie, pensaban que era. De hecho, era un inversor astuto que había visto crecer su patrimonio inmobiliario escogiendo estratégicamente los edificios de apartamentos, hasta convertirlos en una fortuna personal valorada en millones de dólares. Ahora había llegado a la conclusión de que era el momento adecuado para empezar a liquidar sus activos.

El viernes por la mañana telefoneó a Wallace & Madison y exigió con brusquedad que le pasaran con Elliott Wallace. La secretaria de Elliott, muy acostumbrada al comportamiento de Olsen, no se molestó en decirle que el señor Wallace estaba a punto de irse a una reunión muy urgente. En lugar de eso, le pidió que esperara un momento y corrió por el pasillo para alcanzar a Elliott junto al ascensor.

—Es Olsen —dijo.

Con un suspiro de exasperación, Elliott volvió hacia la oficina y cogió el teléfono:

—Derek, ¿cómo estás? —preguntó con calidez.

—Estoy bien. He sabido que esa especie de sobrino tuyo tiene muchos problemas.

—Sabes que desapareció hace diez años. Es absurdo que la policía intente atribuirle nada. ¿Qué puedo hacer por ti?

—Me causó muchos problemas por desaparecer cuando vivía en uno de mis apartamentos. Da igual, no he llamado por eso. El mes pasado fue mi cumpleaños. Tengo ochenta y tres. Ha llegado el momento de venderlo todo.

—Llevo cinco años aconsejándotelo.

—Si hubiera vendido hace cinco años no habría sacado el dinero que sacaré ahora. Iré para hablar contigo. El lunes por la mañana, a las diez, ¿te va bien?

—El lunes a las diez me va bien —dijo en tono cordial. Cuando estuvo seguro de que Olsen había colgado, Elliott golpeó el auricular contra el aparato.

—Habrá que reorganizar la agenda de todo el día —le espetó a su secretaria mientras volvía corriendo al ascensor.

Ella le miró comprensiva al pasar. En la reunión a la que Wallace debía acudir se decidiría quién asumiría las responsabilidades de Aaron Klein en la empresa. Después de faltar cuatro días al trabajo, Klein había telefoneado para comunicar su dimisión. Dijo que le resultaba imposible trabajar codo con codo con alguien que defendía al asesino de su madre.

42

Gregg Andrews se había impuesto una disciplina y la cumplía. Cuando salía del hospital se iba derecho a casa, comía algo y se metía directamente en la cama. A la una de la madrugada sonaba el despertador. A las dos se tomaba una cerveza en la barra del Woodshed y se quedaba allí hasta la hora de cerrar. Después, desde el interior de su coche aparcado al final de la calle, vigilaba en qué orden salían del local los camareros, los bármanes y los músicos del grupo. Comprobó que todos salían con pocos minutos de diferencia y que nadie salía solo, de acuerdo con lo que habían declarado que hicieron la noche que desapareció Leesey.

Durante las tres últimas noches, había recorrido a pie el kilómetro y medio de distancia entre la discoteca y el apartamento de Leesey. Se había parado a hablar con todas las personas que encontró en la calle y les preguntó si por casualidad habían estado allí a la hora que Leesey desapareció y si por casualidad la habían visto. Las respuestas fueron negativas. La cuarta y la quinta noche hizo el trayecto de ida y vuelta con su coche, cubriendo otras calles por si acaso ella había cogido otro camino menos directo.

El sábado, a las tres y media de la madrugada, en cuanto vio que los empleados del Woodshed cerraban las puertas, se disponía a recorrer el barrio cuando oyó un golpecito en la ventana.

Un hombre con restos de suciedad en la cara y el pelo enmarañado le estaba mirando. Convencido de que quería pedirle dinero, Gregg bajó apenas unos centímetros la ventanilla.

—Usted es el hermano —dijo el hombre con voz ronca y un aliento que apestaba a alcohol.

Gregg echó la cabeza hacia atrás instintivamente.

—Sí, lo soy.

—Yo la vi. ¿Me promete que conseguiré la recompensa?

—Si puede usted ayudarme a encontrar a mi hermana, sí.

—Apunte mi nombre.

Gregg abrió el salpicadero y sacó un cuaderno.

—Soy Zach Winters. Vivo en el asilo de Mott Street.

—¿Cree usted que vio a mi hermana?

—La vi la noche que desapareció.

—¿Por qué no informó inmediatamente?

—A los tipos como yo nadie nos cree. Si les digo que la vi, enseguida dirán que le hice algo. Siempre pasa lo mismo. —Winters apoyó su mano mugrienta sobre el coche para mantener el equilibrio.

—Si me dice algo que nos ayude a encontrar a mi hermana, yo personalmente le entregaré la recompensa. ¿Qué sabe usted?

—Ella fue el último cliente que salió. Se puso a andar hacia allí —señaló Winters—. Luego llegó un monovolumen enorme y se paró.

Gregg sintió un vuelco en el estómago.

—¿La obligaron a entrar?

—Qué va. Yo oí cómo el conductor decía: «Eh, Leesey», y ella solita entró de un salto en el monovolumen.

—¿Podría decirme cómo era?

—Claro. Era un Mercedes negro.

43

El sábado por la mañana le invadió uno de sus periódicos episodios de remordimientos. Se sentía fatal por lo que había hecho. *Creí que nunca volvería a matar a nadie,* pensó. *Estaba asustado. Después de la primera, intenté ser bueno. Pero luego pasó dos veces más. Intenté dejarlo otra vez. Pero no pude. Pero luego él me obligó a hacerlo otra vez, y otra. Y después de aquello ya no pude parar.*

A veces pienso en decírselo a él. Pero eso sería una locura, y yo no estoy loco.

Se me ha ocurrido una idea en la que estoy pensando. Podría ser peligroso, pero, al fin y al cabo, siempre ha sido peligroso. Sé que algún día me cogerán. Pero no permitiré que me lleven a la cárcel. Me iré a mi manera y me llevaré por delante a quien esté conmigo.

No he tocado el teléfono desde el miércoles por la noche. Haré la próxima llamada el domingo.

Es una idea muy buena.

Y después de eso, encontraré a alguien más.

Aún no ha llegado el momento de parar.

44

El sábado de madrugada Gregg Andrews llamó al teléfono móvil de Larry Ahearn. Con un aluvión de palabras desordenadas, le informó de que la noche en que desapareció alguien había visto a Leesey Andrews entrar en un monovolumen Mercedes negro.

—Y ella conocía al conductor —insistió Gregg, con voz ronca por la fatiga y la tensión—. Él la llamó por su nombre y ella se metió dentro enseguida.

En los once o doce días pasados desde que se informó de la desaparición de Leesey, Ahearn no había dormido más de cuatro horas por noche. Cuando sonó su teléfono estaba en casa, durmiendo profundamente por el agotamiento. En aquel momento hizo un esfuerzo por despertarse y miró el reloj.

—Gregg, son las cuatro y media de la madrugada. ¿Dónde estás?

—De camino a mi piso. Estoy con Zach Winters, un vagabundo que vive en la calle. Está borracho. Le dejaré dormir la mona en mi casa y luego le llevaré a hablar contigo. Estoy convencido de que no sabe más de lo que te he dicho, pero es nuestra primera pista sólida. ¿Qué hay del propietario de la discoteca, el que invitó a Leesey a sentarse a su mesa? ¿Qué coche conduce?

Nick DeMarco conducía un monovolumen esa noche, pensó

Ahearn. Nos contó que utilizó ese vehículo porque llevaba los palos de golf. No estoy seguro si nos dijo de qué color es. Ya totalmente despierto, se incorporó, bajó de la cama, salió al pasillo y cerró la puerta del dormitorio.

—DeMarco tiene tres coches distintos por lo menos —reflexionó en voz alta—. Averigüemos si el monovolumen es un Mercedes negro. Creo recordar que sí. Gregg, también tendremos que investigar a ese testigo. ¿Dices que se llama Zach Winters?

—Eso es.

—Le investigaremos a él también. Si le llevas a tu apartamento ten cuidado. Tiene pinta de ser un borrachín.

—Lo es, pero no me importa. A lo mejor cuando se despierte recuerda algo más sobre Leesey. ¡Oh, Dios!

—Gregg, ¿qué te pasa?

—Larry, me estoy quedando dormido. Casi choco con un taxi que me ha cortado el paso. Nos vemos sobre las diez en tu oficina.

El clic indicó a Ahearn que Gregg Andrews había desconectado su móvil.

Se abrió la puerta del dormitorio y Sheila, la mujer de Larry, dijo en tono práctico mientras se ataba el cinturón de la bata:

—Mientras te duchas haré café.

Al cabo de una hora, Larry estaba en su oficina con Barrott y Gaylor.

—A mí esto me huele mal —dijo Barrott llanamente.

Gaylor asintió.

—Yo supongo que si ese tipo, Zach Winters o como se llame, estaba en la manzana del Woodshed esa noche, seguramente estaba demasiado borracho para ver algo, y no digamos oír lo que se dijo. Apuesto cualquier cosa a que simplemente intenta conseguir la recompensa.

—Yo también lo veo así —ratificó Ahearn—. Pero empecemos por investigarle. Gregg dijo que le traería aquí hacia las diez.

Gaylor consultaba sus notas.

—Cuando DeMarco estuvo aquí la primera vez, nos dijo que guardó el monovolumen en el garaje porque a la mañana siguiente iba a llevar los palos de golf al avión. —Miró a Barrott y a Ahearn—. Su monovolumen es un Mercedes negro —dijo de forma concisa.

—Así que quizá, cuando salió de la discoteca, fue a su estudio, cogió el coche y decidió volver para intentar encontrar a Leesey. —Los labios de Ahearn eran una línea fina y tensa—. Creo que ha llegado el momento de presionar a DeMarco y dejar que la prensa sepa que es «sospechoso» de la desaparición de Leesey.

Barrott abrió el expediente Mackenzie.

—Escucha esto, Larry. Los chicos anotaron lo que dijo el padre la primera vez que vino después de que su hijo desapareció: «Mack no tiene motivos para huir. Está en la cima del mundo. Está entre los diez mejores de su promoción. Facultad de derecho Duke. Cuando se licenció le regalé un Mercedes. Nunca había visto a un chaval tan eufórico. Cuando desapareció solo había hecho unos doscientos cincuenta kilómetros».

—¿Y qué? —replicó Ahearn.

—Lo dejó en el garaje cuando desapareció.

—¿Preguntaste de qué color era?

—Era negro. Simplemente me intriga si ese sigue siendo el coche favorito de Mack.

—¿Qué pasó con ese coche?

—No sé. Quizá la hermana pueda decírnoslo.

—Llámala —ordenó Ahearn.

—Aún no son ni las seis —señaló Gaylor.

—Nosotros estamos levantados, ¿no?

—Espera. —Ahearn levantó la mano—. Roy, ¿le pediste a Carolyn Mackenzie que te diera la nota que su hermano dejó en la cesta de la colecta?

—Me la entregó cuando vino a verme hace dos semanas —dijo Barrott con cierto matiz defensivo—. Yo se la devolví. Era un pedazo de papel con nueve palabras impresas. Pensé que era inútil intentar sacar algo con eso. No tenemos las huellas de su hermano en los archivos. Lo habían tocado su tío el sacerdote, al menos uno de los monaguillos de la parroquia, la propia Mackenzie y su madre.

—Probablemente es inútil, pero quiero una orden judicial para esa nota y también para la cinta que ella no te entregó la otra noche. Ahora telefonea a Carolyn y pregúntale qué pasó con el coche de su hermano. Imagino que al cabo de un año o dos, lo vendieron.

Barrott admitió que en cierto modo le satisfacía despertar tan temprano a Carolyn. Cuando el lunes por la tarde ella se negó a ponerle la cinta y a entregársela, él se quedó plenamente convencido de que estaba intentando proteger a su hermano. Le gustó que ella contestara al primer timbrazo, porque eso quería decir que no había dormido bien. Tampoco hemos dormido bien ninguno de nosotros, pensó. Habló brevemente con ella. Por la expresión de asombro de su cara, Ahearn y Gaylor supieron que había tropezado con alguna novedad significativa.

Barrott colgó y dijo:

—Va a consultarlo con su abogado. Si él está de acuerdo, ella nos entregará la cinta y la nota. Debéis haber oído que le he dicho que estará de acuerdo, seguro.

—¿Qué hay del monovolumen de su hermano?

—No os lo vais a creer. Lo robaron del garaje del edificio de Sutton Place, donde vive la familia, unos ocho meses después de que Mack se esfumara.

—¡Robado! —exclamó Gaylor.

—¿Se llevaron algún otro coche? —preguntó Ahearn enseguida.

—No. Ese fue el único. No es un local muy grande. A partir de medianoche había un chico de guardia que se quedó medio dormido en la cabina. Se despertó con una bolsa en la cabeza, la boca tapada con cinta aislante y esposado a la silla. Cuando le encontraron, el monovolumen ya no estaba.

Los tres hombres se miraron entre sí.

—Si Mack robó su propio coche, es perfectamente posible que siga conduciéndolo —apuntó Gaylor—. Mi suegro lleva un Mercedes desde hace veinte años.

—Y si lo sigue conduciendo, si la historia del borracho concuerda, también es posible que a Leesey se la llevara Mackenzie y no DeMarco —dijo Ahearn en tono sombrío—. De acuerdo, consigamos esas órdenes judiciales. Puede que la cinta que Mackenzie grabó con la profesora de teatro nos dé algo con lo que trabajar.

45

Howard Altman era muy consciente de lo voluble que era la lealtad de su jefe, pero el primer indicio de que algo iba verdaderamente mal lo tuvo cuando el señor Olsen no acudió al almuerzo del sábado por la mañana. Altman había notado que su jefe tenía una pluma Montblanc nueva, y dedujo acertadamente que debía de ser un regalo de Steve Hockney, su sobrino.

Steve está trabajándose al viejo, pensó Howard con acritud. Como si Olsen pensara dejárselo todo a él. Lo primero que haría Steve sería despedirme. Después vendería todos los edificios de apartamentos y se embolsaría el dinero.

El edificio de la calle Noventa y cuatro, donde vivía Altman, era uno de los más pequeños de los que poseía Olsen. Tenía cuatro pisos de altura y solo había dos apartamentos en cada planta. La mayoría de los inquilinos llevaban años allí. Su apartamento era el único de la planta baja. Tenía un mobiliario austero, estaba inmaculadamente limpio y había una salita donde reinaba una televisión de sesenta pulgadas. Howard dedicaba casi todas las noches a sus dos actividades preferidas, ver películas por televisión y entrar en internet para chatear con sus colegas de todas partes del mundo. Les consideraba infinitamente más interesantes que la gente que conocía en el día a día.

Altman era un cocinero excelente y siempre se preparaba una buena cena, veía una película mientras tomaba un par de copas de vino y comía en una bandeja. Luego apagaba la televisión y pasaba directamente al ordenador del dormitorio.

A Howard le encantaba aquel apartamento, el cual iba incluido en su puesto. También su trabajo, sobre todo ahora que estaba al cargo de todos los edificios de Olsen. Me lo he ganado, se dijo, a la defensiva. Lo conseguí porque demostré mi valía. Soy capaz de arreglar cualquier cosa que se estropee. Puedo construir una pared y sacar dos habitaciones de una. Sé cambiar los cables viejos y sé construir trasteros. Sé pintar y empapelar y rascar suelos. Por eso me ascendió Olsen. Pero ¿que pasará si se lo deja todo a Steve?

No podía quitarse esa pregunta de la cabeza. Por una vez no logró concentrarse en la película de su DVD. ¿Cómo podía conseguir que Olsen se enfadara con Steve?

Y entonces le llegó la respuesta. Él tenía una llave maestra de todos los apartamentos del edificio donde vivía Steve Hockney. Había instalado una cámara de seguridad en el piso de Steve. Le he visto cuando está drogado y siempre he sospechado que trafica, pensó Howard. Si consigo demostrarlo, le hundiré a ojos de su tío.

La sangre es más espesa que el agua. Puede.

Satisfecho con aquella posible solución al inminente problema, apagó el televisor y cruzó la salita hacia su habitación. Al oír el familiar zumbido del ordenador al ponerse en marcha, sonrió.

Altman se dio cuenta de que esa noche le apetecía conectar con su amigo Singh de Bombay.

46

La noche del viernes apenas dormí, y la llamada del detective Barrott a las seis de la mañana del sábado acabó con cualquier esperanza de seguir vagueando por lo menos unas horitas más.

¿Por qué le interesa tanto a Barrott lo que pasó con el monovolumen de Mack?, me pregunté mientras colgaba el auricular y me levantaba de la cama. Como de costumbre, había dejado las ventanas de mi dormitorio abiertas y crucé a rastras la habitación para ir a cerrarlas. El sol ya se había levantado sobre el East River y traía la promesa de un día precioso. La brisa era fresca, pero pensé que esta vez los meteorólogos habían acertado en sus previsiones: sería un día soleado y agradable, con unos veintiún grados a mediodía. En resumen, una mañana perfecta de finales de mayo. Lo cual significaba, sin duda, que en ese momento la ciudad vivía el éxodo de la gente que aún no se había marchado a su lugar de veraneo la noche anterior. Los residentes de Sutton Place que no tenían una segunda residencia en los Hamptons seguramente la tenían en el Cabo, en Nantucket, en Martha's Vineyard o en otro sitio.

Papá nunca quiso estar atado a una casa de veraneo, pero antes de la desaparición de Mack siempre nos marchábamos en agosto. Mi verano favorito fue cuando cumplí quince años y papá alquiló una villa en la Toscana, a una media hora de Florencia. Fue un mes mágico, principalmente porque fue la última vez que estuvimos todos juntos.

De pronto volví a pensar en el presente. ¿Por qué me llamó Barrott para preguntarme por el monovolumen de Mack?

Nuestro garaje es relativamente pequeño. Solo para los coches de los vecinos del inmueble, con unas diez plazas más para los visitantes. Papá, una semana antes de que desapareciera, acababa de comprarle el monovolumen a Mack. Él lo guardaba en un garaje del West Side, cerca de su apartamento. Dos semanas después de su desaparición, papá cogió una copia de la llave y se trajo el coche aquí. Recuerdo que vimos claramente que Mack había conducido bajo la lluvia, porque había salpicaduras de barro en un lado el coche y en la alfombrilla del conductor. Papá le dio dinero a un chico del garaje para que lo limpiara y este lo hizo muy bien, tanto que, cuando la policía decidió comprobar si había huellas dactilares en el coche, no encontró nada.

Cuando lo robaron, papá estaba convencido de que uno de los vigilantes del garaje se había fijado en él y había planeado quedárselo. Siempre pensó que el chico que habían encontrado esposado estaba en el ajo, pero no pudieron demostrar nada y poco después él dejó el trabajo.

¿Por qué me llamó Barrott preguntando por el monovolumen de Mack?

Seguí repitiéndome mentalmente esa pregunta mientras me preparaba café y unos huevos revueltos. Me habían dejado los periódicos en la puerta y mientras comía les eché una ojeada. La prensa seguía sacándole jugo a la desaparición de Leesey Andrews y especulando sobre la implicación de Mack. La noticia de que Aaron Klein había acusado a Mack de asesinar a su madre para recuperar las cintas seguía de plena actualidad. En la tercera página del periódico había una foto de anuario de Mack, con los retoques necesarios para darle el aspecto que supuestamente tendría ahora. Yo la observé, intentando no llorar. Mack tenía la cara un poco más llena, con una sonrisa ambigua y todavía sin entradas. Me pregunté si Elliott recibía esos mismos periódicos y, de ser así, ¿los habría visto mamá?

Conociéndola, ella habría insistido en verlos. Pensé en lo que Elliott me dijo en el despacho de Thurston Carver: que mamá siempre había estado convencida de que la desaparición de Mack pudo provocarla algún tipo de crisis nerviosa. Entonces me pregunté si podía tener razón y, en ese caso, ¿era posible que Mack hubiera robado su propio coche? La idea me pareció tan increíble que me di cuenta de que meneé la cabeza y dije en voz alta:

—No, no, no.

Pero tuve que admitir que yo había hablado con él hace dos semanas. Él dejó aquel mensaje para el tío Dev. Quizá la única explicación racional del comportamiento de Mack era que el irracional fuera él. Mamá teme que si él es responsable de la desaparición de Leesey Andrews y la policía le localiza, pueda recibir un disparo si se resiste al arresto. ¿Es eso razonable o posible?, me pregunté.

Ni mamá, ni papá, ni yo vimos ningún indicio de cambio en el comportamiento de Mack antes de su desaparición, pero puede que alguien lo viera. ¿La señora Kramer, por ejemplo?, me pregunté. Entre limpiar y hacer la colada, ella pasaba a menudo por su apartamento. Cuando yo fui a verla se puso muy nerviosa. ¿Me vio como una amenaza? Quizá si pudiera verla a solas, sin que su marido estuviera delante, podría conseguir que se sincerara conmigo, pensé.

Bruce Galbraith odia a Mack. ¿Qué pasó entre ellos para provocar ese odio? Nick insinuó que Barbara estaba loca por Mack. ¿Bruce está simplemente celoso o pasó algo que después de diez años aún le enfurece?

Esa sucesión de ideas me llevó a especular sobre el viaje de la doctora Barbara Hanover Galbraith a Martha's Vineyard para visitar a su padre enfermo. Me pregunté cuánto tiempo tenía pensado quedarse allí. Recordé la acalorada reacción de Bruce Galbraith cuando le dije que me gustaría hablar con ella. Se me ocurrió pensar que él podría haberla sacado de la ciudad para evitar que yo la viera o que la policía la buscara. Su nombre aparece en el expediente, en calidad de amiga íntima de Mack, me dije a mí misma.

Metí en el lavaplatos los pocos platos que había usado, fui al despacho de papá y encendí el ordenador para ver si podía conseguir la dirección y el teléfono del padre de Barbara en Martha's Vineyard. Había varias parejas de Hanover registradas en Vineyard: «Jud y Syd», «Frank y Natalie», y un tal Richard Hanover. Yo sabía que la madre de Barbara había muerto más o menos cuando ella terminó la carrera, así que me arriesgué y marqué el número de Richard Hanover.

Contestó un hombre a la primera. Tenía la voz de un anciano, pero francamente bastante animoso. Yo ya tenía pensado lo que iba a decir.

—Llamo de la floristería Cluny de Nueva York. Querría verificar la dirección de Richard Hanover. ¿Es el número 11 de Maiden Path?

—Exactamente, pero ¿quién me manda flores? Yo no estoy enfermo, ni muerto, ni es mi cumpleaños —parecía sano y fuerte.

—Oh, me parece que me he equivocado —dije yo inmediatamente—. El ramo es para la señora Judy Hanover.

—No tiene importancia. La próxima quizá sea para mí. Que pase un buen día.

En cuanto colgué me avergoncé de mí misma. Me había convertido en una mentirosa descarada. Lo segundo que pensé fue que la doctora Barbara Hanover Galbraith no se había ido de Nueva York porque su padre había sufrido un ataque al corazón, sino porque quería evitar que le preguntaran por Mack.

Decidí lo que iba a hacer. Me duché, me vestí y empecé a meter unas cuantas cosas en una bolsa. Tenía que enfrentarme con Barbara cara a cara. Si mamá tenía razón, y la mente de Mack se había quebrado diez años atrás, quizá Barbara había sido testigo de algún comportamiento que insinuara un trastorno mental. Me di cuenta de que, por si realmente Mack rondaba por ahí vivo, mentalmente inestable y cometiendo crímenes, elaborar su defensa empezaba a obsesionarme.

Llamé al móvil de Elliott. El hecho de que no pronunciara mi nombre y prometiera en voz baja volver a llamarme me indicó que mamá podía oírle.

Cuando me devolvió la llamada, media hora después, me dijo algo que me pareció increíble:

—Tu detective Barrott se presentó aquí para hablar con tu madre. Yo le dije que nuestro abogado debía estar presente, pero entonces Olivia le gritó algo como: «¿No se da usted cuenta de que mi hijo tuvo una crisis nerviosa? ¿No comprende que no es responsable de nada de esto? Está enfermo. No sabe lo que hace».

Tenía la boca tan seca que, aunque ya no era necesario, solo fui capaz de susurrar:

—¿Qué dijo Barrott?

—Constató lo que tu madre había dicho, que ella creía que Mack sufría un trastorno mental.

—¿Dónde está mamá ahora?

—Carolyn, estaba tan histérica que llamé a un médico. El doctor le dio un calmante, pero opina que debe pasar unos días en observación. Voy a llevarla a un sanatorio maravilloso en Connecticut, donde conseguirá reposo y, ah, asistencia psicológica.

—¿Cuál es? —pregunté—. Necesito que nos encontremos allí.

—Sedgwick Manor, en Darien. Carolyn, no vengas. Olivia no quiere verte, y si insistes en visitarla solo conseguirás ponerla más nerviosa. Ella cree que tú traicionaste a Mack. Te prometo que me ocuparé de ella y que volveré a llamarte en cuanto esté instalada.

Yo no tuve más remedio que aceptar. Nada podía perjudicar más a Mack que mamá volviera a decirle a la policía que está convencida de que está trastornado. Cuando colgué, fui a mi dormitorio, saqué la cinta de Mack y la puse, mientras examinaba el pedazo donde había impreso las nueve palabras que le había escrito al tío Devon: «TÍO DEVON, DILE A CAROLYN QUE NO DEBE BUSCARME». Escuché su voz: «Cuando, caído en desgracia ante la Fortuna y ante los ojos de los hombres, lloro en soledad mi condición de proscrito y perturbo a los indiferentes cielos con mis vanos lamentos».

Me imaginaba perfectamente cómo reaccionaría Barrott si conseguía hacerse con la nota y la cinta después de oír el arrebato de mamá. Acababa de llegar a esa conclusión cuando el conserje llamó para decirme que el detective Gaylor subía a verme.

—Lo siento, señorita Carolyn. No me permitió anunciarle. Me enseñó una orden judicial que tiene que entregarle a usted.

Antes de que sonara el timbre, llamé nerviosísima al móvil de Thurston Carver, nuestro abogado defensor. Él me dijo, como cuando nos reunimos en su despacho, que no podía negarme a entregar lo que constaba en la orden.

Abrí la puerta al detective Gaylor y él, con un gesto frío y profesional, me entregó la orden judicial. Era por la nota que Mack había dejado en el cepillo y por la cinta que yo había encontrado en su maleta. Yo temblaba de ira y prácticamente se las tiré. Me consoló un poco saber que tenía una copia de ambas.

Cuando él se fue, me derrumbé en la silla más cercana y oí cómo mi mente volvía a repetir, una y otra vez, la cita que Mack había grabado: «Lloro en soledad mi condición de proscrito...». Finalmente me levanté, fui a mi habitación y vacié la maleta que había empezado a preparar. Era obvio que debía posponer el plan de ir a Martha's Vineyard. Estaba tan profundamente concentrada en decidir con lógica mi siguiente movimiento que no me di cuenta de que mi móvil sonaba. Lo cogí rápidamente. Era Nick, que estaba a punto de dejarme un mensaje:

—Estoy aquí —le dije.

—Bien. Habría sido complicado dejarte este mensaje, Carolyn —dijo secamente—. Creo que deberías saber que acaban de declararme sospechoso de la desaparición de Leesey Andrews. Según dicen los periódicos, la otra teoría de la policía es que Mack ha estado rondando por ahí, matando gente. Debo decirte también que, cuando estuve en la oficina del fiscal del distrito el jueves, incluso llegaron a insinuar que tú y yo podríamos estar colaborando para proteger a Mack.

Sin darme la oportunidad de responder, continuó:

—Esta mañana vuelo a Florida por segunda vez en esta semana. Mi padre está ingresado en el hospital. Ayer tuvo un leve ataque al corazón. Espero estar de vuelta mañana. Salvo que tuviera que quedarme en Florida por algún motivo, ¿podríamos cenar mañana? —Y luego añadió—: Me gustó mucho verte, Carolyn. Empiezo a comprender por qué me gustaba tanto que tu familia me invitara a cenar y por qué no era lo mismo cuando la hermana de Mack no estaba presente.

Yo le dije que esperaba que su padre se recuperara rápidamente, y que sí, que el día siguiente por la noche me parecía bien. Nick colgó y yo me quedé unos segundos con el móvil pegado a la oreja. En mi mente se mezclaban emociones contradictorias. La primera era reconocerme a mí misma que nunca había superado mi atracción por él, y que llevaba toda la semana oyendo su voz y recordando la calidez que sentí cuando estuve sentada frente a él la otra noche.

La segunda era preguntarme si Nick estaba practicando conmigo una especie de juego del ratón y el gato. La oficina del fiscal del distrito le consideraba «sospechoso» de la desaparición de Leesey Andrews. Yo sabía que eso era muy, muy grave, prácticamente una acusación de culpabilidad. Pero la policía pensaba también que quizá él podía estar ayudándome a proteger a Mack. Nick no se había puesto en contacto conmigo en toda la semana, aunque el nombre de Mack había ocupado los titulares de prensa. Cuando estuvimos cenando, no demostró la menor solidaridad con mi temor de que Mack pudiera necesitar ayuda.

¿Realmente habían declarado a Nick sospechoso? ¿O era simplemente un truco que le sugirió la policía para desarmarme? ¿O acaso Nick, el mejor amigo de su ex compañero de piso convertido en criminal, confiaba en utilizar su influencia para convencerme de que entregara a Mack si volvía a ponerse en contacto conmigo?

Yo meneé la cabeza intentando apartar todas esas preguntas, pero no desaparecieron.

Y, lo que es peor, no me llevaron a ninguna parte.

47

Desde que recibió la llamada telefónica de Leesey, el doctor David Andrews no había salido de su casa de Greenwich. Falto de sueño y convertido en una decrépita sombra del hombre que había sido antes de la desaparición de su hija, se mantenía en vela junto al teléfono y lo descolgaba a la primera, en cuanto sonaba. Iba siempre con el inalámbrico encima, de habitación en habitación. Cuando se metía en la cama de noche lo dejaba sobre la almohada, junto a su cabeza.

Cuando recibía una llamada, inmediatamente, tras un par de palabras, interrumpía la conversación diciendo que quería dejar la línea libre por si Leesey volvía a llamar.

Su asistenta, que llevaba veinte años con él y que normalmente se marchaba después de comer, ahora se quedaba hasta la noche para intentar que el doctor Andrews comiera algo, aunque solo fuera una taza de sopa o de café y un bocadillo. Él había dejado claro a sus amigos que no quería que nadie bloqueara la línea, y se negó a consentir que fueran a verle.

—Estoy mejor si no me veo obligado a mantener una conversación —les dijo.

El sábado por la mañana Gregg llevó a Zach Winters a la oficina de Larry Ahearn. Cuando se sentó allí, y mientras Ahearn interrogaba a Zach, vio que su historia de que había visto a Leesey entrar en el monovolumen Mercedes negro empezaba a estar más clara. Zach le había dicho que estuvo más o menos media hora merodeando por aquella manzana, pero todos los empleados del Woodshed que salieron unos minutos después que Leesey juraron que no le habían visto en la calle. Él reconoció que era un borracho crónico, y que le habían echado del Woodshed una vez porque entró e intentó mendigar entre los clientes. Reconoció que estaba enfadado con el propietario, Nick DeMarco, por haberle echado y que sabía que Nick tenía un monovolumen Mercedes.

Después del extenso interrogatorio, Gregg llevó a Zach de vuelta al lugar donde le había encontrado. Estaba exhausto, por lo que volvió directamente a su apartamento y se quedó dormido hasta las nueve en punto de la mañana del domingo. Entonces, sintiéndose más fresco y centrado, se duchó, se vistió y se fue a Greenwich.

Le impresionó el cambio que había sufrido su padre durante esa semana que no se habían visto. Annie Potrees, la asistenta, nunca trabajaba los domingos, pero este estaba allí.

—No quiere comer —le susurró a Gregg—. Ya son las once de la mañana y no ha comido nada desde ayer.

—¿Annie, podría prepararnos a los dos algo para desayunar? —preguntó Gregg—. Veré si yo puedo hacer algo.

Después de saludarle, su padre había vuelto inmediatamente al sillón reclinable de la sala, donde tenía el teléfono inalámbrico a mano. Gregg entró allí y se sentó en una butaca, cerca del sillón.

—Papá, he estado pateándome las calles de noche, en busca de Leesey. Yo no debo seguir haciéndolo y ¡tú no debes seguir haciendo esto! Así no ayudamos a Leesey y nos estamos autodestruyendo. He pasado por la oficina del fiscal del distrito. Larry Ahearn y su equipo están haciendo todo lo humanamente posible para encontrarla. Quiero que vengas y comas algo, y luego saldremos a pasear. Hace un día precioso —se puso de pie y se inclinó para abrazar a su padre—. Sabes que tengo razón.

El doctor Andrews asintió y luego se le descompuso la cara. Gregg le abrazó.

—Ya lo sé papá, lo sé. Ahora, vamos, deja el teléfono aquí. Si llama, contestaremos.

Le animó ver que su padre se comía la mitad de los huevos revueltos con beicon que Annie le puso delante. Gregg estaba mordisqueando una tostada y bebía su segunda taza de café cuando sonó el teléfono. Su padre se levantó de la mesa y salió corriendo, pero antes de llegar al teléfono saltó el contestador.

Era Leesey, sin ninguna duda:

—Papi, papi —gemía—, ayúdame, por favor. Por favor, papi, él dice que va a matarme.

El mensaje se terminó cuando Leesey empezó a sollozar.

El doctor David Andrews se abalanzó sobre el teléfono para cogerlo, pero solo alcanzó a oír el pitido de la línea. Las rodillas le flaquearon y, antes de que cayera al suelo, Gregg llegó a tiempo de sentarle en la butaca reclinable.

Gregg le estaba tomando el pulso a su padre cuando volvió a sonar el teléfono. Era Larry Ahearn.

—Gregg, esa era Leesey, ¿verdad?

Gregg pulsó el botón del altavoz para que su padre pudiera oírlo.

—Sin ninguna duda, Larry. Ya lo sabes.

—Gregg, sigue viva y la encontraremos. Te lo juro.

El doctor David Andrews agarró el auricular y gritó con voz áspera:

—¡Tienes que encontrarla!, Larry. ¡Ya la has oído! ¡Sea quien sea va a matarla! ¡Por Dios santo, encuéntramela antes de que sea demasiado tarde!

48

El agotamiento quedó olvidado en cuanto Larry Ahearn le puso a la brigada la cinta del grito de auxilio de Leesey.

—Esa llamada se hizo a las once treinta, hace una hora exactamente, desde el centro de Manhattan —dijo—. Por supuesto, siempre existe la posibilidad de que el raptor grabara su voz y pusiera en marcha la cinta en otro sitio.

—Y, de ser así, puede que ya la haya matado —dijo Barrott en voz baja.

—Vamos a seguir trabajando con el supuesto de que sigue viva —replicó Ahearn—. Sea quien sea, no hay duda de que la tiene completamente atrapada. He hablado con nuestro psicólogo criminal, el doctor Lowe. Él opina que ese tipo está disfrutando con los titulares de prensa y con la forma como Greta Van Susteren y Nancy Grace cubren la noticia. Es probable también que disfrute pensando en el alboroto que se formará cuando informemos de que Leesey volvió a llamar a su padre y le dejó ese mensaje.

Demasiado nervioso para quedarse sentado mucho rato, Ahearn se levantó y golpeó el escritorio con los dedos.

—No quiero ni pensar en ello, pero hay que tenerlo en cuenta. En cuanto pasen cinco días, o quizá siete, el hecho de que Leesey haya telefoneado seguirá siendo una noticia importante, pero si no hay nuevas informaciones dejará de aparecer en los titulares.

Todos los detectives de brigada asistían a la sesión informativa, apelotonados en el despacho de Ahearn. La expresión de sus caras se ensombrecía por momentos, a medida que digerían la idea que Ahearn exponía.

—Leesey fue a esa discoteca el lunes por la noche y desapareció. El mensaje en el que prometió volver a llamar el día de la Madre llegó el domingo siguiente, al cabo de seis días. Tras un intervalo de una semana, llega esa nueva llamada. En opinión del doctor Lowe, es posible que ese tipo no espere otra semana para darnos un titular.

—Esto es obra de Mackenzie —aseveró Roy Barrott—. Deberías haber visto a su madre ayer, cuando fui al apartamento de su novio.

—¿Su novio? —exclamó Ahearn.

—Elliott Wallace, el gran agente financiero. Klein, el hijo de la profesora de interpretación, trabajó catorce años para él. Klein me dijo que se hicieron muy amigos a raíz del asesinato de su madre. Wallace aún estaba muy afectado por la desaparición de Mack el año anterior, y aquello les unió. El padre de Mack Mackenzie estuvo en Vietnam con Wallace y se convirtieron en amigos para toda la vida. Klein opina que Wallace siempre ha estado enamorado de Olivia Mackenzie.

—¿Ella está viviendo con él? —preguntó Ahearn.

—Yo no diría eso. Se fue a casa de Wallace porque había muchos periodistas merodeando por Sutton Place. A partir de aquí, a Klein no le sorprendería que acabaran casándose. Desde luego, inmediatamente Wallace la llevó lejos, a una residencia psiquiátrica privada, para que no pudiera seguir diciéndonos que su hijo está loco.

—¿Hay alguna posibilidad de que ella esté en contacto con su hijo?

Barrott se encogió de hombros.

—Yo diría que si Mack está en contacto con alguien de su familia es más probable que sea con la hermana.

—De acuerdo. —Ahearn se dio la vuelta para dirigirse al grupo—. Yo sigo diciendo que DeMarco puede estar detrás de todo esto. Quiero que le vigilen las veinticuatro horas, siete días a la semana. Igual que a Carolyn Mackenzie. Solicitaremos que pinchen todos los teléfonos que aún no lo están: el del piso de Mackenzie en Thompson Street, el de Sutton Place y su móvil. Y los de DeMarco, los de su trabajo y los de cualquier sitio donde guarde el cepillo de dientes.

—Larry, me gustaría proponer otra cosa —dijo Bob Gaylor—. Puede que Zach Winters sea un borracho, pero yo creo que esa noche vio algo. Él suele refugiarse en los umbrales de las puertas. El hecho de que los músicos y los camareros del Woodshed no le vieran en la calle no prueba nada, y yo juraría que cuando estuvo aquí se calló algo.

—Ve a hablar con él otra vez —dijo Ahearn—. ¿Vive en ese asilo de Mott Street, no?

—A veces, pero cuando hace buen tiempo mete sus cosas en un carrito de supermercado y duerme al aire libre.

Ahearn asintió.

—De acuerdo. Trabajamos en colaboración con el FBI, pero quiero que todos tengáis presente una cosa: yo conozco a Leesey desde que tenía seis años. ¡Quiero que vuelva, y quiero que seamos nosotros quienes la encontremos!

49

El domingo por la mañana usé la puerta de servicio para esconderme de los periodistas y salí a dar un paseo muy, muy largo junto al río. Aquella llamada de Elliott hablando de mamá me había dejado destrozada, y me ponía enferma dudar de Nick y, tenía que afrontarlo, de Mack.

El día había respondido a las expectativas y era cálido, con una ligera brisa. La corriente del East River, que solía ser muy fuerte, parecía tan suave como los rayos del sol. Unos cuantos navegantes, no demasiados, que habían salido con sus barcos completaban la escena. Yo adoro Nueva York. Que Dios me perdone, adoro incluso ese cartel de Pepsi Cola, estridente y ostentoso, en la orilla del río de Long Island City.

Después de pasear durante tres horas, me sentía física y mentalmente exhausta. Cuando volví a Sutton Place, me desnudé, me duché y me metí en la cama. Dormí casi toda la tarde, y cuando me desperté a las seis me sentí algo más lúcida y un poco más capaz de soportarlo. Me vestí de modo informal, con una blusa de rayas blancas y azules y unos tejanos blancos. No me importaba que Nick se presentara con americana y corbata. No quería que pareciera que la pequeña Carolyn se arreglaba para una cita.

Nick llegó puntual, a las siete. Llevaba una camisa deportiva y unos pantalones de algodón. Yo tenía pensado que saliéramos enseguida, pero él habló primero:

—Carolyn, necesito realmente hablar contigo y es mejor que sea aquí.

Le seguí a la biblioteca. «Biblioteca» suena muy impresionante. En realidad, es algo pretencioso. Se trata simplemente de una habitación con estanterías y butacas cómodas, y una zona forrada con paneles de madera que se abren a un bar empotrado. Nick fue directamente hacia allí. Él mismo se sirvió un whisky con hielo y, sin preguntar, me puso a mí una copa de vino blanco con un par de cubitos.

—Eso es lo que tomaste la semana pasada. He leído en alguna parte que la duquesa de Windsor ponía hielo en el champán —me dijo al darme la copa.

—Y yo he leído que al duque de Windsor le gustaba el whisky solo.

—No me sorprende, si estaba casado con ella —me sonrió levemente—. Es una broma, claro. No tengo ni idea de cómo era ella.

Yo me senté en el borde del sofá. Él escogió una de las butacas giratorias y se puso a dar vueltas.

—Recuerdo que me encantaban estas sillas —dijo—. Me prometí a mí mismo que si llegaba a ser rico tendría por lo menos una.

—¿Y? —pregunté.

—No tuve tiempo para pensarlo. Cuando empecé a ganar dinero y me compré un piso, contraté a una decoradora. A ella le gustaba el estilo del Oeste. Cuando lo vi terminado, me sentí como Roy Rogers.

Yo había estado observándole y me di cuenta de que las canas que tenía alrededor de las sienes eran más pronunciadas de lo que había pensado. Las bolsas que tenía bajo los ojos eran recientes, y el gesto de preocupación que yo había visto la semana pasada ahora era de profunda inquietud. El día anterior Nick había estado en Florida porque su padre tuvo un ataque al corazón. Le pregunté cómo estaba.

—Bastante bien. La verdad es que fue un ataque leve. En un par de días le darán el alta.

Entonces Nick me miró directamente.

—Carolyn, ¿crees que Mack está vivo? Y si lo está, ¿le crees capaz de hacer lo que la policía cree que está haciendo?

Yo estuve a punto de ser franca y decir que en ese momento sencillamente no lo sabía, pero me reprimí a tiempo. Confié en que mi voz sonara tan indignada como yo quería.

—¿Por qué demonios me preguntas eso? Claro que no.

—Carolyn, no me mires así. ¿No comprendes que Mack era mi mejor amigo? No he comprendido por qué optó por desaparecer. Ahora me pregunto si tenía algún problema mental que nadie notó en ese momento.

—Nick, ¿estás preocupado por Mack o por ti? —le pregunté.

—No pienso contestarte a eso, Carolyn. Lo que te ruego, te suplico, es que si está en contacto contigo, o si te telefonea, no creas que protegiéndole le haces un favor. ¿Oíste el mensaje que Leesey Andrews le dejó a su padre esta mañana? —Nick me miró expectante.

Aquello me alteró de tal modo que tardé un momento en contestar. Luego acerté a decir que no había puesto la radio ni la televisión en todo el día. Pero cuando Nick me lo contó solo pude pensar en la teoría de Barrott de que Mack robó su propio coche. Es una locura, pero me acordé de un día, cuando yo tenía cinco o seis años, en el que de repente Mack empezó a sangrar mucho por la nariz. Papá estaba en casa y para parar la hemorragia cogió una de las toallas bordadas de una estantería del baño. En aquella época teníamos una asistenta anciana que adoraba a Mack. Ella se alteró tanto que intentó arrancarle la toalla de mano a papá.

—¡Esta es solo de adorno —chillaba—, es de adorno!

A papá le encantaba contar esa anécdota, aunque siempre añadía: «La pobre señora Anderson estaba muy preocupada por Mack, pero para ella las toallas de lujo sencillamente no se podían usar. Yo le dije que aquellas toallas llevaban nuestros nombres, ¡y que Mack podía estropearlas si quería!».

Yo podía imaginarme que Mack robara su propio coche, pero

no que Mack retuviera a Leesey como rehén y torturara a su padre. Miré a Nick.

—No sé qué pensar de Mack. Te juro, a ti y a todo el que me escuche, que aparte de las llamadas del día de la Madre, no he tenido noticias suyas, ni le he visto en diez años.

Nick asintió, y supongo que me creyó. Luego me preguntó:

—¿Tú crees que yo soy el responsable de la desaparición de Leesey? ¿Que yo la tengo escondida en algún sitio?

Antes de contestar consulté con mi corazón y mi alma.

—No, no lo creo. Pero ambos os habéis visto involucrados en esto. Mack, porque yo fui a la policía. Tú, porque ella desapareció de tu discoteca. Si no sois responsables ninguno de los dos, entonces ¿quién lo es?

—Carolyn, no sé por dónde empezar a buscar una respuesta.

Estuvimos hablando durante más de una hora. Yo le dije que iba a intentar ver a Lil Kramer a solas, porque a ella le daba miedo hablar delante de su marido. Dimos vueltas y vueltas alrededor del hecho de que Mack, justo antes de esfumarse, se hubiera enfadado con la señora Kramer sin haberle dicho a Nick la razón. Yo le cité a Nick la hostilidad que Bruce Galbraith mostró hacia Mack cuando fui a verle la semana pasada, y que yo creía que Barbara se había ido a toda prisa a visitar a su padre en Martha's Vineyard simplemente para evitar que la interrogaran.

—Yo iré allí mañana o el martes —dije—. Mi madre no quiere verme y Elliott se ocupará de ella.

Nick me preguntó si creía que mi madre se casaría con Elliott.

—Creo que sí —dije—. Para ser franca, eso espero. Están muy a gusto juntos. Mamá, desde luego, quería a papá, pero él disfrutaba siendo un poco rebelde. La verdad es que Elliott es más su alma gemela, cosa que naturalmente me cuesta un poco digerir. —Entonces añadí unas palabras que nunca pensé que diría—. Por eso Mack siempre fue su preferido. Él lo hacía todo bien. Yo soy demasiado impulsiva para el gusto de mamá. La prueba es que acudí a la policía y he provocado todo este caos.

Me horrorizó haberle confiado todo aquello a Nick y creo que él estuvo a punto de acercarse, quizá de abrazarme, pero debió de darse cuenta de que no era aquello lo que yo quería. En lugar de eso, dijo con un tono despreocupado:

—A ver si adivinas esto: «Ella surgió plenamente de la cabeza de su padre».

—La diosa Minerva —dije yo—. La hermana Catherine, sexto curso. Chico, hay que ver cómo le gustaba enseñar mitología. —Me levanté—. Me dijiste que iríamos a cenar, ¿verdad? ¿Qué te parece Neary's? Yo quiero un bocadillo de lonchas de ternera y patatas fritas.

Nick dudó.

—Carolyn, he de advertirte que hay cámaras fuera. Tengo el coche cerca de la puerta. Podemos ir corriendo hasta allí. No creo que nos sigan.

Y eso fue lo que pasó. Las luces de las cámaras captaron el momento en que salíamos del edificio. Alguien intentó ponerme un micrófono delante de la cara.

—Señorita Mackenzie, ¿cree usted que su hermano...?

Nick me cogió de la mano y corrimos hasta su coche. Condujo por York Avenue arriba hasta la calle Setenta y dos, luego hizo un giro y volvió atrás.

—Me parece que ahora estaremos tranquilos —dijo.

Yo ni acepté ni protesté. Solo me consolaba saber que mamá estaba a salvo en un lugar inaccesible para la prensa.

Neary's es un pub irlandés de la calle Cincuenta y siete, a una manzana de Sutton Place. Para muchos vecinos del barrio es como nuestra segunda casa. El ambiente es acogedor, la comida es buena y es probable que, en una noche normal, conozcas a la mitad de los comensales.

Si yo necesitaba apoyo moral, y Dios sabe que sí, Jimmy Neary me lo proporcionó. En cuanto me vio cruzó la sala al instante.

—Carolyn, es una vergüenza lo que insinúan sobre Mack —dijo, y me puso una mano en el hombro con cariño—. Ese chico era un santo. Espera y verás como al final se sabrá la verdad.

Al darse la vuelta reconoció a Nick.

—Hola chico. Te recuerdo de cuando venías con Mack, ¿eras tú el que apostaste a que la pasta de tu padre era comparable a mi ternera curada?

—Nunca llegamos a compararlas —dijo Nick—. Ahora mi padre está en Florida, jubilado.

—¿Jubilado? ¿Cómo lo lleva? —preguntó Jimmy.

—Lo odia.

—A mí me pasaría lo mismo. Dile que vuelva y sabremos la respuesta.

Jimmy nos acompañó a una de las mesas rinconeras del fondo. Allí fue donde Nick me contó más cosas sobre su viaje a Florida.

—Le rogué a mi madre que le escondiera los periódicos de Nueva York a mi padre —me dijo Nick—. No sé cómo le afectaría si se enterase de que me consideran sospechoso de la desaparición de Leesey.

En cuanto llegaron los bocadillos de lonchas de ternera, por un consenso mutuo no especificado, nos trasladamos a un territorio neutral. Nick me habló de cuando abrió su primer restaurante y de lo bien que le fue. Me insinuó que en estos últimos cinco años había ido demasiado deprisa.

—Me parece que leí demasiadas veces la historia del éxito de Donald Trump —admitió—. Estaba convencido de que andar sobre una fina capa de hielo era divertido. He invertido una fortuna en el Woodshed. Es el sitio adecuado en el momento adecuado. Pero si la Comisión Estatal de Bebidas Alcohólicas quiere cerrarlo, encontrará la forma. Y cuando pase eso tendré un problema muy grave.

Hablamos con tiento sobre Barbara Hanover.

—Recuerdo que yo pensaba que era preciosa —le dije.

—Lo era y lo es, pero, Carolyn, en Barbara hay algo más, hay una especie de plan calculado del tipo «¿Qué es lo mejor para Barbara?». Es difícil de explicar. Pero, después de licenciarnos, yo me fui a hacer un máster en dirección de empresas, Mack se marchó y, en cuanto a Bruce, no me importó si no volvía a verle nunca más.

Los dos pedimos un capuchino y después Nick me llevó de vuelta a Sutton Place. Solo había una camioneta de la televisión en mitad de la manzana. Corriendo, me acompañó hasta el interior del edificio y luego hasta el ascensor. Mientras el portero aguantaba la puerta, Nick me dijo:

—Carolyn, yo no lo hice y Mack tampoco. Tenlo muy presente.

Se saltó el beso de rigor y se fue. Yo subí al piso. La luz del contestador parpadeaba. Era el detective Barrott:

—Señorita Mackenzie. Esta noche, a las nueve menos veinte, recibió usted otra llamada desde el móvil de Leesey Andrews. Su hermano no dejó ningún mensaje.

50

Lucas Reeves no había descansado durante el fin de semana. Lo había pasado en su despacho, trabajando con su equipo de técnicos. Diez años atrás, Charles Mackenzie padre le había contratado para encontrar a su hijo desaparecido, y el hecho de no haber sido capaz de descubrir el más pequeño indicio sobre lo que le había pasado a Mack le había dejado una sensación de fracaso que Reeves nunca consiguió apartar de su conciencia.

En aquel momento consideraba aún más urgente ser él quien encontrara la respuesta, no solo para saber qué le había pasado a Mack, sino para encontrar al verdadero asesino y quizá salvar la vida de Leesey Andrews.

El lunes por la mañana, a las ocho en punto, Reeves estaba de vuelta en su despacho de Park Avenue South. Los tres detectives de la plantilla habían recibido instrucciones de llegar temprano. A las ocho y media estaban sentados alrededor de su mesa.

—Tengo una corazonada, y algunas de mis corazonadas han funcionado en el pasado —empezó Reeves—, así que voy a actuar en consecuencia. Voy a aceptar que Mack es inocente de esos crímenes y voy a aceptar que el responsable es alguien que le conocía, al menos, bastante bien. Con eso quiero decir que le conocía lo suficiente como para estar enterado de esas llamadas del día de la Madre y para tener el número privado de su familia.

Reeves miró a los detectives uno por uno.

—Empezaremos centrándonos en la gente que rodeaba a Mack. Con ello me refiero a sus dos compañeros de piso, Nick DeMarco y Bruce Galbraith. Sacaremos a relucir todo lo que podamos averiguar sobre la pareja de encargados, Lil y Gus Kramer. A partir de ahí, nos concentraremos en los demás amigos de Columbia que estuvieron con Mack en la discoteca la noche que desapareció la primera chica. Durante el fin de semana, nuestros técnicos han recopilado todos los artículos de los periódicos y las filmaciones que fueron noticia de portada cuando desaparecieron las otras tres chicas. Hemos ampliado las caras de todos los que aparecían en esas imágenes, ya fuera él o ella, y tanto si eran identificables como si no. Estudiad esas caras. Memorizadlas.

Lucas había llegado tan temprano que tuvo que prepararse él mismo el café. Dio un sorbo, hizo una mueca, y continuó:

—La prensa está acampada alrededor de Sutton Place. Uno de vosotros debe permanecer constantemente en el vecindario. Tened el móvil abierto y usadlo para hacer fotos. También ha de haber alguien en la calle esta noche, cuando abra el Woodshed, para hacer fotos de los clientes que entran y salen, y también de la gente que merodea por allí. En el SoHo se inauguran un par de discotecas más esta semana. Os quiero allí con los paparazzi.

—Lucas, eso es imposible —protestó Jack Rodgers, su ayudante más veterano—. Nosotros tres solos no podemos cubrir toda esa área.

—Nadie os lo ha pedido —replicó Reeves, con una voz varias octavas por encima de su habitual tono grave—. Echad mano de la lista de tipos que llamamos cuando necesitamos ayuda extra. Debe haber unos treinta policías retirados disponibles.

Rodgers asintió.

—De acuerdo.

Reeves bajó la voz.

—Mi corazonada me dice que al criminal le encanta llamar la atención. Puede que quiera estar presente donde se concentre la prensa. Todas las caras que aparezcan en las fotografías que hagáis se ampliarán en el laboratorio. No me importa cuántas sean, e imagino que habrá cientos. Quizá, solo quizá, una de ellas corresponderá a alguien que estuvo merodeando entre el circo mediático que se montó después de esas otras desapariciones. Repito, por el momento daremos por supuesto que Mack Mackenzie es inocente.

Lucas miró a Rodgers.

—¿Por qué no lo dices, Jack?

—De acuerdo, Lucas, lo diré. Si tú tienes razón, puede que encontremos la foto de un tipo que aparece en todas partes. Puede que sea gordo, puede que sea delgado, puede que sea calvo, puede que lleve cola de caballo. Pero será alguien a quien no reconocería ni su propia madre, y será Charles Mackenzie hijo.

51

El domingo, después de la reunión de la brigada, el detective Bob Gaylor se puso a buscar a Zach Winters. No estaba en el asilo de Mott Street donde dormía de vez en cuando. No se le había visto en las calles desde la madrugada del viernes al sábado, cuando estuvo merodeando alrededor del Woodshed y luego fue al apartamento de Gregg Andrews. Le habían interrogado el sábado por la mañana y después posiblemente volvió a uno de sus escondrijos habituales. Pero al asilo no había vuelto.

—Zach suele aparecer al menos casi cada dos días —le confió a Gaylor Joan Coleman, una atractiva joven de treinta años que trabajaba de voluntaria en la cocina de Mott Street—. Claro que depende del tiempo que haga. Le encanta la zona de las discotecas del SoHo. Presume de que allí consigue mejores limosnas.

—¿Zach habló alguna vez de que estuvo cerca del Woodshed la noche que desapareció Leesey Andrews?

—Conmigo no. Pero hay un par de tipos a los que llama sus «auténticos buenos amigos». Deje que hable con ellos. —A Coleman le hizo ilusión la idea de hacer el trabajo de un detective.

—Yo la acompañaré —se ofreció Gaylor.

Ella negó con la cabeza.

—No, si quiere conseguir alguna información. Yo normalmente no vengo a la hora de la cena, pero esta noche sustituyo a un amigo. Deme su número de teléfono, yo le llamaré.

Bob Gaylor tuvo que conformarse con eso. Se pasó casi todo el día deambulando por el SoHo y Greenwich Village sin resultado alguno.

Parecía que Zach Winters había desaparecido de la faz de la tierra.

52

Fiel a su palabra, Derek Olsen llegó al despacho de Elliott Wallace puntual, a las diez de la mañana. Sus andares firmes, su traje limpio y planchado, el lustre de la edad y las mechas canas que le quedaban pegadas a la parte inferior del cráneo le conferían cierto aire de optimismo. Elliott Wallace le observó y dedujo con acierto que Olsen iba a seguir con su plan de liquidar todas sus propiedades y que se moría de ganas de decirles a su sobrino Steve, a su gestor inmobiliario Howie y a cualquiera que se le ocurriera que se fueran al diablo.

Con una sonrisa y un gesto cordial, Wallace instó a Olsen a sentarse.

—Sé que no me rechazarás una taza de té, Derek.

—La última vez sabía a agua sucia. Dile a tu secretaria que quiero cuatro terrones de azúcar y leche, Elliott.

—Por supuesto.

Olsen apenas esperó a que Elliott diera las instrucciones a su secretaria, y dijo con una sonrisa de satisfacción:

—Tú y tus consejos. ¿Recuerdas que me dijiste que debía deshacerme de esas tres casas unifamiliares ruinosas que llevan años cerradas?

Elliott Wallace sabía lo que se avecinaba.

—Derek, llevas años pagando impuestos y seguros por esas covachas. Claro que la propiedad inmobiliaria ha subido, pero si quieres te demostraré que si las hubieras vendido y hubieras comprado las acciones que te recomendé, habrías salido ganando.

—¡No, eso no es verdad! Yo sabía que algún día derribarían esos edificios de la esquina de la calle Ciento cuatro y que los promotores querrían mi terreno.

—Pues parece que los promotores se han espabilado sin él. Ya han parcelado el terreno para esos edificios de apartamentos.

—Esa misma empresa volvió a ponerse en contacto conmigo. Cierro la venta esta tarde.

—Felicidades —dijo Wallace sinceramente—. Pero espero que recuerdes que te he hecho ganar mucho dinero con las inversiones que he realizado en tu nombre.

—Excepto con aquel fondo de cobertura.

—Excepto con aquel fondo de cobertura, lo admito, pero aquello fue hace bastante tiempo.

Llegaron el té de Olsen y el café de Elliott.

—Este está bueno —dijo Olsen después de dar un sorbo—. Como a mí me gusta. Ahora hablemos. Quiero venderlo todo. Quiero crear un fondo de inversiones. Puedes gestionarlo tú. Quiero que sirva para hacer parques en Nueva York, parques con muchos árboles. En esta ciudad hay demasiados edificios.

—Eso es muy generoso por tu parte. ¿Piensas dejarle algo a tu sobrino o a alguien más?

—Le dejaré a Steve cincuenta mil dólares, para que se pueda comprar una batería nueva o una guitarra. Cuando cenamos juntos no deja de mirarme para intentar calcular cuánto tiempo duraré. Una pareja de encargados de uno de mis edificios me contó que Steve les dijo que yo le quitaría a Howie la gestión de mis apartamentos. Me compra una pluma estilográfica y me invita a cenar, y como yo le demuestro mi cariño, se cree que puede quedarse con mis negocios. Él y sus actuaciones musicales. Siempre que se le termina el trabajo en una de esas discotecas de mala muerte, se inventa un nombre nuevo para él y su banda de perdedores, consigue una vestimenta de lo más moderna y extravagante y contrata a un relaciones públicas fracasado. Si no fuera por su madre, mi hermana, que en gloria esté, le habría dado una patada en el trasero hace años.

—Sé que ese chico te ha decepcionado, Derek. —Elliott intentaba mantener una expresión comprensiva.

—¡Decepcionado! ¡Ja! Por cierto, también quiero dejarle cincuenta mil dólares a Howie Altman.

—Estoy seguro de que te lo agradecerá. ¿Él está al tanto de tus planes?

—No. También se está volviendo prepotente. Me he dado cuenta de que tiene el valor de creerse con derecho a que le deje un buen pellizco. No me interpretes mal. Ha sido un buen trabajador, y te agradezco que me lo recomendaras cuando falló el otro tipo.

Elliott asintió, aceptando el agradecimiento.

—Uno de mis clientes vendió un edificio y me comentó que Altman estaba disponible.

—Bien, pronto volverá a estar disponible. Él no lleva mi sangre y no entiende que, cuando uno tiene buenos trabajadores como los Kramer, no los exprime por un dormitorio o dos de más.

—George Rodenburg sigue siendo tu abogado, ¿verdad?

—Claro, ¿por qué iba a cambiar?

—Me refiero a que hablaré con él para constituir la fundación. Dices que esta tarde firmas la venta de la propiedad de la calle Ciento cuatro. ¿Quieres que yo esté presente?

—Rodenburg se encargará. La oferta lleva años sobre la mesa. Solo ha cambiado la cifra.

Olsen se levantó para marcharse.

—Yo nací en Tremont Avenue, en el Bronx. Entonces era un barrio agradable. Tengo fotos con mi hermana, los dos sentados en las escaleras de uno de esos pequeños edificios de apartamentos, como estos que tengo ahora. La semana pasada fui hasta allí. Aquello está bastante mal. Hay un solar en una esquina, cerca de donde yo vivía. Está hecho una porquería. Hay hierbajos, latas de cerveza y basura. Quiero verlo convertido en un parque antes de marcharme de este mundo. —Olsen se encaminó hacia la puerta con una sonrisa beatífica en la cara—. Adiós Elliott.

Elliott Wallace cruzó con su cliente la sala de espera y luego el pasillo hasta el ascensor. Luego volvió a su despacho particular y, por primera vez en su vida adulta, abrió la nevera del bar y se sirvió un whisky a las once de la mañana.

53

El lunes a última hora de la mañana fui al edificio del antiguo piso de Mack. Pulsé el botón del interfono de los Kramer y al cabo de un momento me respondió un dubitativo saludo. Yo supe que tenía que darme prisa en contestar.

—Señora Kramer, soy Carolyn Mackenzie, necesito hablar con usted.

—Ah, no. Mi marido está fuera esta mañana.

—Yo quiero hablar con usted, no con él, señora Kramer. Por favor, déjeme entrar solo unos minutos.

—A Gus no le gustaría. No puedo...

—Señora Kramer, usted debe haber leído los periódicos. Seguramente sabe que, según la policía, mi hermano podría ser el responsable de la desaparición de esas chicas. Necesito hablar con usted.

Por un momento pensé que había colgado, pero entonces oí un clic y la puerta del vestíbulo se abrió. Entré, crucé el recibidor y llamé al timbre. Ella abrió una rendija para asegurarse de que yo no iba acompañada de un ejército de gente dispuesta a irrumpir en el apartamento y luego abrió lo suficiente como para dejarme entrar.

Aquella habitación, que me había recordado tanto el salón del piso de mi abuela en Jackson Heights, estaba en pleno proceso de desmantelamiento. Había grandes cajas de cartón apiladas en una esquina. Habían descolgado los visillos y las cortinas de las ventanas. No había cuadros en las paredes, y en las mesas rinconeras no estaban ni las lámparas, ni las baratijas que había visto en mi última visita.

—Nos trasladamos a nuestra casita de Pennsylvania —dijo Lil Kramer—. Ha llegado el momento de que Gus y yo nos jubilemos.

Está huyendo, pensé, al mirarla. Aunque en la habitación hacía fresco, ella tenía gotitas de sudor en la frente. Se había apartado el pelo canoso de la cara y lo llevaba recogido detrás de las orejas. Su cutis era del mismo color gris apagado que su pelo. Estoy segura de que no era consciente de la tensión y el nerviosismo con el que se estaba frotando las manos.

Sin que ella me invitara, yo me senté en la silla que tenía más cerca. Me di cuenta de que no servía de nada no ir directamente al grano.

—Señora Kramer, usted conocía a mi hermano. ¿Cree usted que es un asesino?

Ella se frotó los labios y luego estalló:

—Yo no sé lo que es. Él contó mentiras de mí. Yo era amable con él. Realmente me gustaba. Yo le cuidaba muy bien la ropa y la habitación. Y luego él me acusó.

—¿La acusó de qué?

—No importa. No era verdad, pero para mí fue algo increíble.

—¿Eso cuándo pasó?

—Pocos días antes de que desapareciera. Y luego me dejó en ridículo.

Ninguna de las dos oímos la puerta de la calle al abrirse.

—Cierra la boca, Lil —ordenó Gus Kramer mientras cruzaba la habitación dando zancadas. Se dio la vuelta y me miró—. Y usted, largo de aquí. Su hermano tuvo el valor de amenazar a mi esposa y ahora mire lo que les ha hecho a esas chicas.

Yo me levanté, furiosa.

—Señor Kramer, no sé de qué está hablando. No puedo creer

que Mack maltratara a su esposa de ninguna forma, con su tono o actitud, y me jugaría la vida a que no es responsable de ningún crimen.

—Usted crea lo que le parezca, y déjeme decirle de qué estoy hablando. Mi mujer está a punto de tener un ataque de nervios porque le angustia que, cuando atrapen a su hermano asesino, él se revuelva contra ella y la acuse con sus sucias mentiras.

—No le llame asesino. No se atreva a llamarle asesino.

La cara de Gus rebosaba ira.

—Le llamaré como quiera llamarle, pero le concederé una cosa. Es un asesino que va a la iglesia. El día que dejó la nota en el cepillo de la colecta, Lil le vio ¿verdad Lil?

—No llevaba las gafas puestas, pero estoy segura. —Lil Kramer empezó a llorar—. Yo le reconocí. Él vio que yo le miraba. Quiero decir, llevaba impermeable y gafas oscuras, pero el de la iglesia era Mack.

—Solo para su información, la policía estuvo aquí hace una hora y se lo contamos —me gritó Gus Kramer—. Ahora váyase de aquí y deje en paz a mi mujer.

54

El sábado por la noche, tras asegurarse de que Steve se había marchado a una de sus actuaciones, Howard Altman se coló en su apartamento. Con mucho cuidado y habilidad había colocado cámaras ocultas en la salita y en el dormitorio, y las imágenes irían a parar directamente a su ordenador.

¿Cómo no se me había ocurrido antes?, se preguntó mientras instalaba el dispositivo de vigilancia. Gracias, Steve, por ponérmelo tan fácil. Steve había dejado encendidas las luces de los dos dormitorios y también la del baño. Derek le paga las facturas de gas y electricidad, pensó Howard con resentimiento. ¡A mí me las cobra!

Steve era un vago. No se había hecho la cama. Tiradas sobre una caja de cartón en el suelo, había un par de esas vestimentas ridículas que se ponía cuando interpretaba a uno de sus personajes. Howard se probó una; era una peluca larga de color castaño oscuro. Se miró en el espejo y luego se la quitó. Con la peluca puesta parecía una mujer y aquello le hizo pensar en la profesora que había vivido anteriormente en ese piso, a la que asesinaron.

No sé cómo Steve Hockney puede vivir en un sitio que pertenecía a una persona que asesinaron, pensó. Tengo que salir de aquí.

El lunes por la mañana Howard fue a recoger al señor Olsen para una de sus visitas programadas a sus propiedades, pero no le encontró. El encargado de aquel edificio le dijo que a Olsen ya le había recogido un coche de alquiler.

Profundamente preocupado se dirigió a su primera parada de rigor, el edificio donde los Kramer trabajaban como encargados. Howard estaba a punto de abrir la puerta del vestíbulo cuando de pronto salió una atractiva joven con lágrimas en las mejillas y pasó corriendo a su lado.

¡Carolyn Mackenzie!, pensó. ¿Qué está haciendo aquí? Se dio la vuelta y corrió tras ella. La atrapó una manzana más abajo, con el mando en la mano, a punto de abrir la puerta de su coche.

—Señorita Mackenzie, soy Howard Altman. Nos conocimos hace un par de semanas, cuando usted estuvo hablando con los Kramer —dijo a toda prisa, casi sin aliento.

Howard vio que ella se apartaba con impaciencia las lágrimas que seguían brotando de sus ojos.

—Lo siento, pero ahora no puedo hablar —le dijo.

—Mire, he visto su foto en los periódicos y he leído todas esas cosas sobre su hermano. Aquello pasó antes de que yo trabajara para el señor Olsen, pero me gustaría ayudarla de algún modo.

—Gracias, a mí también me gustaría que pudiera hacerlo.

—Si los Kramer la han molestado en algún sentido, yo me encargaré de ellos —le prometió.

Ella no contestó, pero le empujó el brazo para obligarle a apartarse de la puerta del conductor. Howard dio un paso atrás, y con un movimiento rápido ella abrió el coche, cerró y arrancó. Sin volverse a mirarle, dio marcha atrás unos centímetros, giró el volante, salió de la plaza de aparcamiento y se marchó.

Con expresión adusta, Howard Altman fue directamente al apartamento de los Kramer. Ellos no contestaron al insistente timbre de la puerta. Él intentó abrir con su llave, pero el pestillo de seguridad estaba puesto.

—Gus, Lil, tengo que hablar con vosotros —gritó.

—Váyase al infierno —gritó Gus Kramer desde el otro lado de la puerta—. Nos marchamos de aquí hoy. Puede quedarse con este trabajo y con este apartamento y con todo lo demás. Y solo para que lo sepa, Howie, más vale que vigile. Si Steve se hace cargo de esto, usted también tendrá que buscarse un sitio para vivir. Ahora lárguese.

Howard, de pie allí en la entrada, pensaba en todo menos en marcharse. ¿Steve acompañaba a Olsen a hacer la ronda?, se preguntaba. ¿Por qué otro motivo habría pedido Olsen un coche de alquiler esta mañana?

Había una forma de saber si Steve rondaba por ahí. Howard se fue a su apartamento y encendió el ordenador. Examinó el contenido de la webcam y vio que el día anterior Steve había estado entrando y saliendo de su piso durante todo el día, pero siempre solo. Ahora no había nadie en la salita. De modo que quizá había salido con Olsen, pensó Howard, pero entonces la cámara del dormitorio mostró a Steve sentado en el borde de la cama, en ropa interior, probándose sus pelucas una detrás de otra. La última que eligió era la de la melena castaña. La cámara mostró cómo sonreía y le mandaba un beso a su imagen en el espejo. Entonces Steve se dio la vuelta y miró directamente al objetivo.

—Howie, yo también he instalado mis propias cámaras de seguridad aquí —dijo—. Las necesito. Algunos amigos míos no son precisamente clientes fiables. Si estás viendo esto, o cuando lo veas, que tengas un buen día.

Howard apagó su ordenador con dedos temblorosos.

55

El lunes a mediodía el detective Bob Gaylor recibió una llamada telefónica de la joven voluntaria de cocina que había conocido en el asilo de Mott Street.

—Hola, soy Joan Coleman —dijo con cierto nerviosismo—. Le prometí que averiguaría lo que pudiera sobre Zach.

En la sala de la brigada había mucho ruido, pero Gaylor se aisló de todo menos de la voz de Joan Coleman.

—Vale —dijo—. ¿Qué puede decirme?

—Está viviendo en la calle. Nada de asilos, ahora que hace buen tiempo. Anoche apareció con sus cosas cerca del puente de Brooklyn, totalmente borracho. Les dijo a sus amigos que tal vez consiga una recompensa por el caso de Leesey Andrews.

—Eso ya lo intentó. No creo que funcione.

—Mi informante, Pete, es un joven que intenta rehabilitarse. Es un adicto, pero lo sigue intentando. Ahora mismo está bastante limpio y yo me fío de lo que me dice. —Joan bajó la voz—. Dice que Winters asegura que tiene una especie de prueba, pero que no puede enseñarla porque le echarían las culpas a él.

—Vale. ¿Así que anoche Winters estaba por el puente de Brooklyn?

—Sí, cerca de un solar en construcción, y probablemente siga por allí. Por lo que Pete me dijo, debe de estar durmiendo la mona.

—Joan, si alguna vez quieres trabajo en este departamento ¡ya lo tienes! —dijo Gaylor con vehemencia.

—No, gracias. Me sobra con intentar hacer todo lo posible por estos pobres chicos.

—Gracias otra vez, Joan.

Gaylor se levantó, fue al despacho de Larry Ahearn y le puso al corriente.

Ahearn le escuchó en silencio.

—Tú creías que Winters nos estaba ocultando información —dijo—. Parece que tenías razón. Encuéntrale y sonsácasela. Puede que aún esté lo bastante borracho como para contarte sus secretos.

—¿Has sabido algo más de la familia de Leesey?

Ahearn suspiró y se apoyó en el respaldo de la silla.

—Hablé con Gregg esta mañana. Mantiene a su padre bastante sedado. Se quedará con él hasta que esto se resuelva de una forma u otra. —Se encogió de hombros—. Dicho esto, tú y yo sabemos que quizá nunca averiguaremos qué le pasó o qué le pasará a Leesey.

—Yo no lo creo —dijo Gaylor—. Tenías razón ayer, cuando dijiste que ese tipo quiere llamar la atención.

—También empiezo a pensar que quiere que le atrapemos, pero de forma que sea un bombazo espectacular. —Ahearn apretó las manos como puños—. Hace una hora Gregg me dijo que se siente absolutamente inútil. Bueno, igual que yo.

Cuando Gaylor se dio la vuelta para marcharse, sonó el teléfono. Ahearn descolgó el auricular, escuchó un momento, y dijo:

—Pásamelo —y le hizo un gesto a Gaylor—, es Gregg Andrews.

Gaylor oyó que Larry Ahearn decía:

—Por supuesto que si tu padre quiere que los medios de comunicación emitan un comunicado se lo haremos llegar. —Se sentó y cogió un bolígrafo—. Es de la Biblia, de acuerdo. —Se puso a escribir con el teléfono al oído, y después de interrumpir una vez a Gregg para que le repitiera algo, le dijo—: Ya lo tengo. Yo me ocuparé.

Suspiró profundamente y colgó el auricular.

—Esto es lo que el doctor Andrews querría que se leyera en las emisoras de televisión y se publicara en los periódicos, para que el raptor de Leesey comprenda hasta qué punto necesita desesperadamente que se la devuelva sana y salva. Es del profeta Oseas:

Cuando tú eras niño yo te quería...
Fui yo quien te enseñó a andar, te cogí en mis brazos...
Fui para ti como aquellos que alzan a los bebés hasta sus mejillas.
Yo me incliné y te alimenté...
¿Cómo podría abandonarte?

Cuando el detective Bob Gaylor se fue en busca de Zach Winters, las lágrimas brillaban en los ojos de los dos hombres.

En la mente de Zach Winters bailaban imágenes de billetes de dólar, montones y montones, cuando abrió los ojos y vio a un tipo de pie frente a él. Estaba acurrucado en uno de sus sitios favoritos, un solar cerca del puente de Brooklyn, donde habían derribado un antiguo garaje aunque aún no habían empezado el nuevo edificio. Zach y unos cuantos amigos suyos habían reventado la valla del solar y desde la llegada del buen tiempo lo usaban como campamento base. La policía les echaba cada dos semanas más o menos, pero, pasados un par de días, ellos volvían con sus trastos. Todos, al igual que Zach, sabían que cuando realmente empezaran a construir tendrían que irse de nuevo, pero hasta entonces aquel era un sitio estupendo para acampar.

Zach estaba soñando con la recompensa de cincuenta mil dólares que conseguiría, en cuanto se le ocurriera el modo de cobrarla sin meterse en problemas, cuando notó que alguien le zarandeaba el hombro.

—Venga, Zach, despierta —le ordenaba la voz de un hombre.

Zach abrió los ojos lentamente. Una sensación de familiaridad le invadió el cerebro. Yo conozco a este tío. Es de la policía. Estaba en la sala cuando el hermano me llevó a que les contara que había visto a Leesey. Ten cuidado, Zach, se dijo. Ese es el que estuvo tan antipático aquel día.

Zach se dio la vuelta despacio y se incorporó apoyándose en los codos. Apartó de un empujón la chaqueta de invierno que había usado para taparse. El intenso sol de la tarde le hizo parpadear, y luego miró alrededor para asegurarse de que su carrito de supermercado seguía allí. Lo había volcado en el suelo y había dormido a su lado, con las piernas agarradas al asa, para que nadie pudiera cogerlo sin tener que moverle primero. Era un sistema bastante seguro, aunque algunos de los periódicos que había puesto encima se habían resbalado.

Zach volvió a parpadear.

—¿Qué pasa? —preguntó.

—Quiero hablar contigo. Levántate.

—Vale, vale. Tranquilo. —Zach buscó a tientas la botella de vino que tenía al lado cuando se quedó dormido.

—Está vacía —le soltó Gaylor. Agarró a Zach del brazo y tiró con fuerza para levantarle—. Les has estado contando a tus amigos que sabes algo sobre la desaparición de Leesey, algo que no nos dijiste el otro día. ¿Qué es?

—No sé de qué me habla.

—Sí que lo sabes. —Gaylor se inclinó, agarró el asa del carrito y lo levantó de un tirón—. Les has estado contando a tus amigos que tienes algo que puede hacerte ganar la recompensa que se ha ofrecido por Leesey Andrews. ¿Qué es?

Zach hizo el gesto de limpiarse la suciedad de la chaqueta.

—Conozco mis derechos. Déjeme en paz —dijo y agarró el asa de su carrito.

Gaylor se negó a soltarla y le bloqueó la salida.

El detective usó un tono conminatorio.

—Zach, ¿por qué no colaboras conmigo? Quiero que vacíes este carrito y me enseñes todo lo que hay. Sabemos que no pudiste tener nada que ver con la desaparición de Leesey. Estás siempre demasiado borracho para haberlo organizado. Si hay algo entre tus cosas que nos ayude a encontrarla tendrás tu recompensa, te lo prometo.

—Sí, seguro que sí. —Zach se echó hacia delante e intentó quitarle el asa a Gaylor. El carrito se tambaleó y cayeron algunos periódicos. Debajo había una camisa de hombre sucia, envolviendo algo que Gaylor supo inmediatamente que era un costoso estuche de cosmética.

—¿De dónde has sacado esto? —le espetó.

—Eso a usted no le importa. —Zach enderezó rápidamente el carro y volvió a poner los periódicos en su sitio—. Yo me largo de aquí —anunció y empezó a empujar el carrito con fuerza hacia la acera más cercana.

Cuando apenas se había alejado un paso de Gaylor, este sacó su teléfono móvil y llamó a Ahearn.

—Necesito una orden de registro para examinar el contenido del carrito de Zach Winters —dijo—. Tiene un estuche de cosmética plateado y negro, caro, que apostaría que pertenece a Leesey Andrews. No me despegaré de él hasta que vuelvas a llamarme. Y entérate por la compañera de piso de Leesey qué estuche de cosméticos llevaba ella esa noche.

Cuarenta minutos después, escoltado por dos coches de la brigada y con la orden judicial en el bolsillo, Gaylor abría el estuche de cosméticos de Leesey Andrews.

—Me dio miedo que creyera que lo había robado —gimoteaba Zach Winters—. A ella se le cayó la cartera cuando entró en el monovolumen. Se desparramaron unas cuantas cosas. Ella recogió la mayoría, pero cuando el coche se fue yo me acerqué para ver si se le había caído algún dólar del bolso. Ya sabe lo que quiero decir. Vi esto y lo cogí, y le diré la verdad, ella guardaba un billete de cincuenta dólares dentro y puede que me diera una pequeña recompensa, y...

—¿Y por qué no te callas? —le interrumpió Bob Gaylor—. Si todo esto nos lo hubieras dicho, el sábado incluso, quizá habría sido muy distinto.

Aparte de los típicos cosméticos para jóvenes, Gaylor había encontrado una tarjeta de visita. De Nick DeMarco, con su dirección y el teléfono de su estudio. En la parte de atrás él había escrito: «Leesey, yo podría abrirte algunas puertas del mundo del espectáculo y me encantaría hacerlo. Llámame, Nick».

56

Con una sonrisa de satisfacción, Derek Olsen firmó el último montón de documentos que transferían la destartalada casa unifamiliar que poseía en la calle Ciento cuatro con Riverside Drive a Twining Enterprises, la multimillonaria firma inmobiliaria que estaba construyendo unos pisos de lujo en la puerta de al lado. Olsen había insistido en que Douglas Twining padre, presidente y director ejecutivo de la compañía, asistiera a la venta.

—Sabía que me pagarías lo que yo quería, Doug —dijo—. Eso de que no necesitabas mi edificio era una tontería enorme.

—No lo necesitaba, lo quería —dijo Twining con tranquilidad—. Podía haberme pasado sin él.

—¿Y quedarte sin la esquina? ¿Perder las vistas? ¿Y que yo pudiera vendérselo a otro que construyera uno de esos absurdos edificios metálicos, y que tus clientes finos tuvieran vistas a una pared de ladrillo por el lado oeste? Venga ya.

Twining miró a su abogado.

—¿Hemos terminado con esto?

—Creo que sí, señor.

Twining se puso de pie.

—Bueno Derek, supongo que debo felicitarte.

—¿Por qué no? ¿Doce millones de dólares por un solar de quince metros por treinta, con una casa destartalada, por el que pagué quince mil dólares hace cuarenta años? Eso es la inflación para ti. —La sonrisa de contento de Olsen desapareció—. Por si hace que te sientas mejor, voy a destinar este dinero a una buena causa. Muchos chavales del Bronx, chavales que no crecen en tus sofisticados apartamentos ni pasan el verano en los Hamptons, tendrán varios parques para jugar, los parques Derek Olsen. Así que, ¿cuándo vas a derribar la casa?

—La máquina de derribo estará allí el jueves por la mañana. Creo que la conduciré yo mismo. Aún me acuerdo de cómo se hace.

—Yo iré a verlo. Adiós, Doug. —Luego Olsen se dirigió a su abogado, George Rodenburg—: Vale, vayámonos de aquí. Podrías invitarme a cenar temprano. He estado demasiado nervioso y no he comido. Y mientras comemos, telefonearé a mi sobrino y a Howie y les informaré de que el derribo será el jueves por la mañana. Les diré que acabo de conseguir doce millones de pavos por la venta y que todo será para mis parques. Me encantaría verles la cara. Les va a dar un ataque al corazón a los dos.

57

Cuando dejé a los Kramer me fui directamente al garaje de Sutton Place, evité los flashes de las cámaras, subí a casa y metí algunas cosas en una bolsa. Con las gafas oscuras más grandes que pude encontrar para taparme la cara, volví a bajar en ascensor hasta el garaje; esta vez cogí el coche de mi madre, para despistarles. Luego, encomendándome a Dios para no provocar un accidente, salí a la calle a toda velocidad y giré rápidamente por la calle Cincuenta y siete. Subí por la Primera Avenida hasta la calle Noventa y seis, intentando asegurarme de que no me seguían. No quería que nadie pudiera intuir adónde iba.

Naturalmente no podía estar segura del todo, pero la verdad es que cuando giré a la derecha en la Noventa y seis y me dirigí al norte por la avenida FDR, no había ninguna camioneta de prensa a la vista. La avenida se llama así en honor al presidente Franklin Delano Rooselvet, claro. Aquello me hizo pensar en Elliott. Se me ocurrió la escalofriante idea de que si Mack era culpable de todos esos crímenes y le cogían, la publicidad y el juicio o juicios durarían meses. Elliott tenía muchos clientes muy influyentes. Yo sé que él está enamorado de mamá, pero ¿querría verse envuelto en esa clase de publicidad? Si estuviera casado con mamá, ¿querría ver su fotografía en los periódicos durante el juicio?

En aquel momento él era su protector, pero ¿cuánto duraría

eso? Si papá estuviera vivo ahora y Mack acabara en esa situación, yo sé que él permanecería a su lado, sólido como una roca, y que removería cielo y tierra para defenderle alegando locura. Pensé que Elliott repetía demasiado a menudo aquella anécdota de FDR, la de que, cuando Eleanor estaba de viaje, escogió como anfitriona a una republicana porque en Hyde Park no había ningún demócrata de su misma categoría social. Me pregunté qué pensarían FDR, o Elliott, sobre estar con la madre de un asesino en serie. Tal como evolucionaban los acontecimientos, casi podía oír a Elliott haciéndole a mamá un discurso tipo «seamos simplemente amigos».

Cuando llegué al perpetuo atasco de Cross Bronx intenté dejar de pensar y concentrarme en conducir. Como el tráfico avanzaba muy lentamente, gané tiempo y llamé por teléfono para reservar un billete en el último ferry que iba de Falmouth al Vineyard. Luego hice una reserva en el Vineyard Hotel de Chappaquiddick. Y después desconecté el móvil. No quería hablar ni saber nada de nadie.

Eran casi las nueve y media cuando llegué a la isla y me registré en el hotel. Exhausta pero todavía nerviosa, bajé al bar y me comí una hamburguesa con dos vasos de vino tinto. Luego, en contra de todos los criterios médicos, me tomé una de las pastillas para dormir que había encontrado en la mesilla de noche de mamá y me metí en la cama.

Dormí doce horas seguidas.

58

A las cuatro y media de la tarde Nick DeMarco estaba en su despacho del centro de la ciudad, cuando sonó el teléfono. Era el capitán Larry Ahearn, que le pidió con brusquedad que fuera inmediatamente a su oficina. Olvidando la sequedad absoluta de su boca y su garganta, Nick tragó y aceptó. En cuanto colgó, marcó el número de su abogado, Paul Murphy.

—Ahora mismo me pongo con esto —le dijo Murphy—. Nos encontraremos allí, en la entrada.

—Se me ocurre algo mejor —dijo Nick—. Yo tenía pensado salir dentro de quince minutos, por lo que probablemente Benny ya estará dando vueltas a la manzana por ahí fuera. Te llamaré cuando esté en el coche. Iremos hasta allí y te recogeremos.

A las cinco y cinco circulaban por Park Avenue en dirección sur, con Benny al volante.

—A mí me parece que lo hace para ponerte nervioso —le dijo Murphy—. La única, y repito la única, prueba circunstancial con la que pueden inculparte se basa en dos hechos: primero, tú invitaste a Leesey a que fuera a hablar contigo en la discoteca, y segundo, tú tienes un monovolumen negro marca Mercedes, lo cual te convierte en uno de los miles de propietarios de monovolúmenes negros marca Mercedes.

Murphy miró a DeMarco.

—Claro que podías haberme ahorrado la sorpresa que tuve la última vez que estuvimos allí.

Murphy había bajado la voz y prácticamente susurraba, pero aun así Nick le dio un codazo. Sabía que el abogado se refería al hecho de que la segunda mujer de Benny hubiera conseguido una orden de alejamiento contra él. También sabía que Benny tenía un oído magnífico y que no se le escapaba nada.

El tráfico era tan insoportablemente lento que Murphy decidió telefonear a la oficina de Ahearn.

—Solo para informarle que estamos en el típico atasco de las cinco y que no podemos hacer nada.

Ahearn respondió simplemente:

—Lo único que importa es que lleguen. Nosotros no nos moveremos de aquí. ¿El coche en el que van lo conduce Benny Seppini, el chófer de DeMarco?

—Sí, conduce él.

—Que suba también.

A las seis menos diez Nick DeMarco, Paul Murphy y Benny Seppini cruzaban la sala de la brigada en dirección al despacho privado de Larry Ahearn. La atravesaron a toda prisa, y los tres notaron las miradas glaciales de los detectives que estaban en la sala.

En el interior del despacho el ambiente era aún más frío. Ahearn volvía a estar flanqueado por los detectives Gaylor y Barrott. Frente a la mesa había tres sillas.

—Siéntense —dijo Ahearn bruscamente.

Benny Seppini miró a DeMarco.

—Señor DeMarco, no creo que mi lugar sea este...

—Ahórrese el numerito servil. Usted sabe perfectamente que le llama Nick —le interrumpió Ahearn—. Y siéntese de una vez.

Seppini esperó a que DeMarco y Murphy ocuparan su lugar, y luego se dejó caer en la silla.

—Conozco al señor DeMarco desde hace muchos años —dijo Seppini—. Es un hombre importante y cuando no estoy a solas con él le llamo señor DeMarco.

—Conmovedor —dijo Ahearn sarcástico—. Ahora escuchemos esto.

Apretó el botón de encendido de una grabadora y la voz de Leesey Andrews, suplicándole ayuda a su padre, inundó la habitación.

Después de oír la grabación hubo un momento de intenso silencio, y luego Paul Murphy preguntó:

—¿Qué objetivo tiene el hacernos escuchar la cinta?

—Se lo diré encantado —le aseguró Ahearn—. Pensé que así podría recordarle a su cliente el hecho de que hasta ayer Leesey Andrews probablemente seguía viva. Pensamos que quizá eso removería sus instintos más nobles y nos diría dónde podemos encontrarla.

DeMarco se levantó de la silla:

—No tengo más idea que usted sobre dónde puede estar esa pobre chica, y daría todo lo que tengo para salvar su vida si pudiera.

—Seguro que lo haría —replicó Barrott, con cierto sarcasmo—. A usted le pareció bastante atractiva, ¿verdad? De hecho, le pasó su tarjeta de visita con la dirección de su acogedor estudio.

El detective cogió la tarjeta, se aclaró la garganta y leyó:

—«Leesey, yo podría abrirte algunas puertas del mundo del espectáculo y me encantaría hacerlo. Llámame. Nick».

Ahearn golpeó la tarjeta contra la mesa.

—¿Se la dio usted aquella noche, verdad?

—No tienes que responder a eso, Nick —le advirtió Murphy.

Nick negó con la cabeza.

—No tengo motivos para no contestar. En los pocos minutos que estuvo sentada a mi mesa, le dije que era una bailarina maravillosa, cosa que era verdad. Ella me confesó que después de la universidad le encantaría tomarse un año sabático, para ver si podía abrirse camino en los escenarios. Yo conozco a muchas celebridades. Así que le di la tarjeta. ¿Y qué?

Ahearn le miró con suspicacia y, pronunciando cada sílaba con una carga de desprecio, señaló:

—Por lo visto se le olvidó contárnoslo.

—He estado aquí tres veces —dijo Nick, ya visiblemente nervioso—. Todas las veces ustedes me han tratado como si yo tuviera algo que ver con su desaparición. Sé que pueden encontrar el modo de que me retiren el permiso para servir alcohol en el Woodshed, incluso aunque tengan que inventar una infracción...

—Basta, Nick —ordenó Murphy.

—No pienso callar. Y no tuve nada que ver con su desaparición. La última vez que vine, usted insinuó que tengo problemas financieros graves. Tiene toda la razón. Si me cierran el Woodshed, me declararé en quiebra. He tomado algunas decisiones pésimas. No lo niego, pero hacer daño o raptar a una cría como Leesey Andrews no es una de ellas.

—Usted le dio su tarjeta —dijo Bob Gaylor.

—Sí, se la di.

—¿Cuándo esperaba que ella le telefoneara a su estudio?

—¿A mi estudio?

—Le dio una tarjeta con la dirección de su estudio y con el teléfono fijo de allí.

—Eso es absurdo. Le di una tarjeta con mi dirección profesional, Park Avenue 400.

Barrott le arrojó la tarjeta:

—Léala.

Con la frente bañada en sudor, Nick DeMarco leyó varias veces el texto de la tarjeta antes de hablar.

—Eso fue hace dos semanas —se dijo a sí mismo más que a los demás—. Había encargado varias tarjetas con la dirección del estudio solamente. Llegaron de la imprenta ese día. Debí meterme alguna en la cartera. Creí que le daba a Leesey mi tarjeta profesional.

—¿Para qué necesitaba tarjetas con la dirección y el teléfono del estudio, a menos que pensara dárselas a chicas guapas como Leesey? —le preguntó Barrott.

—Nick, podemos levantarnos e irnos de aquí ahora mismo —dijo Murphy.

—No es necesario. He puesto a la venta mi apartamento de la Quinta Avenida. Tengo pensado vivir en el estudio. Tengo demasiados amigos a quienes no he visto desde hace mucho tiempo, porque he estado demasiado ocupado en llegar a ser el propietario de restaurantes y discotecas de moda. Encargar esas tarjetas fue un gesto con proyección de futuro —concluyó y volvió a dejar la tarjeta en la mesa.

—¿Una de esas personas a quienes le gustaría ver en el estudio es Carolyn, la hermana de Mack Mackenzie? —preguntó Barrott—. Muy mona la foto de los dos anoche, cogidos de la mano y entrando a toda prisa en su coche. Hizo que se me llenaran los ojos de lágrimas.

Ahearn se dirigió a Benny Seppini.

—Ahora hablemos de usted, Benny. La noche que Leesey desapareció volvió a Astoria con el monovolumen Mercedes negro de Nick, perdone, quiero decir del señor DeMarco, ¿es así?

—Cogí su sedán para volver a casa. —El rostro duro y lleno de cicatrices de Benny empezó a teñirse de un rojo mate.

—¿Usted no tiene coche? Seguro que con lo que le pagan puede comprarse su propio vehículo.

—Yo puedo contestar a eso —interrumpió Nick, antes de que Benny pudiera hablar—. El año pasado Benny me dijo que se iba a cambiar de coche. Yo le dije que era una tontería que pagara el seguro y el parking del coche cuando yo estaba pagando tres plazas de garaje en Manhattan, y a precios del centro nada menos. Le propuse que usara el monovolumen para ir y venir de su casa a Manhattan y luego, cuando tuviera que llevarme a alguna reunión, lo dejara en el parking y cogiera el sedán.

Ahearn no le hizo caso.

—De modo, Benny, que hace quince días, la noche que Leesey desapareció, usted se fue con el Mercedes monovolumen negro, que su patrón le ofreció amablemente, a su apartamento de Astoria.

—No. El señor DeMarco tenía el monovolumen en el garaje del estudio, porque al día siguiente pensaba llevarse los palos de golf al aeropuerto. Aquella noche le llevé al Woodshed hacia las diez con el sedán, y luego volví con el coche a casa.

—Se fue a su apartamento y se metió en la cama.

—Eso. A las once más o menos.

—Benny, en su barrio hay bastantes problemas de aparcamiento, ¿verdad?

—Hay bastantes problemas de aparcamiento en toda la ciudad de Nueva York.

—Pero usted tuvo suerte. Encontró una plaza para el coche de su patrón justo enfrente de su edificio. ¿No es verdad?

—Sí, lo aparqué allí. Me fui a casa, me metí en la cama y puse el programa de Jay Leno. Fue muy divertido. Habló de...

—No me importa de qué habló. Me importa el hecho de que el Mercedes negro propiedad de Nick DeMarco no estuvo allí toda la noche. Hacia las cinco y cuarto, su vecino del apartamento 6D se fue a trabajar y le vio aparcarlo en un hueco delante del edificio. Cuéntenos, Benny, ¿de dónde venía? ¿Recibió usted una llamada urgente del señor DeMarco? ¿Había habido algún tipo de problema?

Benny Seppini se enfadó y se puso tenso.

—No es asunto suyo —espetó.

—Benny, ¿tiene usted un móvil con tarjeta prepago? —le preguntó Ahearn.

—No tienes por qué contestar a eso, Benny —gritó Paul Murphy.

—¿Por qué no? Claro que sí. A veces apuesto un poco. Cien pavos aquí y allá. Venga deténgame.

—¿No le compró usted a Nick, quiero decir al señor DeMarco, uno de esos teléfonos móviles con tarjeta prepago como una broma por su cumpleaños?

—¡Benny no digas nada! —gritó Paul Murphy.

Benny se levantó.

—¿Por qué he de callarme? Les contaré lo que pasó esa noche. Hacia medianoche recibí una llamada de una dama muy agradable, que se está separando de un marido borracho y vago.

Estaba asustada. El marido sabe que ella y yo nos gustamos. Él le dejó un mensaje absurdo en el móvil, amenazándola. Yo ya no pude volver a dormir, así que me vestí y fui a su casa, que está a un kilómetro y medio de la mía, más o menos. Me quedé sentado en el coche delante del edificio para asegurarme de que él no se presentaba cuando cerraran los bares. Estuve allí hasta las cinco. Luego me fui a casa.

—Es usted un auténtico caballero andante, Benny —dijo Ahearn—. ¿Quién es esa mujer? ¿Quién es ese tipo que la amenaza?

—Es un policía —dijo Benny claramente—. Uno de los mejores de Nueva York. Sus hijos mayores le consideran el mejor hombre del mundo, que solo tiene un pequeño problema con el alcohol. Ella no quiere problemas. Yo no quiero problemas. Así que no diré nada más.

Paul Murphy se puso de pie.

—Ya hemos tenido bastante —les dijo a Ahearn, Barrott y Gaylor—. Estoy seguro de que podrán confirmar la historia de Benny, y sé que mi cliente haría cualquier cosa por ayudar a la joven desaparecida. —Les dirigió a todos un mirada despectiva—. ¿Por qué no dejan de llamar a la puerta equivocada y se dedican a buscar a quien raptó a Leesey Andrews y a esas otras tres jóvenes? ¿Y por qué no dejan de perder el tiempo intentando la cuadratura del círculo mientras quede alguna posibilidad de salvarle la vida?

Los tres detectives les vieron salir, y en cuanto se cerró la puerta Ahearn dijo:

—Esta historia hace aguas por todas partes. Claro que es posible que Benny se quedara un rato frente al edificio de su novia para cubrirse, pero aun así tuvo tiempo de sobra para contestar una llamada urgente de Nick y sacar a Leesey de ese estudio.

Los tres intercambiaron una mirada de angustia y frustración, y volvieron a oír en su interior el desesperado grito de socorro de Leesey Andrews.

59

«Y las murallas comenzaron a desplomarse...» ¿Eso no era un conocido salmo del Antiguo Testamento? ¿Algo sobre Josué y las murallas de Jericó? No estaba seguro. De lo único que estaba seguro era de que el tiempo pasaba, deprisa.

Yo, realmente, realmente no quería acabar así, pensó. Me obligaron. Realmente intenté parar después de la primera. Eso sin contar la primera de verdad, claro, aquella de la que no se enteró nadie. Pero luego no me dejaron parar.

No es justo. No es justo.

El final se acerca, pensó, y notó cómo se le aceleraba el pulso. No puedo pararlo. Todo ha terminado. Me descubrirán, pero no me detendrán. Voy a morir, pero me llevaré a alguien más conmigo. ¿Cuál es la mejor forma, la más excitante, de hacerlo?

Ya se me ocurrirá algo, se dijo.

Al fin y al cabo, siempre se le había ocurrido.

60

Martha's Vineyard está a unos 480 kilómetros al noreste de Manhattan, y el buen tiempo tarda más en llegar. Al despertarme el martes por la mañana miré por la ventana y vi que el día era frío y luminoso. Me sentía más fuerte, física y emocionalmente. Me levanté de la cama y pensé qué me pondría para enfrentarme a Barbara Hanover Galbraith. Hacía suficiente frío para llevar la ropa deportiva que había metido en la bolsa, pero ese no era precisamente el conjunto que había elegido para nuestro encuentro.

No quería parecer ni demasiado arreglada ni demasiado informal. No quería sentirme como la hermana pequeña de Mack cuando viera a Barbara. Ella era cirujana pediatra. Yo era *juris doctoris*, licenciada en derecho, y acababa de terminar una pasantía con un juez de un tribunal civil. Había pensado en un jersey de cachemir verde oscuro, con una camisola blanca a juego y unos tejanos blancos que había sacado del armario en el último minuto. En aquel momento me alegré de tener la posibilidad de ponérmelos.

Aunque casi era hora de comer, llamé al servicio de habitaciones, pedí un desayuno continental y, mientras me vestía, me bebí un café solo, mordisqueando un bollo de canela. Me di cuenta de que estaba tan nerviosa que me costaba quitar las etiquetas de la lavandería con los dedos.

Yo era perfectamente consciente de que podía estar perdiendo el tiempo. Puede que en aquel momento Barbara y sus hijos estuvieran ya de vuelta en Manhattan, pero no creía que fuera así. En mi opinión, ella se escondía aquí para evitar que le preguntaran por Mack, en cuyo caso se habría quedado.

Yo estaba segura de que si la llamaba antes, me rechazaría. Pero si simplemente me presentaba, ella no podría cerrarme la puerta en las narices de forma educada, porque una vez estuvo invitada a cenar a Sutton Place.

Como mínimo, eso era lo que yo esperaba.

Miré el reloj y me di cuenta de que si quería pillar a Barbara en casa tenía que ponerme en camino. Una vez en el coche puse el GPS. La calle donde vivía Richard Hanover estaba a unos diez kilómetros. Mi plan era ir hasta la casa y llamar al timbre. Si no había nadie, me iría a pasear un rato por el centro de la ciudad y luego volvería cada tanto a la casa, hasta que ella llegara.

Parecía un buen plan, pero naturalmente los acontecimientos no se desarrollaron de ese modo. Llegué a la casa sobre las doce y media. Allí no había nadie. Volví a cada hora hasta las cinco y media. Para entonces ya había decidido que aquel viaje era del todo inútil, y estaba tan absolutamente descorazonada como pueda estarlo un ser humano. Entonces, justo cuando hacía un cambio de sentido, vi un Jeep con matrícula de Nueva York que pasó a mi lado y se metió en el camino de la entrada. Había una mujer al volante, con un hombre a su lado y unos niños detrás.

Estuve dando vueltas en coche unos diez minutos, luego volví a la casa y llamé al timbre. Me abrió la puerta un hombre de unos setenta años. Aunque obviamente él no tenía ni idea de quién era yo, me sonrió cordialmente. Yo me presenté, y le dije que Bruce me había dicho que su familia estaba allí de visita.

—Pase —me dijo—. Usted debe ser amiga de Barbara.

—Señor Hanover —dije al cruzar el umbral—. Soy la hermana de Mack Mackenzie. Necesito habar con ella sobre él.

Su expresión cambió.

—No creo que sea muy buena idea —dijo.

—No se trata de que sea buena idea. Me temo que es necesario —dije yo, y sin darle oportunidad de replicar, entré en el salón.

Era una de esas casas antiguas de estilo Cabo Cod que se habían ido agrandando con el paso de los años. El salón no era amplio, pero era encantador; con un mobiliario americano tradicional y una alfombra de nudos. Por encima de nuestras cabezas se oían carcajadas y el ruido de pies que corrían. Parecían de niños pequeños. Recordé haber oído que Barbara y Bruce Hanover tenían un niño y dos niñas gemelas.

Richard Hanover había desaparecido; presumiblemente fue a decirle a su hija que yo estaba allí. Mientras esperaba, tres niñas pequeñas bajaron trotando las escaleras, seguidas de una niña de unos once años. Las pequeñas se me acercaron corriendo. Evidentemente había dos que eran gemelas. Las niñas me rodearon, encantadas de tener una invitada.

Yo señalé a una de las gemelas.

—¿Cómo te llamas?

—Samantha Jean Galbraith —dijo con orgullo—. Todo el mundo me llama Sammy, y hoy hemos ido en ferry a Cabo Cod.

Habían estado todo el día de excursión en el Cabo, pensé. Señalé a la otra gemela.

—¿Cómo te llamas?

—Margaret Hanover Galbraith. Me llamo como mi abuela que está en el cielo, y todo el mundo me llama Maggie. —Ambas eran rubias como su madre, pensé para mí.

—¿Y ella es vuestra prima o vuestra amiga? —pregunté señalando a la otra niña.

—Ella es Ava Grace Gregory, nuestra mejor amiga —explicó Samantha.

Ava Grace dio un paso hacia mí y sonrió. Samantha se dio la vuelta y tiró de la mano de la otra niña.

—Y esta es Victoria Somers. Ha venido a vernos, y a veces nosotros vamos a verla a ella a su rancho de Colorado.

—Yo también voy con ellas a veces —me dijo Ava Grace muy seria—. Y mi papá nos llevó a todas a la Casa Blanca.

—Yo no he estado nunca —les dije—. Eso es estupendo.

Me encantan los niños, me dije. Algún día espero tener cuatro, por lo menos.

—Venga niñas. Subid a lavaros antes de que sea hora de salir a cenar.

El tono era suave y las niñas me miraban a mí, así que no pudieron ver la expresión de la cara de Barbara Hanover Galbraith. Me miraba con un desagrado tan intenso que yo solo pude sentir asombro.

Nos habíamos visto una vez en una cena, cuando yo tenía dieciséis años. Yo tenía el corazón destrozado porque creía que Nick estaba loco por ella, pero ahora él dice que era ella la que estaba loca por Mack. De pronto me pregunté si interpretaba correctamente su expresión. ¿Era desprecio lo que veía en aquellos ojos entornados y en aquella actitud tensa o era otra cosa?

Las niñas se despidieron a coro y subieron las escaleras. Barbara dijo:

—Preferiría hablar en el despacho.

Yo la seguí por un estrecho pasillo. Al final había una amplia cocina de pueblo que daba a una sala de estar. El estudio quedaba a la izquierda, antes de la cocina. Si tuviera que adivinarlo, yo diría que allí era donde Richard Hanover se pasaba las tardes cuando estaba solo. Tenía un empapelado alegre, había una alfombra estampada, un escritorio y una butaca medianos, y un sillón reclinable frente a una televisión empotrada en la pared. A la izquierda, detrás del sillón reclinable, había una lámpara de lectura junto a un cesto con libros y revistas.

Podía imaginarme a mi padre en esa habitación.

Barbara cerró la puerta y se sentó detrás del escritorio, con lo que solo me quedó el sillón reclinable, que me pareció demasiado grande y demasiado hondo para mí. Yo sabía que Barbara tenía la edad de Mack, pero era una de esas mujeres cuya belleza juvenil no perdura. Aquella cara, que yo recordaba perfecta, ahora era demasiado delgada y con los labios muy finos. Llevaba aquella melena rubia, que yo un día admiré y envidié, recogida en un moño alto. Pero seguía teniendo un porte delicado y refinado que resultaba irresistible. Imaginé que aquella presencia decidida sería un consuelo para los padres de sus pacientes infantiles.

—¿Por qué has venido aquí, Carolyn? —preguntó.

Yo la miré, intentando transmitir la misma hostilidad que emanaba de ella.

—Barbara, tengo entendido que Mack y tú salíais juntos cuando él desapareció hace diez años. Sinceramente, me han dicho que tú estabas bastante colada por él. Si, como cree la policía, y tú seguramente debes haber leído en los periódicos, Mack es el autor de esos crímenes, solo puede haber un motivo y es que sufriera un trastorno mental. Necesito saber si tú viste algún síntoma de eso.

Ella no dijo nada.

Yo volví a mirarla.

—Te diré que vi a tu marido en su despacho y que mostró tal hostilidad hacia Mack que me dejó helada. ¿Le hizo algo Mack a Bruce en algún momento? ¿Tuvo eso algo que ver con su desaparición? ¿Qué motivo tienes para venir corriendo hasta aquí y evitar que te hagan preguntas? Si crees que conseguirás esconderte aquí, te equivocas. La prensa está acampada en Sutton Place, a la puerta de nuestra casa. Cada vez que salgo, me ponen un micrófono en la cara. A menos que consiga que me contestes sinceramente, y me convenzas de que no sabes nada sobre los motivos de la desaparición de Mack, la próxima vez que los periodistas me acosen les diré que tu marido y tú ocultáis información que podría ayudar a encontrar a Leesey Andrews.

Vi cómo su cara palidecía.

—¡No te atreverás a hacer eso!

—Sí, sí que me atreveré —le respondí—. Haré cualquier cosa para encontrar a Mack y detenerle, si es el autor de esos crímenes, o limpiar su nombre si es inocente. Yo creo que sufre amnesia y que puede que viva a tres mil de kilómetros de aquí.

—Yo no sé dónde está, pero sí sé por qué se marchó. —La barbilla de Barbara Galbraith empezó a temblar—. Si te lo digo, ¿me juras que nos dejarás en paz? Bruce no tuvo nada que ver con su desaparición. Bruce me quería y me salvó la vida. Él odia a Mack por lo que me hizo.

—¿Qué te hizo?

Apenas pude articular palabra. Yo no me había equivocado. No solamente estaba siendo testigo del odio de Barbara Hanover, estaba siendo testigo de un dolor que ella había estado intentado reprimir.

—Yo estaba muy enamorada de Mack. Salíamos juntos. Aunque yo sabía que para él no era importante. Pero entonces me quedé embarazada. Estaba desesperada. Mi madre se estaba muriendo. La cobertura del seguro médico era mísera y ya nos habíamos gastado el dinero que teníamos ahorrado para la facultad de medicina. Me habían aceptado en la Universidad Presbiteriana de Columbia, y yo sabía que no podía ir. Se lo conté a Mack.

Barbara se tragó las lágrimas.

—Él me dijo que se ocuparía de mí. Dijo que nos casaríamos y que yo podía aplazar un año mi entrada a la universidad.

Eso me suena a Mack, pensé.

—Yo le creí. Sabía que él no me quería, pero también estaba convencida de que podía conseguir que me quisiera. Luego desapareció. Sencillamente. Yo no sabía qué hacer.

—¿Por qué no acudiste a mis padres? —le pregunté—. Ellos te habrían ayudado.

—Quizá me habrían dado una limosna para mantener al hijo de su hijo. No, gracias. —Barbara se mordió el labio—. Soy cirujana infantil. Me emociona tocar a un bebé minúsculo y salvarle la vida. He salvado a bebés que me cabían en la palma de la mano. Tengo un don para curarles. Pero hubo un niño al que no salvé. El mío. Aborté porque estaba desesperada. —Desvió la mirada y continuó—: ¿Sabes una cosa, Carolyn? A veces, en la enfermería de la maternidad, hay un crío que llora y yo voy, le cojo en brazos y le consuelo, y al hacerlo pienso en el bebé que extirpé de mi útero.

Barbara se levantó.

—Tu hermano no estaba seguro de querer ser abogado. Me dijo que se sacó el título para complacer a su padre, pero que le hubiera gustado poner a prueba su talento de actor. Yo no creo que esté loco. Yo creo que está por ahí, en alguna parte, y puede que a estas alturas incluso tenga el buen gusto de avergonzarse de sí mismo. ¿Si creo que ha cometido esos crímenes? En absoluto. Yo le odio por lo que me hizo, pero él no es un asesino en serie. Me sorprende que tú hayas dedicado un segundo a considerar esa posibilidad.

—Ahora me voy, y prometo que no te mencionaré en ninguna circunstancia, con nadie, y que no volveré a molestarte —dije serenamente mientras me ponía de pie—, pero tengo una pregunta más. ¿Por qué Bruce odia tanto a Mack?

—La respuesta es muy simple. Bruce me quiere desde la época que estudiábamos primer curso en Columbia. Yo lo sabía. Después de abortar, me fui a un hotel y me tomé unos cuantos somníferos. Y luego decidí que quería vivir. Llamé a Bruce. Él acudió corriendo. Me salvó la vida. Siempre estará a mi lado y yo le quiero por eso, y con el tiempo he aprendido a quererle por cómo es. Ahora, hazme un favor y vete de esta casa.

Cuando crucé el vestíbulo hacia la puerta de entrada, el resto de la planta baja estaba en silencio. Oí las voces de las niñas en el piso de arriba y supuse que Richard Hanover las había retenido allí, para que no pudieran oír lo que nosotras decíamos.

Si pudiera describir mis emociones, diría que me sentía en un torbellino que me lanzaba hacia delante y hacia atrás, contra paredes opuestas. Al menos sabía la respuesta a por qué desapareció mi hermano. Mack había sido indescriptiblemente egoísta, pero él no quería ir a la facultad de derecho ni quería a Barbara, y el embarazo de ella le impulsó a huir. Incluso la cita de la grabación tenía sentido: «Cuando, caído en desgracia ante la Fortuna y ante los ojos de los hombres, lloro en soledad mi condición de proscrito y perturbo a los indiferentes cielos con mis vanos lamentos».

En su defensa diré que debió de contar con que Barbara acudiría a mis padres para que la ayudaran a criar a su hijo.

Recibí la claridad con la que Barbara había afirmado que Mack no era responsable de esos crímenes y su asombro por que yo considerara siquiera esa posibilidad, como un reproche y un alivio a la vez. Yo había intentado elaborar mentalmente la defensa de Mack, basándola en un trastorno mental. En aquel momento, cualquier temor de que Mack raptara y asesinara mujeres había desaparecido. Yo sabía que podía jugarme el alma a que él era inocente.

Entonces ¿quién era el autor de todo aquello? ¿Quién?, me pregunté al entrar en el coche. Naturalmente, yo no tenía la respuesta.

Volví al hotel y crucé los dedos confiando en que podría prolongar mi estancia. Aquello era en realidad un hostal más que un hotel, y debía de tener ocho o diez habitaciones solamente. Yo había quedado en irme a las seis de la tarde, y si me retrasaba me lo cobrarían.

Gracias a Dios mi habitación estaba disponible. Pensé que en mi actual estado mental no tenía sentido esperar el ferry y luego irme en coche a casa. ¿Irme a casa a qué?, me pregunté con amargura. A que la prensa me pisara los talones. A las llamadas suspicaces de Barrott. Con una madre ausente que no quería saber nada de mí. A Nick, un «amigo» que probablemente me utilizaba para limpiar su nombre.

Subí la escalera. La habitación estaba fría. Me había dejado una ventana abierta y la camarera no la había cerrado. La cerré, subí el termostato, luego me miré al espejo. Me vi cansada y demacrada. El pelo que me había dejado suelto sobre los hombros, ahora parecía lacio y sin vida.

Saqué del armario el albornoz del hotel, me metí en el baño y empecé a llenar la bañera. Tres minutos después noté que la calidez del agua empezaba a penetrar la frialdad de mi cuerpo. Cuando me vestí, me puse la ropa de deporte que afortunadamente había traído. Me sentí a gusto con ella, me subí la cremallera hasta el cuello y dejé solo la cabeza y la cara a la vista. Me peiné el pelo hacia atrás, me lo recogí y luego me puse un poco de maquillaje para disimular el cansancio que vi en mis ojos y en mi cara.

Siempre me han hecho gracia los famosos que de noche llevan gafas de sol. A menudo me preguntaba cómo se las arreglaban para leer la carta en un restaurante. Esa noche me puse las gafas que había llevado el día anterior para conducir: me tapaban media cara y me daban sensación de protección.

Me colgué el bolso al hombro y bajé las escaleras hasta el restaurante, y entonces vi, para mi desesperación, que salvo una mesa larga en el centro con un cartel de reservado no había nada disponible a la vista. Pero el maître se apiadó de mí.

—Hay una mesita en una esquina, cerca de la puerta de la cocina —dijo—. No me gusta darla, pero si a usted no le importa...

—Me irá muy bien —admití.

Llevaba ya el suficiente rato instalada como para pedir una copa de vino y estudiar el menú cuando ellos entraron en el comedor. La doctora Barbara Hanover, su padre, las cuatro niñas. Y otra persona. Un niño de nueve o diez años, un niño con el pelo rojizo, cuya cara reconocí tan claramente como si me viera a mí misma en un espejo.

Le miré fijamente. Aquel par de ojos enormes, la frente amplia, el remolino en el pelo, la nariz recta. Sonreía. Era la sonrisa de Mack. Estaba mirando la cara de Mack. ¡Dios mío, estaba mirando al hijo de Mack!

Y de repente, al tomar conciencia, de golpe sentí un mareo. Barbara me había mentido. Ella no abortó. Nunca fue a la enfermería de la maternidad y extrañó al niño que había sacrificado. Ella había dado a luz a ese niño y le estaba criando como hijo de Bruce Galbraith.

¿Hasta qué punto era cierto el resto de la historia?, me pregunté a mí misma.

Tenía que salir de allí. Me levanté y atravesé la cocina, sin hacer caso de las miradas de los trabajadores. Crucé el vestíbulo, subí corriendo las escaleras, hice el equipaje, dejé la habitación y cogí el último ferry que salía del Vineyard. A las dos de la madrugada estaba de vuelta en Sutton Place.

Por una vez no había camionetas de prensa en la manzana.

Pero el detective Barrott estaba de pie en el garaje. Me di cuenta de que me habían seguido. Obviamente le habrían comunicado que yo iba de camino a casa. Yo estaba mareada de cansancio. Prácticamente le grité:

—¿Qué quiere?

—Carolyn, hace una hora el doctor Andrews recibió otro mensaje de Leesey. Sus palabras exactas fueron: «Papá, Mack dice que ahora va a matarme. Ya no quiere ocuparse más de mí. Adiós, papá. Te quiero, papá».

Barrott gritó y su voz resonó por todo el garaje.

—Y entonces Leesey gritó: «No, por favor, no...». Él la estaba estrangulando. Él la estaba estrangulando, Carolyn. No pudimos salvarla. ¿Dónde está su hermano, Carolyn? Sé que usted lo sabe. ¿Dónde está ese repugnante asesino? Tiene usted que decírnoslo. ¿Dónde se esconde?

61

El miércoles a las tres de la madrugada él conducía por el SoHo en busca un objetivo indefenso, cuando sonó su teléfono móvil.

—¿Dónde estás? —preguntó una voz tensa.

—Circulando por el SoHo. Nada especial.

Aquel era su barrio favorito. A esas horas había montones de mujeres borrachas, tambaleándose de camino a casa.

—Esas calles están plagadas de policías. ¿No estarás intentando alguna estupidez, verdad?

—Alguna estupidez, no. Algo excitante, sí —dijo mientras seguía escudriñando con la mirada.

—Vete a casa y métete en la cama. Te he conseguido a otra, y ella conseguirá los mejores titulares de todas.

—¿La conozco yo?

—La conoces.

—¿Quién es?

Él prestó atención al nombre.

—Ah, eso sí que está realmente bien —exclamó—. ¿Te he dicho alguna vez que eres mi tío favorito?

62

El horror de la grabación del adiós definitivo de Leesey a su padre había afectado profundamente incluso al detective más duro de la brigada. Atrapar al asesino en serie antes de que pudiera volver a actuar se convirtió en una necesidad perentoria para todos ellos. La brigada en pleno repasó una y otra vez todos los hechos que habían salido a la luz durante la investigación.

El miércoles por la mañana volvían a estar apiñados en el despacho de Ahearn.

Gaylor les informó de lo que había descubierto. Se había comprobado la declaración de Benny Seppini. Se estaba viendo con Anna Ryan, la ex mujer de Walter Ryan, un sargento de la policía, famoso por sus excesos con la bebida y por su carácter imprevisible. Anna Ryan confirmó que había hablado con Benny hacía quince días, el lunes por la noche, y que le había dicho que tenía miedo de su marido. Cuando le dijeron que Benny afirmaba que había permanecido en el interior de su coche aparcado frente a su edificio, ella sonrió y dijo: «Eso es exactamente lo que Benny haría».

—Eso no significa que Benny no recibiera una llamada urgente de DeMarco esa noche —señaló Ahearn—. Pero nunca podremos probarlo.

Ahearn empezó a leer sus notas. En los días que los detectives de paisano llevaban siguiendo a Nick DeMarco, este no había hecho nada inusual. Sus conversaciones telefónicas, que habían sido grabadas, eran básicamente sobre temas profesionales. Había varias con un agente inmobiliario, que confirmaban que su apartamento de Park Avenue estaba a la venta. De hecho, le habían hecho una oferta que él dijo que consideraría. Había intentado telefonear a Carolyn Mackenzie media docena de veces, pero era evidente que ella había desconectado su móvil.

—Nosotros sabemos que iba de camino a Martha's Vineyard —dijo Ahearn—. DeMarco no lo sabía, y empezó a preocuparse bastante por ella.

Ahearn levantó la mirada para asegurarse de que todos seguían atentos.

—Carolyn fue a ver a la ex novia de su hermano, la doctora Barbara Hanover Galbraith, pero no se quedó mucho tiempo. El marido no estaba. Después, cuando la familia entró en el hotel donde Carolyn se alojaba, esta salió disparada y se fue a casa. Mientras estuvo en el hotel, Carolyn no recibió ninguna llamada. Hasta ahora no ha usado el teléfono móvil desde que salió de la ciudad el lunes, después de ver a los Kramer.

»El lunes por la mañana cuando dejó a los Kramer estaba llorando. Tenemos una fotografía suya saliendo del edificio. Luego un tipo la siguió hasta su coche. Esta es una foto suya con ella. —Ahearn dejó sus notas y le pasó las fotografías a Barrott—. Le hemos investigado. Su nombre es Howard Altman. Trabaja para Derek Olsen, que es propietario de algunos pequeños edificios de apartamentos, incluido donde vivía Mack. Altman no empezó a trabajar con él hasta un par de meses después de la desaparición de Mackenzie.

Las fotos pasaron de mano en mano y volvieron a la mesa de Ahearn.

—Nuestros hombres vieron de nuevo a los Kramer el lunes por la tarde. —La voz de Ahearn era cada vez más cansina. No podía dejar de oír en su interior el grito de Leesey: «No, por favor, no...». Se aclaró la garganta—. Gus Kramer dijo que le contó a Carolyn que su esposa vio a Mack en aquella misa, cuando él dejó la nota en la cesta de la colecta, que era un asesino y que ella tenía que dejarles en paz. Carolyn se puso a llorar y se fue.

—La primera vez que la vimos —dijo Gaylor—, la señora Kramer no nos contó que había visto a Mack en la iglesia la mañana que él dejó la nota, porque no llevaba puestas las gafas de lejos, de manera que no podía estar segura de que fuera él. Después, el lunes por la tarde, dijo que sí estaba convencida de que era Mack. ¿La creemos?

—Yo no me creo nada de lo que los Kramer nos cuenten —dijo Ahearn llanamente—, pero no creo que Gus Kramer sea un asesino en serie. —Miró a Barrott—. Cuéntales lo que Carolyn Mackenzie te dijo cuando la viste esta mañana en el garaje.

Las oscuras ojeras de Roy Barrott se habían convertido en enormes bolsas.

—Tuvimos una buena en el garaje. Ella juró que su hermano es inocente y que puede que Leesey dijera su nombre porque la obligaron a hacerlo. Dijo que examinará todas las declaraciones que hagamos o hayamos hecho y que leerá todas las palabras que se han publicado, y que si encuentra algún sitio donde se dice que su hermano es un asesino nos demandará hasta el final de los tiempos. —Barrott hizo una pausa y se masajeó la frente—. Me dijo que ella es abogada y muy buena, y que está dispuesta a demostrármelo. Dijo que si es culpable, ella sería la primera en entregar a su hermano antes de que él se viera envuelto en un tiroteo, y que luego trabajará como una loca para elaborar una defensa basada en un trastorno mental.

—¿Tú la crees? —preguntó Chip Dailey, uno de los detectives más novatos.

Barrott se encogió de hombros.

—Creo que ella cree que él es inocente, sí. También creo que ahora no está en contacto con su hermano. Y que si él fue quien llamó al apartamento de su madre desde el teléfono móvil de Leesey, no fue más que otro de sus juegos.

Sonó el teléfono de Ahearn. Al contestar su expresión cambió, y luego dijo:

—Asegúrate de que no hay posibilidad de error. —Y cuando cortó la comunicación declaró—: Cuando Lil Kramer tenía veinticuatro años la condenaron a dos años de cárcel. Trabajaba para una anciana. Cuando la mujer murió, desaparecieron muchas joyas. Lil fue a la cárcel por robarlas.

—¿Ella lo admitió? —preguntó Barrott.

—Nunca. Eso no importa. En el juicio la condenaron. Quiero que ella y Gus Kramer vengan aquí, ahora. —Miró a su alrededor—. De acuerdo. Todos sabéis lo que tenéis que hacer. —Sus ojos se fijaron en Barrott, que estaba a punto de dormirse de pie—. Roy, vete a casa y duerme. ¿Estás realmente convencido de que Carolyn no está en contacto con su hermano?

—Sí.

—Entonces olvídate de seguirla. No tenemos nada que nos baste para detener a los Kramer, pero en cuanto salgan de aquí quiero que les sigáis a los dos.

Mientras la brigada salía en fila, Ahearn confesó algo que había dudado en decir:

—He escuchado esa grabación cien veces por lo menos. Puede que esto os parezca una locura, pero tratamos con un desequilibrado. Nosotros oímos chillar a Leesey y luego un jadeo, y oímos un balbuceo, pero luego él cuelga el teléfono. De hecho no la oímos morir.

—¿En serio crees que aún está viva? —preguntó Gaylor escéptico.

—Creo que ese estilo de juego puede estar al nivel del tipo con el que tratamos, sí.

63

Después de discutir a gritos con el detective Barrott, subí a casa y encontré en el contestador varios mensajes que demostraban que tanto Nick como Elliott estaban inquietos: «¿Dónde estás, Carolyn? Llámame por favor. Estoy preocupado por ti». Ese era de Nick. El último lo dejó a medianoche: «Carolyn, tu móvil está desconectado. Cuando llegues a casa, por favor llámame, sea la hora que sea».

Elliott había dejado tres mensajes, el último a las once y media de la noche: «Carolyn, tienes el móvil desconectado. Llámame, por favor. Estoy muy angustiado por ti. He visto a tu madre esta tarde y tengo la impresión de que emocionalmente está mucho más fuerte, pero siento como si al preocuparme de ella puedo haberte fallado a ti. Tú sabes que te tengo mucho cariño. Llámame en cuanto oigas este mensaje».

Escuchar todos esos mensajes y la preocupación en las voces de ambos fue como irrumpir en una habitación caldeada después de una tormenta de hielo. Yo les quería a los dos, pero no iba a llamar a ninguno a las tres de la madrugada. Había salido corriendo del restaurante de Martha's Vineyard sin cenar, y en aquel momento me di cuenta de que estaba hambrienta. Fui a la cocina y me tomé un vaso de leche y medio bocadillo de mantequilla de cacahuete. Llevaba años sin comer mantequilla de cacahuete, pero por alguna razón en aquel momento me apetecía.

Luego me desnudé y me desplomé en la cama. Estaba tan agobiada que pensé que no me dormiría, pero caí un minuto después de cerrar los ojos.

Entré en un laberinto de sueños dolientes, sombras suplicantes y algo más. ¿Qué era? ¿De quién era esa cara que yo intentaba ver y que se me escapaba, que se burlaba de mí? No era Mack. Soñé con él y vi a un chico de diez años, con el pelo rojizo y enmarañado, y un par de ojos enormes. El hijo de Mack. Mi sobrino. Me desperté sobre las ocho, me puse una bata y todavía medio aturdida bajé a la cocina.

Bajo la luz de la mañana, la cocina me pareció tranquilizadoramente familiar. Siempre que mamá se iba de viaje daba unas minivacaciones a nuestra asistenta. Sue venía solo una vez a la semana para airear el apartamento. Una serie de pequeños indicios me indicaron que ella había estado aquí ayer, mientras yo estaba en el Vineyard. Había leche fresca en la nevera, y el correo que yo había dejado tirado en la encimera de la cocina estaba perfectamente apilado. Casi le agradecí que hubiera venido el día que yo no estaba. No habría podido soportar su comprensión por lo de Mack.

Yo no tenía el más mínimo apetito. Pero tenía la cabeza clara, y necesitaba tomar algunas decisiones. Intenté pensar en ellas mientras me tomaba tres tazas de café.

El detective Barrott. Sinceramente pensaba que le había convencido de que yo no estaba protegiendo a Mack, pero por otro lado no le había hablado de algo que podía ser la verdadera razón de la desaparición de Mack...

Barbara me había dicho que la rabia de Bruce contra Mack era por la forma como él la había tratado. Pero quizá había mucho más que eso. Bruce siempre estuvo desesperadamente enamorado de Barbara. Era obvio que para casarse con ella había aceptado sus condiciones: «Sé el padre de mi hijo y haz que ingrese en la facultad de medicina». ¿Tuvo Bruce algo que ver con que Mack se viera obligado a huir? ¿Le amenazó? Y si fue así, ¿con qué?

Aquello simplemente no tenía ningún sentido para mí.

El hijo de Mack. Yo debía protegerle. Barbara no sabía que yo le había visto. Él estaba creciendo como hijo de una cirujana infantil y un próspero promotor inmobiliario. Tenía dos hermanas pequeñas. Yo no sería capaz de destruir aquel mundo, pero si intentaba levantar sospechas sobre Bruce, y Barrott empezaba a indagar en la relación entre Barbara y Mack antes de su desaparición, era posible que eso pasara.

Necesitaba hablar con alguien, alguien en quien pudiera confiar implícitamente. ¿Nick? No. El abogado que habíamos contratado, ¿Thurston Carver? No. Y entonces llegó la respuesta; era tan fácil que no podía creer que no se me hubiera ocurrido antes: ¡Lucas Reeves! Él había participado en la investigación desde el principio, se había entrevistado con Nick, con Barbara, con Bruce y con los Kramer. Llamé a su oficina. Solo eran las ocho y media, pero él ya estaba allí. Me dijo que pasara a verle en cuanto me fuera posible. Me dijo que él y su equipo estaban trabajando exclusivamente en descubrir quién había raptado a Leesey.

—¿Aunque sea Mack? —dije.

—Evidentemente, aunque sea Mack, pero yo no creo en absoluto que la respuesta esté relacionada con él.

Me duché, después puse la televisión y la estuve viendo mientras me vestía. La policía había informado a la prensa de que se había recibido otra llamada de Leesey: «El contenido no se ha revelado, pero una fuente policial confirmó que es altamente probable que ya esté muerta», dijo el locutor de la CNN.

Mientras me ponía unos tejanos y un jersey de algodón de manga larga, pensé que no revelar el contenido exacto de la conversación telefónica, cuando menos dejaba a Mack al margen.

Me gustan las joyas, y siempre llevo pendientes y algo en el cuello. Aquel día escogí un fina cadena de oro con una perla que papá me había dado, y luego rebusqué en el cajón los pendientes que Mack me regaló cuando cumplí dieciséis años. Era un diseño en forma de sol radiante, con un pequeño diamante en el centro. Al abrochármelos sentí que tenía cerca a papá y a Mack.

Aunque de Sutton Place al despacho de Reeves hay un kilómetro y medio más o menos, decidí caminar. Necesitaba hacer ejercicio después de haber pasado tanto tiempo en el coche los últimos días. La cuestión era cómo podía evitar a la prensa. Lo conseguí bajando al garaje y esperando unos minutos, hasta que llegó un vecino del edificio. Entonces le rogué que me llevara en su coche. Era un anciano de aspecto distinguido. Yo no le había visto nunca.

—¿Podría simplemente esconderme en el suelo del asiento de atrás, hasta que nos hayamos alejado un par de manzanas? —le supliqué.

Él me miró comprensivo.

—Señorita Mackenzie, desde luego comprendo que quiera usted escapar de la prensa, pero me temo que yo no soy quien debe ayudarla. Soy juez federal.

Era algo tan increíble que estuve a punto de echarme a reír. Pero entonces el juez señaló a alguien que acababa de salir del ascensor.

—Hola, David —dijo—. Esta joven necesita ayuda, y yo sé que tú se la proporcionarás.

Yo noté que se me ruborizaban las mejillas, y les di las gracias a ambos.

David, quienquiera que fuese, me dejó en la esquina de Park con la Cincuenta y siete. Fui andando el resto del camino; mis pensamientos eran tan dispersos como los pedazos de papel que la brisa levantaba y depositaba junto al bordillo. El mes de mayo se estaba acabando. «Oh María, hoy venimos con flores ante ti, Reina de los Ángeles, Reina de Mayo.» En la Academia del Sagrado Corazón solíamos cantarlo todos los meses de mayo, y un año, cuando yo estaba a punto de cumplir siete, fui la encargada de ponerle la corona a la imagen de la Virgen.

¡Y ahora me arrodillo en el suelo de un coche para evitar los micrófonos y las cámaras!

Cuando llegué a la oficina de Lucas Reeves, la visión de aquel hombre menudo, robusto y de una voz sonora me ayudó a volver a centrarme. Él me estrechó la mano con energía, como si supiera que yo necesitaba contacto humano.

—Pase, Carolyn. Tengo un auténtico montaje aquí dentro.

Me llevó al interior de una amplia sala de reuniones. Las paredes estaban cubiertas de fotografías en las que se habían ampliado las caras. Algunas eran de interiores, y otras era obvio que se habían hecho al aire libre.

—Estas empiezan hace diez años, cuando desapareció la primera mujer —me explicó Reeves—. Las hemos seleccionado de fotos de los periódicos, filmaciones de televisión y cámaras de seguridad. Se hicieron en las cercanías y en el interior de las discotecas donde desaparecieron las cuatro jóvenes. He invitado a los detectives de la brigada del fiscal del distrito a venir aquí y examinarlas, para ver si, quizá, alguna cara nos permite relacionar algo que hasta hoy hemos pasado por alto.

Me paseé por toda la sala, y cuando vi las caras de Mack, Nick y algunos de sus amigos en aquella primera discoteca me detuve. Parecían muy jóvenes, pensé. Luego recorrí las cuatro paredes, de un collage al siguiente, y luego al siguiente, buscando y buscando con la mirada. En un punto, me paré. Pensé, esto parece..., y luego casi me eché a reír. Qué estúpida. A aquel hombre casi no se le veía la cara, solo los ojos y la frente.

—¿Alguna cosa? —preguntó Lucas.

—No. Solo fotos obvias de Mack y Nick en aquella primera discoteca.

—De acuerdo. Pasemos a mi despacho.

Una vez allí nos pusimos cómodos. Nos trajeron el café preceptivo, y luego le conté a Lucas Reeves de lo que me había enterado en Martha's Vineyard. Él me escuchó y su expresión se fue haciendo cada vez más sombría.

—Así que ahora resulta que Mack tenía una razón muy poderosa para desaparecer. Una mujer a quien no quería estaba embarazada de su hijo. Él no quería casarse con ella. No quería ir a la facultad de derecho. Así que en lugar de arriesgarse a la indudable decepción que sus padres, especialmente su padre, habrían sentido, huyó. La inmensa mayoría de crímenes se cometen por uno de estos dos factores: amor o dinero. En el caso de Mack, el motivo primordial de su desaparición sería su falta de amor por Barbara.

Reeves se apoyó en el respaldo de su butaca.

—Hay gente que ha huido por menos. Si, y repito, si Mack estuvo involucrado en la muerte de esa primera mujer, eso explicaría también que a su antigua profesora le robaran esas grabaciones. Puede que ella, cuando la interrogaron, aparte de decir que Mack habría sido un actor excelente, no explicara los motivos de su desaparición. Pero puede que él le hubiera hecho demasiadas confidencias y creyera que tenía que recuperar sus cintas de algún modo. He estudiado los archivos. Su muerte no la provocó tanto el golpe en la cabeza, que la dejó inconsciente, como el que se dio al caer contra la acera. Eso fue lo que causó la hemorragia cerebral que le costó la vida.

Reeves se levantó y fue hacia la ventana.

—Carolyn, aquí hay preguntas que no hemos contestado aún. Incluso si su hermano fuera en parte responsable de todo esto, no creo que fuera totalmente responsable. —Se detuvo y luego añadió—: Cuando llamé al capitán Ahearn no me reveló todo el contenido del mensaje que Leesey dejó, pero me dijo que habló de Mack.

—El detective Barrott me contó lo que ella dijo.

Al pronunciar las agónicas palabras de Leesey se me bloqueó la garganta, y después repetí lo que le había gritado a Barrott.

—Y tiene usted razón. Alguien pudo obligarla a decir su nombre.

—No paro de darle vueltas al hecho de que Bruce Galbraith odie a Mack —dije yo—. De pensar en lo mucho que debía odiarle cuando Mack salía con Barbara.

Y empecé a especular.

—Supongamos que Mack acaba de huir. Supongamos que Bruce sigue teniendo miedo de que él aparezca en algún momento y de que Barbara se escape con él. Ella asegura que odia a Mack, pero yo me pregunto si eso es verdad. Mack era un ser humano muy especial. Él siempre dijo que Bruce no tenía personalidad. Cuando vi a Bruce la semana pasada, se mostró abiertamente hostil, por lo que obviamente no tuvimos una conversación normal. Pero él es un tipo de aspecto vulgar y, a pesar de su tremendo éxito, seguro que en el día a día sigue siendo esa misma persona aburrida y gris. Nick me dijo que le llamaban «el Forastero Solitario» y que estaba en la discoteca la noche que desapareció la primera chica.

Vi que Reeves sopesaba todo aquello y dijo:

—Me pregunto hasta qué punto investigaron a fondo al señor Galbraith hace diez años. Lo comprobaré.

Yo me levanté.

—No le entretendré más, Lucas —dije—. Pero estoy encantada de tenerle de mi lado —y me corregí a mí misma—, y del lado de Mack también.

—Sí, lo estoy. —Me acompañó a través de la recepción y al llegar a la puerta me miró preocupado—. Carolyn, si permite que le diga algo de tipo personal, vive usted sometida a una tensión que destrozaría al hombre más duro. ¿Hay algún sitio donde pueda ir para estar a solas o con algún amigo íntimo?

—Lo estoy pensando. Pero primero iré a visitar a mi madre, quiera verme o no. Como sabe, está en un sanatorio privado en Connecticut, donde la llevó Elliott.

—Lo sé. —Frente a la puerta Reeves volvió a cogerme la mano—. Carolyn, la totalidad de la brigada de detectives de la oficina del fiscal del distrito estará entrando y saliendo durante toda la tarde. Puede que uno de ellos localice un rostro que nos dé una pista entre este mar de caras.

Me fui andando a casa. Esta vez no intenté escabullirme al interior del edificio. Las puertas de las camionetas de prensa que habían pasado toda la noche allí se abrieron de par en par y los reporteros se me acercaron corriendo en cuanto llegué al edificio.

—Carolyn... ¿qué opina usted?

—Señorita Mackenzie, ¿hará usted un llamamiento a su hermano para que se entregue?

Me di la vuelta de cara a los micrófonos.

—Haré un llamamiento público en favor de la presunción de inocencia de mi hermano de todos esos crímenes. Recuerden que no hay ni rastro de pruebas contra él. Todo se basa en insinuaciones y suposiciones. Y permítanme recordarles a todos que hay leyes contra el libelo y penas graves por violarlas.

Entré a toda prisa, sin darles la oportunidad de contestar. Subí al apartamento y empecé a responder esas llamadas telefónicas que había estado posponiendo. La primera fue a Nick. Su alivio al oír mi voz parecía tan espontáneo que guardé aquello en un rincón de la mente para pensar en ello más adelante.

—Carolyn, no me hagas estas cosas. Lo he pasado fatal. Incluso llamé al capitán Ahearn para saber si te retenían allí. Me dijo que no había tenido noticias tuyas.

—No habían tenido noticias mías, pero sabían dónde estaba —dije yo—. Es evidente que me siguieron.

Le conté a Nick que había visto a Barbara en Martha's Vineyard, pero que el viaje había sido inútil. Seleccioné cuidadosamente la información que iba a darle.

—Estoy de acuerdo contigo. Probablemente ella se casó con Bruce para asegurarse el acceso a la facultad de medicina, pero parece que sigue respetando su parte del trato. —Tampoco pude resistir la oportunidad de atacarla—. Barbara me hizo saber que es una cirujana infantil cariñosa y devota, y que a veces, cuando pasa por la enfermería de la sala de maternidad, se acerca a un bebé que llora y le coge para consolarle.

—Barbara es así —confirmó Nick—. Carolyn, ¿cómo llevas todo esto?

—Mal. —Me di cuenta de que mi voz expresaba fatiga.

—Yo también. La policía ha vuelto a presionarnos a Benny y a mí. —Su voz se animó—: ¿Quieres saber una buena noticia? He vendido mi apartamento de Park Avenue.

Yo sonreí.

—¿Ese que te hace sentirte como Roy Rogers?

—Exactamente. Mi agente dice que el comprador tiene pensado dejar solo las paredes maestras y rehacerlo. Que tenga suerte.

—¿Y tú adónde irás?

—Al estudio. Me apetece, si es que en este momento me apetece algo. Anoche en la discoteca pescamos a una chica de diecinueve años con un permiso de conducir falso. Si le hubiéramos servido alcohol, podrían habernos clausurado el local. No me sorprendería que la hubiera enviado la policía para presionarme aún más.

—A estas alturas no me sorprendería nada —dije yo sinceramente.

—¿Cenamos juntos esta noche? Tengo ganas de verte.

—No, me parece que no. Voy a intentar hacerle una visita a mamá. Necesito ver por mí misma qué tal está.

—Yo te llevaré.

—No, he de ir sola.

—Carolyn, deja que te pregunte algo. Hace años, Mack me dijo que estabas enamorada de mí y que yo debía tener cuidado de no hacerte demasiado caso y crearte ilusiones. —Hizo una pausa, con la clara intención de mantener el tono de broma—. ¿Hay alguna forma de que pueda reavivar ese enamoramiento, o ahora se quedará en algo unilateral por mi parte?

Supe que había una sonrisa en mi voz.

—No estuvo nada bien que Mack te lo contara.

—Sí, estuvo muy bien. —La voz de Nick recuperó la seriedad—. De acuerdo, Carolyn, te dejo tranquila. Pero aférrate a la idea de que saldremos de este lío.

Yo me eché a llorar. No quería que él me oyera y colgué, pero inmediatamente me pregunté si Nick había empezado a decir «juntos», o si simplemente yo imaginé que había oído esa palabra porque deseaba desesperadamente que fuera así.

Luego se me ocurrió por primera vez la posibilidad de que mi móvil y el teléfono fijo estuvieran pinchados. Claro que debían estarlo, pensé. Barrott estaba convencido de que yo estaba en contacto con Mack. Ellos no se habrían arriesgado a no enterarse si él llamaba.

Pensé en mi conversación con Nick y me pregunté si les zumbaron los oídos cuando él sugirió que habían intentado atraparle a propósito, enviando a un menor a que consumiera alcohol en el Woodshed.

Ojalá, pensé.

64

Lil y Gus Kramer estaban tensos y nerviosos cuando se sentaron en la oficina del capitán Larry Ahearn. Él les observó atentamente para decidir cómo tratarles. Era obvio que cuando Gaylor les hizo pasar, Lil Kramer estaba a punto de tener un ataque de nervios. Le temblaban las manos. Tenía una especie de tic en un lado de la boca. Estaba al borde del llanto. ¿Debía empezar amablemente o dejarle las cosas claras? Se decidió por el método duro.

—Lil, usted no nos informó de que se había pasado dos años en la cárcel por robar unas joyas —le soltó.

Fue como si le hubiera dado un puñetazo en la boca. Ella jadeó, abrió los ojos de par en par y empezó a gemir. Gus se levantó de un salto.

—Cállese —le gritó a Ahearn—. Revise ese caso. Ella era una chica de Idaho, sin familia, que cuidaba de una anciana día y noche. ¡Ella nunca tocó esas joyas! Los primos de la anciana eran los únicos que tenían la combinación de la caja de seguridad que había en la casa. Le tendieron una trampa a Lil para quedarse no solo con las joyas, sino también con el dinero del seguro. Ojalá se pudran en el infierno.

—Nunca he conocido a nadie que haya estado en prisión a quien no le tendieran una trampa —dijo Ahearn bruscamente—. Siéntese, señor Kramer. —Y se dirigió a Lil—: ¿Mack la acusó alguna vez de robarle algo?

—Lil, no digas una palabra. Esta gente intenta tenderte una trampa otra vez.

Lil Kramer se encogió de hombros.

—No puedo impedir que lo hagan. Nadie me creerá. Justo antes de desaparecer, Mack me preguntó por su reloj nuevo, si yo lo había visto. Me di cuenta de que insinuaba que yo lo había cogido. Me enfadé tanto que le grité. Le dije: «Los del apartamento, sois los tres muy descuidados, y luego cuando no encontráis algo me echáis a mí la culpa».

—¿Quién más le echó la culpa? —preguntó Ahearn.

—Ese antipático de Bruce Galbraith. No podía encontrar su insignia universitaria, como si yo hubiera tenido algo que ver. ¿Qué habría hecho yo con eso? Después, al cabo de una semana, dijo que la había encontrado en el bolsillo de sus pantalones. Nada de disculpas, naturalmente. Nada de «Lo siento, señora Kramer». —En aquel momento Lil lloraba, lágrimas de cansancio y desesperación.

Ahearn y Gaylor se miraron, sabiendo que estaban pensando lo mismo. Eso será fácil de comprobar.

—¿Entonces usted no sabe si Mack encontró su reloj antes de su desaparición?

—No, no lo sé. Y por eso tengo tanto miedo de que cuando vuelva me acuse otra vez. —Lil Kramer empezó a gemir—. Y por eso cuando aquel día me pareció verle en la iglesia...

—¡Le pareció verle en la iglesia! —interrumpió Ahearn—. Usted nos dijo que estaba segura de que le vio.

—Vi a alguien que se le parecía, y luego cuando me enteré de que él había dejado la nota, me convencí, pero después ya no estaba segura, y ahora supongo que estoy convencida, pero...

—¿Por qué decidieron ustedes trasladarse a Pennsylvania de repente? —cortó Gaylor.

—Porque Steve Hockney, el sobrino del señor Olsen, oyó a Mack preguntarme por el reloj, y ahora Steve me amenaza con eso —gritó—. Porque quiere que nos quejemos de Howie a su tío para que le despida y... y... yo ya no puedo... aguantar... más. Solo quiero morirme. Quiero morirme...

Lil Kramer se inclinó hacia delante y se tapó la cara con las manos. Sollozaba y sus hombros menudos temblaban. Gus se arrodilló a su lado y la abrazó.

—No pasa nada, Lil —le dijo—, no pasa nada. Ya nos vamos a casa.

Levantó la mirada, primero hacia Ahearn y luego hacia Gaylor.

—Esto es lo que pienso de ustedes dos —dijo, y entonces escupió en la moqueta.

65

Cuando terminé de hablar con Nick, hice otra llamada telefónica a mi amiga psicóloga Jackie Reynolds, que había estado intentando localizarme. Naturalmente Jackie había leído los periódicos, pero desde que cenamos juntas cuando todo esto empezó no habíamos hablado demasiado. Recordé mi sospecha de que el teléfono pudiera estar pinchado y contesté a todas sus preguntas de forma muy genérica.

Yo sabía que ella se daría cuenta.

—Carolyn, he tenido un par de cancelaciones. ¿Tienes algún plan para comer?

—No.

—¿Pues por qué no vienes aquí y pedimos bocadillos y café?

Aquello me pareció bien. La consulta de Jackie linda con el apartamento donde vive, en la calle Setenta y cuatro Este y la Segunda Avenida. Cuando colgué, me di cuenta de hasta qué punto deseaba que me aconsejara sobre la visita a mamá que tenía prevista, lo cual me recordó que aún no había hablado con Elliott.

Marqué el número de su despacho y me pusieron directamente con él.

—Carolyn, cuando no consigo localizarte no sé qué pensar.

Noté el tono de reproche que había en su voz y me disculpé. Sabía que se lo debía. Le conté que había ido a Martha's Vineyard y el porqué. Luego, consciente de que probablemente tenía pinchado el teléfono, le dije que fue una visita inútil y que por la tarde iría a ver a mamá.

—Al menos lo habré intentado, aunque ella no quiera verme —le dije—. Llegaré entre las cuatro y las cinco.

—Me parece buena hora —me dijo en voz baja—. Yo también espero llegar sobre las cinco. Quiero hablar contigo y con Olivia, juntas.

Y así quedamos. Me pregunté de qué quería hablar con las dos. Seguro que, dado el frágil estado de mamá, ahora no le retiraría su apoyo. ¡Por favor, Dios, eso no! Pensé en aquella noche, solo dos semanas antes, cuando después de que Mack dejara la nota ella anunció durante la cena que había decidido dejarle vivir su propia vida. Pensé cómo ella y Elliott se miraron, y cómo él había planeado reunirse con ella en Grecia. Pensé en cómo sus hombros se rozaron cuando bajaron la calle paseando, al salir de Le Cirque. Elliott podía hacer feliz a mamá. Mamá tiene sesenta y dos años. Hay muchas posibilidades de que viva bien veinte o treinta años más, a no ser, naturalmente, que yo se los haya arruinado por haber cometido un error garrafal al reunirme con Barrott en la sala de la brigada de detectives.

Me puse una chaqueta y unos pantalones e, igual que la noche anterior en Martha's Vineyard, intenté disimular las bolsas oscuras que tenía bajo los ojos con maquillaje y darle algo de color a mi aspecto natural a base de pintalabios y rímel.

Salí del garaje, esta vez con mi propio coche y, ¡sorpresa, sorpresa!, las camionetas de prensa habían desaparecido momentáneamente. Imagino que habían entendido que por ese día ya habían conseguido todo lo posible de mí.

Cuando llegué a la calle Setenta y cuatro, dejé el coche en el garaje de Jackie y subí las escaleras. Cuando me abrió nos abrazamos.

—No hay dieta mejor que una dosis diaria de estrés —comentó—. Llevo dos semanas sin verte y diría que has perdido dos kilos o dos kilos y medio, por lo menos.

—Por lo menos —confirmé mientras la seguía a su despacho. Es una sala cómoda de tamaño medio, con un escritorio y, delante, un par de butacas tapizadas. Recordé que Jackie colecciona grabados ingleses del siglo XIX de perros y caballos, y admiré en voz alta algunos realmente maravillosos que tenía enmarcados en las paredes. Supuse que los nuevos pacientes los comentaban antes de confesar el problema que les había impulsado a buscar su ayuda.

Nos pusimos de acuerdo en pedir café solo, y jamón y queso suizo con pan de centeno, lechuga y mostaza. Ella lo pidió por teléfono y luego nos acomodamos para hablar. Yo le conté mi encuentro con Barbara, pero me callé el hecho de que ella había dado a luz al hijo de Mack. En lugar de eso, y sintiéndome poco honrada, le di la versión de Barbara de que había abortado.

—Es factible que Mack huyera por un motivo así —reconoció ella—. Pero supón por un momento que él hubiera acudido a tu padre y/o a tu madre. ¿Qué crees que hubiera hecho él o qué habrían hecho los dos?

—Apoyarles en su decisión de casarse y tener el niño. Hacer que Mack fuera a la facultad de derecho.

—¿Y Barbara a la facultad de medicina?

—No lo sé.

—Yo conocía bien a tu padre, y desde luego no habría aprobado que Mack intentara ser actor.

—Eso seguro, estoy de acuerdo.

Luego le conté a Jackie cómo me preocupaba que mientras Mack fuera sospechoso, o si llegaban a detenerle y le llevaban a juicio, Elliott reconsiderara su intención de casarse con mamá.

—A mí también me preocuparía —reconoció Jackie con franqueza—. Para la gente como Elliott las apariencias son muy importantes. Yo conozco a alguien así. Tiene la edad de Elliott más o menos, es viudo y una de las personas más agradables que puedas imaginarte, pero es un esnob. Yo le dije en broma que él preferiría morirse antes que salir con una persona que no fuera alguien en los círculos sociales, sin importarle si ella es muy íntegra o muy atractiva.

—¿Qué contestó cuando se lo le dijiste? —le pregunté a Jackie.

—Se puso a reír, pero no lo negó.

La recepcionista llamó para decir que el pedido estaba de camino. Nos acomodamos para comer y Jackie empezó a recordarme mis planes de solicitar un puesto en la oficina del fiscal del distrito. Entonces pensé que bien podía haberse mordido la lengua. ¿Alguien se imagina que el fiscal del distrito de Manhattan contrate a la hermana de un presunto asesino?

66

Durante toda la tarde, o bien solos o bien por parejas, los miembros de la brigada de detectives pasaron por la oficina de Lucas Reeves y examinaron las fotografías que él había preparado para que las estudiaran. A veces se entretuvieron en una o varias imágenes. Examinaron la foto ampliada del aspecto que Mack Mackenzie tendría en la actualidad. Algunos se dedicaron a compararla con un primer plano que había en la pared, pero finalmente todos acabaron encogiéndose de hombros, frustrados y decepcionados.

Roy Barrott llegó el último, a las cinco menos cuarto. Se había ido a casa y estuvo tres horas durmiendo como un tronco. En aquel momento, recién afeitado y ya despejado, se paseaba con mucho interés entre cientos de fotogramas, mientras Lucas Reeves esperaba pacientemente en su despacho.

Finalmente, a las siete y cuarto, cuando Lucas fue a verle, Barrott se rindió.

—Al principio todas me parecen familiares. No sé por qué, pero tengo la sensación de que aquí hay algo que se me escapa —dijo, y señaló la pared con la mano.

Lucas Reeves frunció el ceño.

—Es curioso. Carolyn Mackenzie se paró en esta misma zona. Me pareció que algo le interesaba, pero al final no debió verlo claro. En caso contrario, estoy seguro de que habría dicho algo.

Barrott volvió a ponerse frente a las fotos.

—No conseguiremos nada, al menos esta noche.

Reeves rebuscó en su bolsillo y sacó una tarjeta.

—Le he anotado mi número de teléfono. Si se le ocurre cualquier cosa y quiere volver aquí a la hora que sea, llámeme y daré instrucciones a los guardias de seguridad para que le dejen entrar inmediatamente.

—Me parece muy bien, gracias.

Barrott volvió al local de la brigada y descubrió que allí se respiraba una renovada energía. Ahearn, con la corbata deshecha y la cara cansada y demacrada, se paseaba arriba y abajo de la oficina.

—Puede que tengamos algo —le dijo—. Steve Hockney, el sobrino del propietario del edificio de apartamentos donde vivía Mackenzie, tiene antecedentes como delincuente juvenil. Lo hemos examinado, son delitos graves, pero ninguno violento. Tráfico de marihuana, robo con allanamiento de morada y hurto. Su tío pudo contratar buenos abogados que le consiguieron un par de años en un correccional juvenil. Según Lil Kramer, Hockney utilizó que el reloj de Mack hubiera desaparecido para coaccionarla. Lo del reloj fue solo un día o dos antes de su desaparición. Estamos buscando a Hockney. Su grupo actúa regularmente en locales del SoHo y Greenwich, y él usa muchos trajes distintos, e incluso peluca y maquillaje para cambiar de aspecto.

—¿Y qué hay de las otras cosas que te dijeron los Kramer?

—Hablamos con Bruce Galbraith. Es un tipo muy frío. Admite que le preguntó a Lil Kramer por su insignia universitaria, pero dice que ella le malinterpretó. Él no la estaba acusando. Dice que simplemente le preguntó si la había visto mientras limpiaba. Ella se enfadó muchísimo, se puso echa una furia. Conociendo su pasado, es comprensible que ante una pregunta como esa reaccionara de forma exagerada.

Bob Gaylor había entrado mientras Ahearn hablaba.

—Nuestra gente acaba de localizar al tío de Hockney, Derek Olsen, el anciano propietario de los edificios. Nos confirmó que había una rivalidad entre su ayudante, Howard Altman, y su sobrino Steve. Dice que está harto de los dos. Dejó mensajes en los teléfonos de ambos diciendo que ha vendido todas sus propiedades y que mañana por la mañana las máquinas de derribo entrarán en el solar de la calle Ciento cuatro. Nosotros no le dijimos que estamos buscando al sobrino. Le dijimos que queríamos confirmar la versión de los Kramer.

—¿Qué dijo sobre ellos?

—Que son buena gente, muy trabajadores. Que les confiaría todo lo que tiene.

—¿Tenemos fotografías de Hockney? —preguntó Barrott—. Quiero compararlas con una cara que acabo de ver en el despacho de Reeves. Tengo la sensación de que se me escapa algo.

—Encima de mi mesa hay una foto publicitaria de él con su grupo —le dijo Ahearn—. Nuestros hombres han recogido montones en la calle.

Barrott empezó a rebuscar entre el revoltijo de la mesa de Ahearn y levantó una foto que había allí.

—Este es —dijo en voz alta.

Ahearn y Gaylor se le quedaron mirando.

—¿De qué hablas? —preguntó Ahearn.

—Hablo de este tipo —dijo señalándole—. ¿Dónde está esa otra fotografía de Leesey posando para su amiga donde aparece Nick DeMarco al fondo?

—Una de las copias está allí, en aquel montón.

Barrott hurgó; después gruñó de satisfacción y dijo:

—Aquí está.

Levantó las dos fotografías y las comparó. Al cabo de un segundo, marcaba el número del móvil de Lucas Reeves.

67

Como era de esperar, el sanatorio donde estaba mamá era casi tan lujoso por dentro como por fuera, tal como yo había imaginado que sería cualquier lugar que Elliott hubiera escogido para ella. Alfombras mullidas, iluminación suave y pintura de calidad en las paredes. Llegué allí sobre las cuatro y media, y la recepcionista había sido perfectamente informada de mi llegada.

—Su madre la está esperando —me dijo, con una de esas melodiosas voces profesionales que me pareció acorde con el escenario—. Su suite está en el cuarto piso y tiene una preciosa vista de los jardines.

Se levantó y me condujo al ascensor, una pieza profusamente decorada con un asiento de terciopelo en el interior y ascensorista.

Mi acompañante susurró:

—La suite de la señora Olivia, por favor, Mason.

Yo me acordé de que en algunas de esas residencias psiquiátricas de lujo los apellidos no se mencionan en público. Menos mal, pensé. Los demás pacientes no tenían por qué saber que la señora de Charles Mackenzie padre estaba entre ellos.

Al llegar al cuarto piso, salimos y recorrimos el pasillo hasta la suite de la esquina. Después de llamar a la puerta, mi acompañante la abrió.

—Señora Olivia —dijo con una voz ligeramente más alta, pero que seguía teniendo entonación de escuela de señoritas.

La seguí al interior de una salita exquisita. Yo había visto fotografías de las suites del Plaza Athénée de París y me sentí como si estuviera entrando en una. Entonces mamá apareció en el umbral del dormitorio. Mi acompañante se marchó sin más palabras y mamá y yo nos miramos la una a la otra.

Al verla, me invadieron todos los sentimientos encontrados, la montaña rusa de emociones que yo había experimentado la semana anterior, cuando mamá se refugió en el apartamento de Elliott. Culpa. Rabia. Amargura. Luego todo eso desapareció y lo único que sentí fue amor. Sus preciosos ojos estaban llenos de dolor. Me miraba dubitativa, como si no supiera qué esperar de mí.

Yo me acerqué a ella y la abracé.

—Lo siento mucho —le dije—. Lo siento muchísimo. Supongo que no tiene importancia la cantidad de veces que me he dicho a mí misma: «Si no hubiera intentado encontrar a Mack». Solo puedo decirte que daría mi vida por borrarlo, pero no puedo.

Entonces ella empezó a acariciarme el pelo como cuando yo era pequeña y estaba preocupada por algo. Eran manos cariñosas y reconfortantes, y supe que me había perdonado por lo que hice.

—Carolyn, lo superaremos —dijo—. No importa cómo acabe. Si Mack ha hecho todo lo que dicen que ha hecho, hay una cosa de la que estoy convencida: no está en sus cabales.

—¿Qué te han contado exactamente? —le pregunté.

—Creo que todo. Ayer le dije a mi psiquiatra, el doctor Abrams, que ya no quería seguir aquí, protegida. Puedo pedirle el alta cuando quiera, pero preferiría tener la posibilidad de seguir hablando con él mientras voy digiriendo todo lo que tenga que saber.

Esa era la madre que pensé que había perdido, la que mantuvo cuerdo a papá cuando Mack desapareció, aquella cuyo primer pensamiento fue para mí cuando supo que papá había muerto el 11 de septiembre. Yo había terminado el segundo curso en Columbia y casualmente había dormido en casa, y aún estaba durmiendo cuando chocó el primer avión. Mamá lo había visto con sus propios ojos, horrorizada. El despacho de papá estaba en el piso 103 de la Torre Norte, la que recibió el primer impacto. Ella había intentado telefonearle y de hecho consiguió hablar con él.

—Liv, el fuego está por debajo de nosotros —dijo él—. No creo que salgamos de esta.

Se cortó la comunicación y minutos después ella vio cómo la torre se derrumbaba. Me dejó dormir hasta que yo misma me desperté, unos cuarenta y cinco minutos después. Abrí los ojos y me la encontré sentada en mi habitación, con los ojos llenos de lágrimas. Luego me acunó en sus brazos y me fue contando lo que había pasado.

Mi madre era así, hasta que la llamada anual de Mack, año tras año, del día de la Madre la destrozó.

—Mamá, si aquí te encuentras cómoda, me gustaría que te quedaras un poco más. Tal como están las cosas ahora en Sutton Place allí no estarías a gusto, y si vuelves al apartamento de Elliott, en cuanto los periodistas se enteraran también irían a molestarte.

—Eso lo entiendo, pero Carolyn, ¿y tú qué? Ya sé que tú no vendrías aquí, pero ¿no hay algún otro sitio donde puedas esconderte de ellos?

Puedes correr pero no puedes esconderte, pensé.

—Mamá, creo que es necesario que yo esté visible y disponible —le dije—. Porque hasta que no tengamos pruebas irrevocables de lo contrario, seguiré pensando que Mack es inocente y así lo juraré públicamente.

—Eso es exactamente lo que hubiera hecho tu padre. —En aquel momento mamá sonrió, con una sonrisa auténtica—. Ven, siéntate. Me gustaría que nos tomáramos un cóctel, pero aquí eso no es posible. —Me miró un poco nerviosa—: ¿Sabes que Elliott va a venir?

—Sí. Tengo ganas de verle.

—Para mí ha sido como una roca.

Admito que sentí una punzada de celos, y luego me sentí culpable por ello. Elliott era una roca. Dos semanas antes, mamá había dicho que yo era su cayado y su apoyo. Mi sentimiento de culpa se evaporó en cuanto recordé que Elliott podría estar a punto de anunciar que necesitaba alejarse de nuestros problemas. Las palabras de Jackie volvían a revolotear en mi cerebro: «Para las personas como Elliott las apariencias son muy importantes».

Pero cuando llegó todos mis miedos resultaron ser totalmente erróneos. De hecho, a su manera entrañable y formal, deseaba que le diera mi bendición para casarse con mamá. Se sentó a su lado en el sofá y se dirigió a mí muy serio.

—Carolyn, supongo que sabes que yo siempre he estado enamorado de tu madre. Siempre pensé en ella como en una estrella luminosa que no estaba a mi alcance. Pero ahora, en un momento muy difícil de su vida, sé que puedo ofrecerle la protección de un marido.

Yo supe que tenía que advertirle.

—Elliott, has de ser consciente de que si algún día Mack va a juicio acusado de ser un asesino en serie habrá una publicidad espantosa. Puede que al tipo de clientes que tú tienes no les guste que su asesor financiero aparezca regularmente en la prensa amarilla.

Elliott miró a mi madre, luego a mí, y dijo con una especie de brillo en los ojos:

—Carolyn, eso es exactamente lo mismo que me ha dicho tu madre, palabra por palabra. Te prometo una cosa: preferiría decirles a todos mis distinguidos clientes que se fueran al infierno antes de renunciar a un día junto a tu madre.

Cenamos en uno de los salones privados. Fue una celebración sencilla. Me pareció bien su plan de casarse tan pronto y tan discretamente como fuera posible. Aquella noche me fui a casa sintiéndome mucho mejor con respecto a mamá, pero también con la extraña sensación de que Mack estaba intentando ponerse en contacto conmigo. Casi podía sentir su presencia en el coche. ¿Por qué?

En Sutton Place seguía sin haber rastro de prensa. Me fui a la cama y escuché las noticias de las once. Emitieron un fragmento con parte de mi declaración a la prensa, donde yo aparecía a la defensiva y exaltada. Para entonces ya se había filtrado, o habían permitido que se filtrara, que Leesey había llamado Mack a su raptor.

Apagué el televisor. Al cerrar los ojos pensé: amor o dinero. Según dijo Lucas Reeves esas eran las causas de la mayoría de crímenes. Amor o dinero. O ausencia de amor, en el caso de Mack.

A las tres de la madrugada oí el timbre del interfono. Salté de la cama y corrí al piso de abajo para contestar. Era el conserje.

—Lo siento muchísimo, señorita Mackenzie —dijo—, pero alguien acaba de entregarle una nota al portero y ha dicho que era cuestión de vida o muerte que usted la recibiera inmediatamente.

Dudó un poco, y luego dijo:

—Con toda esa publicidad, puede que sea una broma horrible que se le haya ocurrido a alguien, pero...

—Mándemela —le interrumpí.

Me quedé en la puerta esperando, hasta que Manuel bajó al vestíbulo y me trajo un sobre blanco corriente. Dentro había una hoja con una nota manuscrita. Decía: «Carolyn, te mando esto por mensajero porque puede que tu teléfono esté pinchado. Mack acaba de llamarme. Quiere vernos a los dos. Nos espera en la esquina de la calle Ciento cuatro con Riverside Drive. Nos encontraremos allí. Elliott».

—Ahí está —gritó Barrott—, en la calle, delante del Wood-shed, la noche que Leesey desapareció. Si miras desde el ángulo desde donde le captó la cámara de seguridad, verás que él veía la mesa de DeMarco. Y ahí está otra vez, en el mismo plano que DeMarco, mirando a Leesey mientras ella posaba para su compañera de piso.

Barrott y Gaylor estaban en el despacho de Lucas Reeves, acompañados del guardia de seguridad, que les había autorizado la entrada. Habían examinado centenares de fotografías en los montajes que había en la pared, hasta que pudieron localizar la cara que buscaban.

—Aquí hay otro que también parece él, pero con el pelo más corto —dijo Gaylor, con un evidente matiz de nerviosismo en la voz.

Eran las diez y media. Sabían que les esperaba una noche muy larga y volvieron a toda prisa a la oficina para empezar a procesar la información sobre otro sospecho potencial.

El miércoles por la noche Lucas Reeves no durmió bien. La frase «amor o dinero» le martilleaba el cerebro como si fuera una cantinela. A las seis de la madrugada se despertó y le vino a la mente la pregunta que se le había estado resistiendo. ¿A quién le interesaría que alguien que ha muerto parezca vivo?

Amor o dinero.

Dinero, naturalmente. Aquello empezaba a encajar como las piezas de un puzzle. Si él tenía razón, era algo estúpidamente simple. Lucas era famoso por levantarse temprano y nunca le importó despertar a alguien cuando necesitaba la respuesta a una pregunta. Aquella vez, afortunadamente, su consejero era un conocido abogado patrimonialista, que también se levantaba temprano.

—¿Un fideicomiso puede anularse o siempre es sagrado? —le preguntó Lucas repentinamente.

—Anularlo nunca es fácil, pero normalmente, si hay una razón válida y legítima, el albacea consigue la autorización para revisarlo.

—Eso es lo que yo pensaba. No te molesto más. Gracias, amigo.

—Cuando quieras, Lucas. Pero la próxima vez que no sea antes de la siete, ¿vale? Yo me levanto pronto, pero a mi mujer le gusta dormir.

70

Me puse unos pantalones, me calcé unas sandalias, cogí un impermeable largo para taparme la chaqueta del pijama, corrí al ascensor y, mientras cruzaba el vestíbulo a la carrera, me guardé la nota de Elliott en el bolso. Con las prisas por encontrarme con Mack antes de que cambiara de opinión respecto a verme, olvidé que el parking cerraba a las tres de la madrugada. Manuel me lo recordó cuando le dije que iba al garaje.

Hice la única cosa que podía hacer: salir a la calle y mirar frenética a mi alrededor buscando un taxi. En Sutton Place no había ninguno, pero cuando doblé la esquina de la calle Cincuenta y siete vi venir a uno de esos taxistas pirata. Moví los dos brazos para que me viera y él debió de pensar que estaba loca, pero se paró. Yo entré y él giró en redondo en dirección oeste.

Cuando llegamos a la esquina de la calle Ciento cuatro con Riverside Drive, allí no había nadie. Pagué al taxista y salí a aquella calle silenciosa. Entonces vi una camioneta aparcada al final de la manzana, y, aunque las luces estaban apagadas, tuve el presentimiento de que Elliott y Mack podían estar dentro. Me acerqué más para verla mejor y fingí buscar una llave, como si fuera a entrar al edificio de apartamentos que tenía más cerca. En la acera de enfrente vi un gran solar en construcción, junto a una casa unifamiliar, vieja y deshabitada, en la esquina.

Entonces salió un hombre del oscuro umbral del edificio de

al lado. Por un momento pensé que era Elliott, pero luego vi que era alguien mucho más joven, cuya cara me era familiar. Le reconocí, era el representante del propietario del edificio de apartamentos de Mack. Le había conocido la primera vez que fui a ver a los Kramer, y el lunes, cuando salí llorando de su apartamento, había hablado con él.

¿Qué demonios está haciendo ahora aquí?, me pregunté. Y ¿dónde está Elliott?

—Señorita Mackenzie —dijo con prisas—. No sé si me recuerda. Soy Howard Altman.

—Le recuerdo. ¿Dónde está el señor Wallace?

—Está con un individuo que me encontré instalado en ese solar. Es propiedad del señor Olsen —señalaba la casa desocupada de la esquina—. Aunque está cerrada, de vez en cuando vengo a vigilar. El tipo que encontré me dio cincuenta dólares para que llamara al señor Wallace de su parte, después el señor Wallace me prometió cincuenta más si escribía un mensaje para usted y se lo hacía llegar.

—¿Están dentro de ese edificio? ¿Cómo es el otro hombre?

—Tendrá unos treinta años, creo. Se puso a llorar cuando el señor Wallace entró. Los dos lloraban.

Mack estaba allí dentro, intentando esconderse en esa ruina que se caía a pedazos. Seguí a Howard Altman hasta la acera de enfrente y a lo largo de la verja del solar hasta la puerta de atrás de la casa. Él abrió y me hizo un gesto para que entrara, pero cuando vi aquel interior lóbrego me entró el pánico y di un paso atrás. Sabía que algo no iba bien.

—Pídale al señor Wallace que salga —le dije a Howard.

Su respuesta fue agarrarme y meterme dentro de la casa. Yo estaba tan sorprendida que no me resistí. Cerró la puerta de golpe y, antes de que yo pudiera gritar o luchar para liberarme, me empujó escaleras abajo. En algún momento, al caerme, me di un golpe en la cabeza y me quedé inconsciente. No sé cuánto tiempo tardé en abrir los ojos. Estaba muy oscuro. El aire que respiraba era nauseabundo.

Noté que tenía la cara cubierta de sangre. La cabeza me daba vueltas y a mi pierna derecha le pasaba algo malo. La tenía doblada debajo de mí y me dolía de forma lacerante.

Entonces noté que a mi lado se movía algo y oí el quejido de una voz susurrante:

—Agua, por favor, agua.

Intenté moverme pero no pude. Pensé que me había roto la pierna. Hice la única cosa que se me ocurrió. Me humedecí un dedo en la boca y busqué a tientas en la oscuridad hasta que pude encontrar los labios resecos de Leesey Andrews.

71

Por culpa de su artritis galopante, Derek Olsen se despertaba a menudo durante la noche, con un dolor agudo en las caderas y las rodillas. El miércoles por la noche, cuando sus doloridas articulaciones le despertaron, ya no pudo volver a dormirse. La llamada de la policía en relación con su sobrino Steve significaba, naturalmente, que volvía a estar metido en líos. Tanto peor para los cincuenta mil dólares que iba a dejarle, pensó Olsen. ¡Ya podía esperarlos sentado!

Lo único que le hacía ilusión era que al cabo de unas horas disfrutaría viendo cómo la máquina de derribo hacía pedazos aquella vieja casa en ruinas. Cada cascote que vuele por el aire representa el dinero que he ganado con la venta, pensó satisfecho. No me extrañaría que el propio Doug Twining condujera la máquina. Hasta ese punto llega su enfado por haber tenido que pagarme tanto dinero.

Aquel pensamiento placentero le consoló tanto que en algún momento antes de que amaneciera cayó en aquel sueño profundo que normalmente le duraba hasta las ocho. Pero el jueves por la mañana su teléfono sonó a las seis. Era el detective Barrott que quería saber dónde estaba Howard Altman. No había vuelto a su apartamento en toda la noche.

—¿Se cree que soy su niñera? —preguntó Olsen quejoso—. ¿Me despierta usted para preguntarme dónde está Altman?

¿Cómo quiere que lo sepa? Yo no salgo con él por ahí. Él trabaja para mí.

—¿Qué tipo de coche tiene Howard? —preguntó Barrott.

—Cuando me lleva a mí, conduce mi monovolumen. No creo que tenga coche propio. Ni me importa.

—¿Alguna vez utiliza su monovolumen por las noches?

—Que yo sepa no. Más le vale. Es un Mercedes.

—¿De qué color?

—Negro. ¿Cree usted que yo querría uno rojo a mi edad?

—Señor Olsen, es imprescindible que hablemos sobre Howard —dijo Barrott—. ¿Qué sabe usted de su vida privada?

—No sé nada. No quiero saber nada. Lleva casi diez años trabajando para mí. Ha hecho un trabajo bastante satisfactorio.

—¿Comprobó usted sus referencias cuando le contrató?

—La recomendación tenía un origen impecable: mi asesor financiero, Elliott Wallace.

—Gracias, señor Olsen. Que pase un buen día.

—Ya casi me lo ha estropeado usted. Ahora estaré cansado todo el día. —Derek Olsen colgó el auricular de golpe. Pero no me lo ha fastidiado totalmente, pensó imaginándose la máquina de derribo acertando de pleno en su hucha.

Al otro lado del teléfono, Barrott apenas podía reprimir el júbilo.

—Elliott Wallace le recomendó para el trabajo —dijo.

—Eso liga con la teoría de Lucas Reeves —ratificó Ahearn—. Pero hemos de actuar con calma. Wallace es un pez gordo de Wall Street.

—Sí, pero en caso de que su juego sea ese, no sería el primer albacea que echa mano de los fondos de sus clientes —dijo Barrott—. ¿Algún resultado con las huellas dactilares?

—Aún no. No podemos asegurar de manera concluyente que las que obtuvimos en la puerta de entrada del apartamento de Howard sean suyas, pero de todas formas las estamos analizando. Apostaría a que ese tipo está fichado —dijo Gaylor.

Barrott miró su reloj.

—El guardia de seguridad del edificio de Wallace nos ha asegurado que suele salir a las ocho y media. Le estaremos esperando.

72

Una vez más, Carolyn no contestaba al móvil. Nick la telefoneó el jueves por la mañana a las ocho en punto con idea de invitarla a desayunar. Quería verla. Necesito verla, pensó. La había visto en las imágenes del informativo de última hora defendiendo apasionadamente a Mack.

Quería saber qué tal le fue en la visita a su madre. Sabía cómo le había dolido que su madre se negara a verla.

Al menos tenía el móvil conectado. Estaba sonando. Había estado desconectado el lunes por la tarde y el martes todo el día. La persistente sensación de que algo iba mal hizo que Nick decidiera pasarse por Sutton Place y asegurarse de que ella estaba en casa.

El conserje de la mañana acababa de empezar el turno.

—No creo que haya vuelto aún —dijo, cuando Nick le preguntó por Carolyn—. Creo que recibió un mensaje urgente a las tres de la madrugada y salió a toda prisa. Alguien le entregó una nota al portero y le dijo que era un asunto de vida o muerte. Espero que no pase nada malo.

Algo va mal, pensó Nick nerviosísimo, y se puso a marcar el número del detective Barrott que, a estas alturas, ya le era familiar.

73

—Gracias por recibirnos, señor Wallace —dijo Barrott educadamente.

—No hay de qué. ¿Hay alguna novedad sobre Mack? —preguntó Elliott.

—No, me temo que no, pero hay un par de asuntos que usted puede ayudarnos a aclarar.

—Por supuesto —dijo, e hizo un gesto a los detectives para que se sentaran.

—¿Conoce usted a Howard Altman?

—Sí, le conozco. Trabaja para Derek Olsen, un cliente mío.

—De hecho, ¿no fue usted quien recomendó a Altman al señor Olsen hace diez años?

—Creo que sí.

—¿De qué conocía al señor Altman?

—No estoy seguro. Por lo que recuerdo, un antiguo cliente había vendido unas propiedades inmobiliarias y quería recolocarle.

Elliott se mostraba totalmente inexpresivo.

—¿Quién era ese cliente?

—No sé si me acordaré. Traté con él poco tiempo. Pero aquello fue una de esas coincidencias. Olsen había estado aquí y comentó que le estaba costando muchísimo encontrar buenos colaboradores, y yo le di el nombre de Altman.

—Ya veo. Realmente le agradeceríamos que nos diera el nombre de ese cliente, y estoy seguro de que a usted le gustaría encontrarle. Altman podría ser sospechoso del rapto de Leesey Andrews, lo cual limpiaría el nombre de Mack Mackenzie, naturalmente.

—Para mí cualquier cosa que limpie el nombre de Mack es inestimable —le dijo Elliott a Barrott, y su voz tembló de emoción.

Barrott le observó, se fijó en el precioso traje a medida, en la camisa blanca, limpia y almidonada, en la bonita corbata azul y roja. Vio cómo Wallace se quitaba las gafas, las limpiaba y volvía a ponérselas. ¿Qué hay en este tipo que estoy mirando?, se dijo. Son los ojos y la frente. Le parecían familiares. Luego se dijo: ¿Es posible? Dios mío, se parece a Altman. Le hizo un gesto a Gaylor para que siguiera con el interrogatorio.

—Señor Wallace, ¿es cierto que usted es el albacea de las propiedades inmobiliarias de Mack Mackenzie?

—Soy albacea de todo el fideicomiso de la familia Mackenzie.

—¿El único albacea?

—Sí.

—¿Cuáles son los términos del fideicomiso de Mack?

—Lo instituyó su abuelo. Él no recibirá los fondos hasta que cumpla cuarenta años.

—Entretanto, naturalmente, continúa incrementándose.

—Ciertamente. Está muy bien invertido.

—¿Qué pasaría si Mack muriera?

—Los fondos pasarían a sus hijos, y si no tuviera ninguno, a su hermana Carolyn.

—¿Podría Mack haber pedido un adelanto de sus fondos por un motivo que a usted, como albacea, le pareciera razonable?

—Tendría que ser verdaderamente razonable. Su abuelo no quería que su heredero fuera un vividor.

—¿Qué pasaría si estuviera a punto de casarse y si su futura esposa estuviera embarazada de su hijo; si no quisiera que sus padres siguieran manteniéndole; si quisiera pagarse la universidad y quisiera pagar los estudios de medicina de su esposa? ¿Sería todo eso una razón válida y suficiente para que utilizara los fondos?

—Podría serlo, pero esa situación no se dio. —Elliott Wallace se puso en pie—. Como usted comprenderá, tengo una agenda muy llena y...

Sonó el móvil de Barrott. Era Nick DeMarco. Barrott le escuchó, e intentó que su expresión se mantuviera inescrutable. Carolyn Mackenzie había desaparecido. La nueva víctima, pensó.

Wallace, con el brazo extendido, pretendía hacerles salir de su despacho. Lucas Reeves tiene razón, pensó Barrott. Todo encaja. Y decidió engañar a Wallace con una información falsa.

—No tan deprisa, señor Wallace —dijo—. No nos vamos a ninguna parte. Howard Altman está retenido, y está alardeando sobre los raptos. Alardea de trabajar para usted —Barrott hizo una pequeña pausa—. Usted no nos dijo que es familiar suyo.

Finalmente Wallace dio alguna muestra de nerviosismo.

—Oh, pobre Howie —suspiró. Apoyó una mano en el escritorio y la otra en el primer cajón—. Está completamente trastornado, naturalmente.

—No, no está trastornado —replicó Barrott.

Elliott volvió a suspirar.

—Mi sobrino psicópata prometió morir de forma sobrecogedora y llevarse a Carolyn y a Leesey con él. Ni siquiera ha sabido hacer eso bien.

Con un rápido movimiento, Elliott Wallace sacó una pequeña pistola del cajón de su escritorio y se la llevó a la frente.

—Como hubiera dicho el primo Franklin: «Compatriotas americanos, adiós» —dijo, y apretó el gatillo.

74

Larry Ahearn estaba en la sala de la brigada cuando recibió la llamada de Barrott.

—Larry, teníamos razón sobre Wallace. Acaba de volarse el cerebro. Antes de hacerlo, nos dijo que Altman es su sobrino. Dijo que Altman tiene a Leesey y a Carolyn, y que las matará y luego se suicidará. Pero no nos dijo dónde están.

Ahearn absorbió aquella extraordinaria información con una calma gélida.

—Durante las últimas horas, tampoco hemos conseguido localizar esos teléfonos —dijo—. O bien están desconectados o en una zona de la que no recibimos señal. ¿Y qué hay de Altman? Debe de tener un teléfono móvil. Voy a llamar a Olsen, su jefe, por otra línea. No cuelgues.

75

Derek Olsen llevaba una silla plegable en la mano y estaba a punto de salir y recorrer a pie la manzana para ver cómo la máquina de derribos destruía su vieja casa unifamiliar. La segunda llamada de los detectives le irritó, pero le irritó aún más el motivo de la misma.

—Claro que Howie tiene móvil. ¿Y quién no? Claro que sé su número. Es 917 555 6262. Pero le diré una cosa. Este es el que pago yo. Me envían a mí la factura. La controlo al céntimo. Solo llamadas profesionales. Supongo que tiene otro. ¿Cómo quiere que lo sepa? Ahora voy a disfrutar un rato. Adiós.

Mientras Barrott esperaba al teléfono a que Ahearn hablara con Olsen, el detective Gaylor se disponía a acordonar la zona rápidamente. Cerró la puerta de la oficina de Wallace con una mano y con la otra llamó al 911 con su móvil.

Entonces oyó que Barrott reaccionaba con virulencia a lo que Ahearn le decía.

—¡El móvil que Olsen te ha dado de Altman está desconectado! Pero, espera un momento, Wallace no sería tan estúpido como para llamar a Altman por esa línea. Debe haber otro número que utiliza para ponerse en contacto con él. No cuelgues, Larry.

Con dos zancadas, Barrott cruzó la habitación, se arrodilló junto al cuerpo de Wallace y rebuscó en sus bolsillos.

—¡Aquí está!

Sacó un móvil pequeño de última generación, lo abrió y buscó en el directorio. Tiene que ser este, pensó al ver las iniciales H.A. Pulsó 5 y luego el botón de llamada y, musitando una oración, se puso el teléfono en la oreja.

El timbre sonó dos veces y luego contestaron:

—Tío Elliott —dijo una voz tensa y aguda—, ya nos despedimos anoche. Yo no quiero hablar más. Solo quedan unos minutos.

La comunicación se cortó. Al cabo de unos segundos, Barrott hablaba de nuevo por su teléfono móvil y le dio el número de Howard Altman a Ahearn, que esperaba con nerviosismo, para que él se lo diera a los expertos en telefonía para que lo localizaran.

76

Él bajó al sótano tres veces durante aquella larga noche. Mientras yo yacía junto a Leesey en aquel suelo húmedo y sucio, con espasmos de dolor en la pierna, la cara cubierta de sangre seca y los dedos entrelazados con los de Leesey, él rió y lloró, y gimió y se burló, alternativamente. Yo temía el sonido de pisadas en la escalera, sin saber si aquel sería el momento en el que decidiría matarnos.

—¿Te acuerdas de Zodiac, el asesino? —dijo entre sollozos la primera vez que bajó—. Él no quiso seguir con aquello. Yo tampoco. Escribió una carta a los periódicos sabiendo que así podían localizarle. Yo también escribí una, pero la rompí. La culpa me corroe, pero no quiero ir a la cárcel. La primera chica tenía dieciséis años. Yo me olvidé de aquello. Luego volvió a pasar. Yo era conserje de un inmueble y la hija del encargado era muy guapa. Cuando encontraron su cuerpo, sospecharon de mí. Mi madre me envió a Nueva York para que estuviera con su querido hermano mayor, mi tío, Elliott Wallace...

¡Elliott Wallace! ¡Tío Elliott! Pero eso es imposible, pensé, eso no puede ser.

Sentí su aliento en la mejilla.

—Tú no me crees, ¿verdad? Deberías. Mi madre le dijo que si no me ayudaba ella haría pública la estafa en la que estaba metido. Pero incluso antes de conocerle, volvió a pasar, cuando yo acababa de llegar a Nueva York, aquella primera chica de la discoteca. Yo cargué con su cuerpo y lo tiré al río. Luego conocí al tío Elliott y se lo conté, le dije que lo sentía, y que él tenía que conseguirme un trabajo o yo iría a entregarme a la policía y le contaría a la prensa que él era un farsante.

La voz de Altman adoptó un matiz sarcástico.

—Naturalmente, él dijo que me encontraría un trabajo. —Sus labios rozaron mi frente—. Ahora me crees, ¿verdad Carolyn?

La respiración de Leesey se había convertido en un leve quejido de terror. Yo le acaricié la mano.

—Te creo —dije—. Sé que me estás diciendo la verdad.

—¿Sabes que lo siento?

—Sí, lo sé.

—Eso está bien.

Estaba tan oscuro que yo no podía verle, pero noté que se había alejado de nosotras. Luego le oí subir las escaleras otra vez. ¿Cuánto tardaría en volver a bajar?, me pregunté desesperada. Yo había sido tonta. No le había dicho a nadie adónde había ido. Podían pasar horas antes de que alguien me buscara. Nick, pensé. Nick, preocúpate. Piensa que pasa algo malo. Búscame. Búscanos.

Creo que pasaron un par de horas, y entonces grité. Él había sido tan silencioso que yo no le había oído volver. Me tapó la boca con las manos.

—Gritar no sirve de nada, Carolyn —dijo él—. Leesey chilló al principio. Yo bajé y le conté que su foto salía en los periódicos. Ella no quiso grabar aquellos mensajes para su padre, pero le dije que si lo hacía a lo mejor la dejaba marchar. Pero no pensaba hacerlo. Y ahora no vuelvas a gritar. Si lo haces, te mataré.

Volvió a irse. La cabeza me iba a estallar. La pierna me dolía de un modo insoportable. ¿Intentarían localizarme Lucas Reeves o el detective Barrott? Y ellos, y Nick, ¿se darían cuenta de que algo iba mal?

La última vez que él volvió me pareció que ya era de día. Vi su sombra en las escaleras.

—Yo nunca tuve la intención de cometer otro crimen, Carolyn —dijo—. Realmente me gustaba gestionar esos edificios, y me encantaban los amigos que hice en internet. Yo seguía pensando que podía parar. Lo intenté de verdad. Entonces el tío Elliott dijo que ahora era yo quien le debía un favor. Necesitaba que me deshiciera de tu hermano. Mack fue a ver a Elliott. Quería acceder a los fondos del fideicomiso. Su novia estaba embarazada y quería casarse y pagarse los estudios, y los de ella también. Pero el tío Elliott se había pulido casi todos vuestros fondos. Había invertido una fortuna en algo que falló. Intentó quitarse de encima a Mack, pero sabía que sospechaba. Y yo tuve que matarle.

Yo tuve que matarle. Tuve que matarle. Mack está muerto, pensé con amargura, ellos le asesinaron.

—Para que no se investigaran los fondos, Elliott tenía que hacer creer a todo el mundo que Mack seguía vivo. Antes de dispararle, obligué a Mack a decir las palabras que vosotros oísteis en la primera llamada del día de la Madre. Después, al cabo de un año, Elliott me obligó a matar a su profesora y a robar las cintas de Mack que ella tenía, para que él pudiera fabricar nuevas llamadas el día de la Madre. Elliott es un genio de la tecnología. Durante años mezclamos lo que Mack decía en esas cintas para grabar las llamadas. Tu hermano está enterrado aquí mismo, al lado de las otras chicas. Mira, Carolyn.

Dirigió el pequeño haz de luz de la linterna hacia el suelo del sótano. Yo levanté la cabeza.

—¿Ves donde están las cruces? Tu hermano y las otras chicas están enterrados uno al lado del otro.

Mack llevaba muerto todos estos años, mientras nosotras esperábamos y rezábamos para que volviera. El hecho de que Mack estuviera enterrado aquí, en ese miserable y sucio sótano, me llenó de una tristeza insoportable. En cierta forma yo siempre creí que le encontraría. Mack. Mack. Mack.

Altman se reía, era una risita aguda y tonta.

—Es verdad que Elliott nació en Inglaterra. Su madre es de Kansas. Era la criada de una familia norteamericana que se mudó a Inglaterra. En Londres se quedó embarazada y cuando el niño nació la mandaron a casa. Ella le ayudó a inventar todas aquellas historias de que era pariente del presidente Roosevelt. Las inventaron juntos. Ella le ayudó a conseguir ese pretencioso acento inglés. Elliott imita bien las voces. Él mismo ha imitado la voz de Mack estos últimos tres años. Sabe que vosotros la habías comparado con la auténtica voz de Mack de las películas familiares. Os ha engañado, ¿verdad?

La voz de Altman era cada vez más y más chillona.

—Solo nos quedan quince minutos antes de que todo acabe. Van a derribar este edificio. Pero quiero decirte algo. Yo puse la nota en la cesta de la colecta. Al tío Elliott le preocupaba que tú empezaras a buscar a Mack. Elliott me obligó a ponerla allí. Lil Kramer me vio en la iglesia. Yo vi cómo me miraba un par de veces. Pero luego ella pensó que yo era Mack, porque tú le dijiste que él había estado en esa misa. Adiós, Carolyn. Adiós, Leesey.

Oí sus pasos alejándose por última vez. Quince minutos. Este edificio será derribado en quince minutos. Voy a morir, pensé, y mamá se casará con Elliott...

Leesey temblaba. Yo estaba segura de que había entendido lo que él había dicho. Seguí dándole la mano e hidratándole los labios, hablando con ella, pidiéndole que aguantara, que todo el mundo estaba buscándonos. Pero ahora yo ya no creía lo que estaba diciendo. Creía que Leesey y yo seríamos las últimas víctimas de aquel loco y de Elliott Wallace. En aquel momento pensé que, al menos, pronto estaría con Mack y con papá.

—Le tenemos. Está en la Ciento cuatro con Riverside Drive —gritó Larry Ahearn.

Todos los coches de la brigada de las proximidades recibieron la voz de alarma. Corrieron a la escena del crimen, con las sirenas ululando.

La bola de la máquina de demolición estaba preparada. A Derek Olsen le encantó ver que su rival en los negocios, Doug Twining, estaba en la cabina de la grúa.

Derek se puso en pie de un salto y empezó a contar: «Uno. Dos». Y entonces su sonrisa de satisfacción se le congeló en los labios. Alguien abrió a empujones la ventana tapiada del segundo piso de la vieja casa. Alguien que movía las piernas por encima del alféizar y hacía señales. Altman. Era Howie Altman.

La bola de la máquina de derribo se balanceaba hacia la casa. En el último segundo, Twining vio a Altman y movió los mandos para que la bola se apartara unos centímetros de la casa.

Los coches de la brigada, con los neumáticos chirriando, rodearon la casa.

—¡Vuelva! ¡Vuelva! —Howie Altman chillaba y corría por el techo del porche, y con los brazos hacía gestos a la grúa. Cuando empezó a saltar arriba y abajo, el techo podrido cedió y la casa empezó a desmoronarse. Los pisos se fueron derrumbando, uno encima del otro. Al ver lo que pasaba, Altman volvió a entrar por la ventana, justo a tiempo de que le cayeran encima toneladas de escombros.

Los policías de la brigada salieron de los coches.

—El sótano —gritó uno de ellos—. El sótano. Es la única posibilidad que tienen si están allí.

El techo se nos estaba cayendo encima. Yo me incorporé e intenté arrastrarme para ponerme sobre el cuerpo de Leesey, que para
entonces apenas respiraba. Noté que un trozo de escayola me
golpeó en el hombro, y luego en la cabeza y en el brazo. Demasiado tarde, demasiado tarde, pensé. Como Mack y aquellas otras
chicas, Leesey y yo estábamos destinadas a morir allí.

Entonces oí el sonido de la puerta exterior del sótano al abrirse y los gritos de unas voces que se acercaban a mí, desde arriba.
Fue entonces cuando me desmayé y escapé del dolor. Supongo
que me dieron muchos sedantes, porque tardé dos días en despertarme del todo. Mi madre estaba sentada en una butaca, junto a
la ventana de la habitación del hospital, vigilándome como había
hecho el 11 de septiembre. Igual que aquel día, nos abrazamos
y lloramos juntas, esta vez por Mack, aquel joven, hijo y hermano honorable, que había muerto porque quiso aceptar sus responsabilidades.

Epílogo

Un año después

Cuando se revisaron los libros, supimos que Elliott nos había robado una fortuna. Estaba claro, como había proclamado Altman, que Mack se había dado cuenta de que algo pasaba con su fideicomiso y que esa conclusión le costó la vida.

Fue un milagro que Leesey aún estuviera viva. Pasó atada dieciséis días y noches en aquel suelo repugnante, sin poderse mover. Altman, alternativamente, amenazó con matarla y luego se burló de ella. Cuando a la puerta del Woodshed Leesey entró en aquel monovolumen, él le dijo que Nick le había enviado para acompañarla a casa. Apenas le había dado unos sorbos de agua al día. Hambrienta y deshidratada, llegó al hospital en estado crítico. Igual que mamá veló por mí en el hospital, el padre y el hermano de Leesey hicieron lo propio en su habitación, insistiendo y suplicando que volviera a la vida.

Los Andrews se han convertido en grandes amigos nuestros. El doctor David Andrews, el padre de Leesey, nos invita a menudo a mamá y a mí a comer en su club de Greenwich. Mamá y yo intentamos superar el dolor por la muerte de Mack y su amistad ha sido un gran consuelo. Sé que nosotros hemos ayudado a Leesey a recuperarse emocionalmente de su terrible experiencia. Mamá vendió el apartamento de Sutton Place y ahora vive en

Central Park Oeste. He notado que el doctor Andrews va por allí con frecuencia, para llevarla a cenar y al teatro.

Nosotras conseguimos ocultar a la prensa todos los motivos que provocaron las sospechas de Mack acerca de las irregularidades de los fondos de su fideicomiso. Naturalmente, yo le hablé a mamá del hijo de Mack. Era mi deber contárselo. La doctora Barbara Hanover Galbraith vino a vernos y nos dijo lo mucho que lamentaba haber creído que Mack la había abandonado. Ni siquiera entonces fue totalmente sincera. No admitió que había dado a luz al hijo de Mack hasta que yo se lo dije. Entonces nos suplicó que esperáramos a que fuera mayor para decirle la verdad, y nosotras lo aceptamos de mala gana. Mamá y yo desearíamos de corazón que él lo supiera y poder estar cerca del hijo de Mack. Hemos asistido discretamente a las obras de teatro y a los conciertos de St. David, su colegio, y es como volver a ver a Mack. Ellos le llaman Gary. Para mamá y para mí siempre será Charles Mackenzie III.

Los Kramer disfrutan de su vida en Pennsylvania. Cuando supieron la verdad sobre la desaparición de Mack, vinieron a pedirnos disculpas a mamá y a mí. Lil nos dijo que como ella había estado en la cárcel por robo cuando era joven, reaccionó de forma exagerada cuando Mack le preguntó por su reloj. Lo encontraron en el apartamento de Howard Altman. Nunca sabremos si se lo robó a Mack de su piso de estudiante o si se lo quitó después de matarle.

Lil también nos contó lo que había encontrado en la habitación de Mack que tanto molestó a Gus.

—Era una nota tonta en la que se burlaba de mí, diciendo que yo quería que me llevara a bailar, pero hirió mis sentimientos —nos dijo.

Esa era la nota que había escrito Nick y que luego tiró. Obviamente, él tenía razón cuando dijo que Lil era un poco metomentodo. Cuando le pregunté por ella, él me contó que la había arrugado y que luego la tiró a la papelera que había al lado de la mesa de Mack. Por eso Lil pensó que la había escrito Mack.

Me alegra decir que soy una de las atareadas ayudantes del fiscal del distrito de Manhattan y que trabajo con regularidad con los detectives que al principio sospecharon de mí, quienes ahora son mis colegas y buenos amigos míos.

Nick y yo nos casamos hace tres meses. Hemos convertido el estudio en un encantador apartamento neoyorquino. El Woodshed va bien. El Pasta y Pizza que su padre ha vuelto a abrir en Queens es uno de nuestros restaurantes favoritos. Yo siempre dije que tendría cuatro hijos, y tenemos muchas ganas de tener el primero cuanto antes. Espero que sea un chico. Se llamará Charles Mackenzie DeMarco.

Nosotros le llamaremos Mack.

ESTE LIBRO HA SIDO IMPRESO
EN LOS TALLERES DE
CAYFOSA